RG
P855+

34.95

LE TÉMOIN INVISIBLE

Du même auteur

Mon frère Salvador et Autres Mensonges
L'Harmattan, 1996

Petites Infamies
Seuil, 2000
et Points nº P870

Cinq mouches bleues
Seuil, 2001
et Points nº P1002

Le Bon Serviteur
Seuil, 2005
et Points nº P1431

La Dame de cœurs
Seuil, 2007
et Points nº 2040

Le Ruban rouge
Seuil, 2010
et Points nº 2643

Invitation à un assassinat
Seuil, 2012
et Points nº 3061

CARMEN POSADAS

LE TÉMOIN INVISIBLE

ROMAN

TRADUIT DE L'ESPAGNOL
PAR ISABELLE GUGNON

ÉDITIONS DU SEUIL
25, bd Romain-Rolland, Paris XIVe

Titre original : *El testigo invisible*
Éditeur original : Editorial Planeta S.A., 2013
© Carmen Posadas, 2013
ISBN original : 978-84-08-03455-1

ISBN 978-2-02-112084-4

Illustration p. 333 : © Album/adoc photos

© Éditions du Seuil, mai 2014, pour la traduction française

Le Code de la propriété intellectuelle interdit les copies ou reproductions destinées à une utilisation collective. Toute représentation ou reproduction intégrale ou partielle faite par quelque procédé que ce soit, sans le consentement de l'auteur ou de ses ayants cause, est illicite et constitue une contrefaçon sanctionnée par les articles L.335-2 et suivants du Code de la propriété intellectuelle.

www.seuil.com

L'enfer est pavé de bonnes intentions.

Proverbe populaire

À Carmencita Secco Ruiz Posadas, qui est arrivée pour Noël, et aux centaines de milliers d'Européens qui ont débarqué dans le bassin du Río de la Plata après les deux guerres mondiales, avec leur vécu, leurs désirs et aussi – mais peut-être devrais-je dire « surtout » – avec leurs secrets…

Je pressens que je vais quitter la vie avant le 1er janvier... Si je suis tué par des assassins ordinaires, notamment par un frère paysan russe, toi, tsar de Russie, tu n'as rien à craindre pour ton trône et ton pouvoir, tu n'as rien à craindre pour tes enfants, qui régneront pendant quatre cents ans. Mais si je suis tué par des nobles, s'ils versent mon sang qu'ils ne sauront effacer pendant vingt-cinq ans, ni toi ni ta femme ni aucun de vos cinq enfants ne me survivront plus de deux ans. Vous mourrez des mains du peuple russe. Je ne fais plus partie du monde des vivants, je vais bientôt être tué, mais ma mort se renouvellera dans la vôtre comme une pierre jetée pour ricocher à la surface d'un étang, envoyant des ondes concentriques chaque fois qu'elle touche l'eau.

Lettre de Raspoutine à Nicolas II
quelques jours avant sa mort

La règle de Gricha Ivanovitch

Montevideo, 13 avril 1994

Un vieux proverbe dit que nul n'est un grand homme pour son valet de chambre. Selon un autre que je suppose encore plus ancien, il ne faut pas servir qui a servi ni quémander auprès de qui a déjà quémandé. J'estime pour ma part qu'aucun de ces fragments de sagesse populaire n'a été énoncé par ceux susceptibles d'être les mieux informés en la matière, à savoir les domestiques.

Je me permets aussi d'affirmer que si nous avions davantage tenu la plume au fil des siècles l'Histoire comporterait des chapitres plus intéressants. Par chance pour certains de ses acteurs et malheureusement pour vous, nous avons rarement eu ce genre d'inclination. D'aucuns se sont satisfaits de la piètre grandeur qu'on retire en rapportant des faits sous forme de ragots ou de chicanes. D'autres, comme moi, ont estimé plus glorieux d'éviter de trop se répandre. Par loyauté ? Par discrétion ? Par fierté d'appartenir à un corps de métier ? Mon oncle Gricha, qui a préféré être tué par les bolcheviques plutôt que de révéler le mécanisme d'ouverture de la porte derrière laquelle on conservait les trésors les plus précieux du palais des Youssoupov, disait que ces trois principes constituaient sa règle de conduite, sa raison de se taire. La mienne, contradictoire comme toute ma personne, est à la fois prosaïque et romantique. J'ai jusqu'à présent observé le silence parce que le bien le plus inestimable que je possède est le produit d'un vol. Si je ne l'ai pas dévoilé, c'est que, de même que les sortilèges, les grands secrets s'évanouissent dès lors qu'on les expose, or je voulais garder le mien pour moi. J'ignore ce qu'oncle Gricha aurait pensé de cette façon de voir. Il aurait sans doute levé un sourcil, le gauche, en m'écoutant. Mon oncle n'était pas un de ces valets anglais capables d'exprimer n'importe quelle émotion par une seule et infime contraction musculaire, mais le haussement du sourcil gauche est entre nous un langage aussi universel que l'espéranto.

Gricha Ivanovitch. C'est curieux. Cela faisait des années que je n'avais pas songé à lui, et voilà que depuis deux jours il m'obsède. Un reportage télévisé m'a remis en mémoire son image ainsi que sa règle de conduite, sa raison de ne pas desserrer les lèvres. Il s'agissait d'un documentaire faisant état d'éléments nouveaux quant au déroulement d'un assassinat célèbre et aux individus qui y ont participé. Je veux parler de la mort de Grigori Efimovitch, plus connu sous le nom de Raspoutine, visionnaire, libertin et un des principaux responsables de la révolution russe. C'est ainsi que tout a commencé et que m'est venue l'idée d'écrire ce récit. On a proféré et on continue de proférer tant d'inexactitudes sur cette époque qu'à présent, alors que le XXe siècle amorce son dernier virage et que nous ne sommes plus qu'une petite poignée de témoins directs encore de ce monde, le moment est peut-être venu de parler. Les pages qui vont suivre sont mes souvenirs, mais, les années passant, j'ai aussi pu combler certains points obscurs en m'aidant de la mémoire et du témoignage de personnes qui méritent ma confiance.

Tout le monde s'accorde à dire que l'histoire de l'Europe, et sans doute celle du reste du monde, aurait été différente sans l'irruption du susmentionné Grigori

Efimovitch Raspoutine dans l'existence de la tsarine Alexandra Feodorovna. Les gens versés dans les prophéties (ou plutôt dans les sarcasmes que réserve la vie) aiment à rappeler la lettre qu'il écrivit à Nicolas II peu avant son assassinat. Il y prédisait non seulement sa propre mort, mais aussi celle de la famille impériale au complet.

Quelques jours plus tard, le sang de Raspoutine teignait de rouge les élégants tapis du palais du prince Youssoupov, neveu par alliance du tsar et l'un des auteurs du meurtre. C'est précisément mon oncle Gricha qui l'aida à les nettoyer et à faire disparaître d'autres taches compromettantes. Mais avec qui était Youssoupov ce fameux soir et comment la mort de Raspoutine se renouvela-t-elle dans celle de la famille impériale ? Pour l'instant, je peux juste affirmer que la prédiction se réalisa et qu'elle ne fut pas la seule. Cercles concentriques, faits reflétés dans d'autres, ondes à la surface d'un étang... Nous, les valets, sommes les témoins aveugles, muets et essentiellement sourds – vous me croyez, n'est-ce pas ? – de ce qui se passe derrière les portes closes, et grandes sont nos connaissances en la matière. Voilà pourquoi je suis sûr qu'à l'origine des ondes il y a parfois des détails, des maladresses, des malentendus, des traits de caractère qui en d'autres circonstances n'auraient eu aucune répercussion, mais peuvent dans certains cas finir par changer le cours de l'Histoire.

Je voudrais parler de tout cela. De ce que j'ai vu et entendu derrière les portes fermées et aussi des confessions que m'ont faites d'autres domestiques aussi aveugles, muets et sourds que moi. J'aime le mot « confession ». Il sied aux états d'âme d'un vieillard qui, bientôt, fêtera ses quatre-vingt-onze ans. À ce stade de la vie que les Français désignent sous le terme de *grand âge** [1] – cette expression à la fois bienveillante et élégante me plaît –, on se réveille chaque matin une seule question aux lèvres : est-ce pour aujourd'hui ? Cette aube qui point sera-t-elle la dernière ? Cette sensation si peu agréable cohabite cependant avec un émoi enfantin et plein d'espoir : quand nous serons oubliés de tous, quand plus personne ne se rappellera qui nous avons été et ce que nous avons fait, la mort nous chassera-t-elle elle aussi de son esprit ? Qui sait ? Il m'arrive parfois de croire qu'il en sera ainsi.

Quand bien même je me tromperais, avant que la Faucheuse répare sa légère inadvertance je n'aspire qu'à une chose : elle qui s'est jusqu'à présent comportée comme une grande dame en se faisant si longtemps désirer, j'aimerais qu'elle continue sur sa lancée et me laisse mettre un point final à mon récit pour que ce volet de l'Histoire ne disparaisse pas avec moi.

« Nul n'est un grand homme pour son valet de chambre » et « Garde-toi de servir qui a servi et de quémander auprès de qui a quémandé »… Les deux proverbes disent vrai tout en étant trompeurs, ce que je m'apprête maintenant à démontrer. La vie privée de ceux qui font l'Histoire se constitue, on le sait, d'ombres et de lumières. Certains témoins se plaisent à évoquer le feu des projecteurs, mais nombreux sont ceux qui préfèrent ne s'intéresser qu'aux ombres les plus noires et les plus étendues. Pour ma part, j'apprécie les clairs-obscurs. Comme dans l'art de manier le pinceau, ils permettent de dépeindre un tableau parfait.

Il est temps de commencer, et, même si cela est très peu orthodoxe, voire assez présomptueux, je débuterai

1. Tous les mots en italique suivis d'un astérisque sont en français dans le texte (*NdT*).

mon récit par le seul moment où, loin d'être le patronyme d'un témoin sourd, muet et aveugle derrière une porte close, mon nom a traversé l'Histoire, bien que de manière fugace.

Oui, j'étais présent lorsque le deuxième cercle concentrique prédit par Grigori Efimovitch se produisit, moins de deux ans après son assassinat.

Le récit du bourreau

Le 16 juillet 1918, dans l'après-midi qui a précédé les faits, moi, Yakov Yourovski, commandant-geôlier de celle qu'on appelait jusqu'à maintenant la famille impériale, j'ai ordonné au jeune marmiton de cuisine, Léonid Sednev, de quitter la maison sous prétexte que son oncle, arrêté à Saint-Pétersbourg, avait obtenu sa libération et souhaitait le voir. Cette décision a causé une vive inquiétude parmi les prisonniers, et une des filles de l'ancien tsar, je ne sais plus s'il s'agissait de Maria ou Tatiana, a demandé pourquoi il devait partir. Le reste de l'après-midi s'est déroulé sans incidents. J'ai préparé douze revolvers et assigné un garde à chaque membre de la famille, de telle sorte que tous sachent sur qui ils devaient tirer. Certains ont demandé à être dispensés de tuer les jeunes filles. J'ai relevé immédiatement ces hommes incapables d'accomplir leur devoir révolutionnaire à un moment aussi décisif. Il m'avait été notifié par téléphone que vers vingt-trois heures un camion arriverait pour charger les corps, et que le chauffeur se ferait connaître par le mot de passe « ramoneur ». Il faudrait alors agir. Minuit a passé, puis une heure, et à une heure et demie on m'a informé que le camion était enfin là. J'ai réveillé la famille, qui était allée se coucher sur le coup de vingt-deux heures, et demandé à ses membres de s'habiller au plus vite sous prétexte que des troubles avaient éclaté en ville et que nous devions les transférer dans un endroit plus sûr. Je me suis chargé personnellement de les escorter jusqu'à l'étage inférieur. Nicolas portait son fils malade dans ses bras. Les autres les suivaient. Olga et Maria, d'abord, puis Tatiana et l'ancienne tsarine; Anastasia avait pris du retard au motif qu'elle ne trouvait pas Jimmy, son petit chien. Quelques minutes plus tard, elle a commencé à descendre l'escalier en le portant dans ses bras; les autres prisonniers lui emboîtaient le pas: le docteur Botkine, le cuisinier Kharitonov, le valet de pied Troupp et, enfin, Demidova, la femme de chambre. Bien qu'on leur ait dit qu'ils n'avaient rien besoin d'emporter, certains, comme cette dernière, avaient pris des oreillers et de petits objets ainsi que des sacs à main. Une fois au rez-de-chaussée, j'ai conduit les prisonniers dans une pièce en demi-sous-sol de seize pieds sur dix-huit avec une grosse grille de fer forgé devant la fenêtre. « Il n'y a même pas de chaises, ici », a déclaré Alexandra. J'ai ordonné qu'on en apporte deux. Nicolas en a voulu une de plus pour son fils Alexis. Je leur ai dit qu'il fallait attendre l'arrivée des voitures et leur ai demandé de s'asseoir pour prendre quelques photographies…

Ainsi débute le récit que Yakov Yourovski – officier à la tête de ce que nous pourrions appeler le peloton d'exécution de la famille impériale – fit de ce qui se passa à Ekaterinbourg dans la nuit du 16 au 17 juillet 1918. Il existe trois versions de ce journal, toutes signées de sa main. Elles présentent de petites différences, mais j'ai choisi la dernière, qui comprend des détails à mon sens curieux et émouvants. J'ai lu tant de fois ces documents que je pourrais les réciter par cœur. Je me livre à cet exercice à la fois fasciné et terrifié, comme un lecteur plongé dans une histoire déchirante, mais je me sens également – je l'avoue – gagné par un envoûtement moins estimable : celui qu'on ressent en lisant son nom dans un événement qui a fait dévier le cours de l'Histoire.

Non. Je ne suis pas le docteur Botkine cité plus haut, ni le cuisinier Kharitonov ou le valet Troupp – qui, soit dit en passant, était fort antipathique. Évidemment, je ne suis pas non plus la fidèle Demidova. Aucun d'eux n'a survécu au massacre. Je suis le seul prisonnier ayant réussi à sortir vivant de cette maison. Mon nom est Léonid Sednev, j'avais quinze ans à l'époque. J'ai été tout d'abord ramoneur du palais impérial, puis marmiton, toujours à votre service.

Maintenant que les présentations sont faites, poursuivons la lecture des lignes écrites par Yourovski à propos des derniers instants des Romanov. Sans se départir d'un ton bureaucratique et impersonnel, il tient les propos suivants :

> *Alexandra Feodorovna s'est assise. Ses filles et Demidova étaient debout, près d'elle, à gauche de la porte. Derrière se tenaient le docteur Botkine, le cuisinier et Troupp, le valet de pied. J'ai fait signe à mes hommes de descendre et de se poster dans le vestibule en attendant mes ordres. Nicolas a installé son fils sur une chaise, puis est resté debout devant lui, comme pour le protéger. Je leur ai alors suggéré à tous de se placer contre le mur, ce qu'ils ont fait, occupant le mur central et un des murs latéraux. Je me souviens avoir dit à Nicolas que certains de ses proches, à l'intérieur et hors du pays, avaient tenté de les sauver, et que le soviet des députés ouvriers avait décidé de le fusiller. « Comment ?... » s'est-il étonné en se tournant vers son fils. J'ai répété la phrase, puis j'ai tiré et je l'ai tué. À cet instant, mes hommes, qui étaient encore dans*

le vestibule, ont fait feu de manière désordonnée depuis le seuil de la porte. Les tirs ont continué pendant un long moment, et de nombreuses balles ricochaient dangereusement contre les murs. Je n'arrivais pas à obtenir le cessez-le-feu et la situation a pris un tour chaotique aggravé par les hurlements des prisonniers. Quand ce fut enfin terminé, plusieurs d'entre eux étaient encore en vie. Le docteur Botkine, par exemple, était allongé, en appui sur son coude gauche, dans une posture presque agréable. Il a été tué d'une balle. Les quatre filles, Alexandra et Demidova étaient elles aussi encore vivantes. Nous avons tenté de les achever, puis je me suis aperçu qu'Alexis était toujours sur sa chaise, pétrifié de peur. Je l'ai exécuté. Mes gardes ont de nouveau tiré sur les filles sans résultat. Au milieu des cris, l'un de mes hommes s'est servi d'une baïonnette, mais, là non plus, il n'est arrivé à rien. Demidova, la femme de chambre, courait, ensanglantée, dans la pièce, se protégeant d'un oreiller, et il n'y avait pas moyen d'en finir avec elle. Nous avons pu les achever quelques instants plus tard en leur tirant une balle dans la tête.

Ce n'est qu'ensuite, dans la forêt, alors que nous démembrions les corps avant de les brûler, que j'ai compris pourquoi l'exécution des femmes avait été si difficile. Toutes : les quatre filles, Alexandra et Demidova, avaient cousu sur leurs dessous une multitude de bijoux et de pierres précieuses. Leurs corsets étaient par exemple couverts de haut en bas de diamants et autres gemmes de toutes les couleurs. Nous avons prélevé sur elles au moins neuf kilogrammes de bijoux. Alexandra portait quant à elle une gigantesque pièce d'or qui ressemblait à une chaîne et qu'elle avait enroulée autour de son corps ; elle pesait une bonne livre. L'oreiller de Demidova était bourré d'objets précieux, si bien qu'il lui avait servi de bouclier au début des tirs. Voilà donc pourquoi ni les balles ni les baïonnettes n'avaient eu raison d'elles. Elles sont les seules coupables de leur longue agonie.

Yakov Yourovski enchaîne en expliquant la façon dont ils ont dépecé, brûlé et fait disparaître les corps. C'est un passage pénible que je n'ai pas l'intention de reproduire ici. Je me propose de révéler des détails inconnus de la famille impériale, non de décrire leur fin tragique. Je vais donc remonter dans le récit du bourreau et citer les passages traitant de leurs derniers jours.

Dans les chapitres précédant le massacre, Yourovski explique par exemple comment se passait la cohabitation dans la Maison à destination spéciale, à Ekaterinbourg, alors que rien ne laissait présager un dénouement aussi funeste. Malgré le ton détaché et administratif qu'emploie le commissaire politique des soviets, on entrevoit le déroulement de notre existence et les liens qui unissaient ses serviteurs à la famille impériale. Pour les décrire, je comparerais ces liens aux affinités susceptibles de naître au sein d'un groupe d'individus d'extraction sociale différente ayant échoué sur une île déserte après un naufrage. Oui, il me semble que c'est la meilleure définition. Au début de notre « naufrage », eux comme nous gardions nos distances et respections les conventions, les règles qui avaient toujours régi notre existence de maîtres et de serviteurs. Au fil du temps, celles-ci se sont effacées et nous nous sommes rapprochés les uns des autres. Le bourreau lui-même s'en est rendu compte :

Les filles, par exemple, venaient souvent dans la cuisine, aidaient à pétrir le pain et jouaient aux cartes avec le cuisinier et le marmiton. Toutes quatre s'habillaient très simplement. Leur plus grand plaisir consistait à s'immerger pendant des heures dans la baignoire. Je leur ai interdit de le faire ; nous n'avions pas assez d'eau pour tolérer ce type de frivolités. Hormis ce détail, si on considérait la famille d'un œil objectif, elle était parfaitement inoffensive. Sednev, le marmiton, semblait très proche d'elle, peut-être trop. Il jouait avec Alexis, qui avait à peu près son âge, mais non comme l'aurait fait un laquais avec le fils du tsar et de la tsarine. Il lui arrivait même parfois d'agacer Alexandra en courant derrière un des petits chiens. Pourtant le garçon n'interrompait pas son activité, que, en sa qualité d'enfant, il trouvait manifestement très agréable.

Ce brave Yourovski ! Que Dieu lui garde la vue, si nécessaire à un bon espion. À quinze ans, on a des intérêts divers. On peut un jour cavaler derrière un petit chien et s'adonner le lendemain à un autre genre de courses, comme par exemple celles qu'on nous charge d'effectuer. Alexis et moi avions le même âge, mais je n'irais pas jusqu'à dire que ses quinze ans étaient semblables aux miens. En vérité, il était d'un an mon cadet, mais on ne peut comparer un enfant qui travaille depuis ses neuf ans à un autre, qui a toujours été surprotégé du fait de son rang et aussi de sa maladie. Ai-je dit qu'Alexis Romanov, tsarévitch de toutes les Russies, était hémophile, et que cette donnée est une onde concentrique venant s'ajouter à celles qui se sont succédé et multipliées au point de déclencher une tempête monumentale dans notre pays ?

Mais je mets la charrue avant les bœufs. Cette onde ainsi que toutes ses répliques auront leur place plus tard dans mon récit : avant de les coucher sur le papier, je dois m'attacher aux derniers jours que j'ai passés auprès de la famille impériale.

Je commencerai par dire qu'en Sibérie l'été peut être incroyablement chaud, si chaud que, comme le précise

Yourovski dans son journal, les filles du tsar aimaient passer de longs moments dans la baignoire, un plaisir malheureusement proscrit par notre geôlier. On sue quand la chaleur est telle, les vêtements gênent, surtout quand on est jeune, et nous étions nombreux dans ce cas. Le tsarévitch et moi étions les moins âgés, puis venaient par ordre croissant Anastasia (dix-sept ans), Maria (dix-neuf), Tatiana (vingt et un) et, enfin, Olga (vingt-trois). La liste ne se termine pas là et je devrais aussi mentionner une dizaine de garçons qui se succédèrent et se relayèrent tout au long de ce dernier été sibérien torride, en qualité de geôliers ou de gardes, et qui devinrent ensuite des bourreaux.

Yourovski raconte qu'il dut relever certains de ses hommes, qui avaient refusé de tirer sur des jeunes filles. Ce n'était pas la première fois qu'il se trouvait contraint de remplacer des gardes. Depuis l'arrivée de la famille impériale dans sa dernière résidence, le commandant Yourovski avait dû, comme ses prédécesseurs, relever fréquemment ses sentinelles, les filles du tsar étant spontanées et d'un abord facile. Mais Olga, Tatiana, Maria et Anastasia étaient surtout trop belles. Dans cette maison qui était une prison, il n'y avait guère de distractions pour tuer le temps – une expression qui ne manque pas d'ironie lorsqu'on connaît l'issue des événements.

> *Les filles, surtout Tatiana et Maria, faisaient souvent irruption auprès des sentinelles. Elles essayaient d'échanger quelques mots aimables avec ces jeunes gens et cherchaient à l'évidence à s'attirer leurs bonnes grâces. Mais je dois dire que mes soldats étant durs et insensibles à leurs charmes, elles ne parvenaient guère à les enjôler.*

Tels sont les propos de Yourovski. Encore une fois, Dieu lui garde la vue. J'espère qu'au cours de sa longue sans doute parce que les poêles, très efficaces, étaient également magnifiques. De face, ils ressemblaient à d'immenses tours couvertes de carreaux colorés qui, telles des sentinelles hautes de plusieurs mètres, montaient la garde dans un coin. À l'arrière et à l'intérieur, leur aspect changeait du tout au tout : creux et en métal, ils évoquaient un ventre gigantesque avec un cordon ombilical, une sorte de tunnel de près d'un mètre de diamètre qui reliait les appareils à travers les cloisons afin que la chaleur des uns et des autres se répande dans les longs couloirs du palais. La plupart de ces poêles possédaient à hauteur du plafond une grille rectangulaire ou une bouche d'aération permettant à l'enfant pauvre que j'étais de voir sans être vu ce qui se passait plus bas, dans le grand monde.

J'ai commencé à travailler dans ce labyrinthe de goulets, conduits et autres tuyaux le 10 juin 1912. Je me rappelle bien la date car, ce jour-là, Tatiana Nikolaïevna fêtait l'anniversaire de ses quinze ans éblouissants, alors que je n'étais pour ma part qu'un gringalet malingre allant sur ses dix ans. Impossible d'imaginer à l'époque que cet univers de colonnes de malachite et de meubles fastueux, de cloisons d'ambre et de parcs extraordinaires s'effondrerait à peine six ans plus tard et que, pendant de longs jours, nous irions tous deux à la dérive. L'existence d'Olga, Tatiana, Maria et Anastasia s'interrompit quand Yourovski ordonna de faire feu sur leurs corps naïvement recouverts de pierres précieuses. La mienne s'achèvera bientôt, je l'espère, lorsque la mort remédiera à son oubli stupide et viendra me chercher.

Mais, d'ici là, je compte bien donner forme à ce récit qui a débuté dès l'instant où nos regards se sont croisés pour la première fois.

carrière d'espion des soviets il a connu des instants plus lucides que ceux dont il a fait preuve pendant le mois de juillet de 1918.

Sache, Yourovski, que ni tes sentinelles ni moi-même ne restions de glace devant des filles si jolies, si seules, si malchanceuses. Il me semble qu'elles non plus n'étaient pas indifférentes à certains jeunes paysans, et j'aimerais pouvoir dire que je faisais partie du lot. Malheureusement, Tatiana Nikolaïevna, âgée de vingt et un ans, ne s'est jamais intéressée à moi. Pourquoi un marmiton, compagnon de jeux de son frère cadet, aurait-il intéressé la fille d'un tsar ? Moi, en revanche, je l'adorais depuis des années. Je l'ai vénérée dans cette maison sibérienne, mais aussi sous l'autre toit qui nous avait abrités pendant des années, le palais Alexandre, où elle menait son existence de grande-duchesse impériale et où j'étais non pas marmiton, mais ramoneur.

Les gens croient que ce métier aujourd'hui disparu tel qu'il existait à l'époque consistait uniquement à monter sur les toits des bâtiments pour se glisser à l'intérieur des cheminées et en nettoyer les conduits. Cette tâche était réservée aux ramoneurs plus âgés que je ne l'étais quand j'ai été embauché au palais, des garçons de quatorze ou quinze ans, sergents et lieutenants de notre escadron de propreté. Le gros des troupes était constitué d'enfants d'une dizaine d'années. Tandis que nos aînés s'employaient à débarrasser les cheminées de leur suie, on nous assignait une autre occupation, celle de décrasser les poêles placés dans les pièces du palais, pourvu depuis longtemps de tout le confort moderne : téléphone, lumière électrique et même un petit ascenseur à l'usage exclusif du tsar et de la tsarine. Mais de nombreuses pièces, à commencer par les grands salons, étaient toujours chauffées comme du temps de la Grande Catherine,

Les enfants de l'eau

– Je vous jure que c'est vrai, *Monsieur**, je l'ai vu comme je vous vois. Ils étaient là il y a tout juste un instant, derrière cette petite grille, près du plafond, deux yeux brillants, verts et affolés. Vous pensez que c'est un chaton ? Il a peut-être besoin d'aide. S'il vous plaît, *Monsieur** Gilliard, il faut faire *quelque chose* !

– *Mademoiselle** Marie, je n'ai pas du tout l'intention de me déranger pour aller voir ce qui se passe là-haut, trancha une voix masculine. C'est le prétexte le plus idiot que j'aie jamais entendu pour interrompre un cours. Un chat dans un tuyau de poêle !

Je comptais m'éloigner le plus possible de la fente grillagée par laquelle j'espionnais ce qui se passait en bas, mais je ne bougeai pas. En revanche, profitant de l'indifférence de cet homme – qui était-ce ? un précepteur ? un professeur ? –, j'essayai de deviner laquelle de ces têtes féminines penchées sur leurs livres d'étude appartenait à la jeune fille qui m'avait découvert. Je n'eus guère plus d'une seconde pour mieux observer la scène, car une petite main impatiente et noire s'interposa entre mes yeux et la grille.

– Tu es fou ? Tu as oublié ce qu'a dit Anton Pétrovitch ou tu as envie d'être renvoyé dès ton premier jour de travail ? Sans compter qu'on en profitera pour me mettre moi aussi à la porte... *Invisibles* : voilà comment doivent toujours être les *water-babies*.

Nous avions pris connaissance de cette expression, *water-babies*, en intégrant la troupe des ramoneurs impériaux, petite cohorte noire de suie qui, en cette année 1912, comptait quinze garçons. Par la suite, j'ai compris le sens de ces mots que nous prononcions tous sans en capter l'ironie. Ils s'inspiraient du titre d'un livre célèbre dans toute l'Europe et lu par des enfants plus chanceux que nous, un conte de Charles Kingsley mettant en scène les aventures d'un petit ramoneur qui tombe dans une rivière et se noie après avoir été renvoyé de son travail parce qu'il a adressé la parole à une fillette fortunée. Quand j'ai commencé à travailler au palais Alexandre, ces deux termes anglais se confondaient avec d'autres que les domestiques utilisaient quotidiennement, comme *five o'clock tea*, *christmas tree* ou *bread and butter pudding*.

« Ne pose pas de questions idiotes, me dit-on quand, quelques semaines plus tard, profitant à l'heure du déjeuner de la présence d'une servante ayant à peu près mon âge, je voulus qu'on m'explique ce mystère ainsi que d'autres détails qui m'échappaient. C'est très simple : dans ce travail, on fait et on dit ce qu'on voit. »

« On fait et on dit ce qu'on voit. » Telle était la consigne que répétaient les domestiques comme une litanie. Même mon ami Youri, qui m'initia au monde obscur des poêles et de leurs conduits et avec qui je me trouvais le jour où on entrevit mes yeux derrière la grille, chercha à tout prix à me détourner de mon poste d'observation pendant que j'épiais juste une seconde.

– Rien qu'une seconde, Youri, je te le promets.

– Je vous en prie, *Monsieur** Gilliard. Je suis sûre qu'un chaton s'est coincé dans les conduits. Il a des yeux si tristes, le pauvre petit !

Heureusement pour moi – et aussi pour Youri, qui était furieux, mais que la peur de se faire prendre avait réduit au silence –, *Monsieur** Gilliard ne semblait guère s'émouvoir du sort des pauvres chatons et ne leva pas le nez.

– Ça suffit, toutes ces interruptions, *Mademoiselle** Marie. Poursuivons notre *dictée**. Où en étions-nous ? Ah oui ! *Point, à la ligne* !*

Des quatre têtes féminines qui se trouvaient sous mes pieds, deux aux boucles relevées sur la nuque semblaient appartenir à des filles âgées de quinze ou seize ans. Les deux autres – dont celle qu'on venait d'interpeller – avaient les cheveux lâchés sur les épaules. Quel âge pouvaient-elles avoir ? C'était difficile à déterminer sans voir leur visage, mais en constatant que les pieds de la plus jeune ne touchaient pas le sol, j'en conclus qu'elle avait onze ans, et sa sœur peut-être treize. Les aînées se replongèrent dans de très gros volumes, la *dictée** ne les concernant visiblement pas. En entendant leur professeur leur ordonner de se remettre à la tâche, les autres se penchèrent, appliquées, sur leur cahier, armées de leur plume.

– « *Monsieur Seguin n'avait jamais eu de bonheur avec ses chèvres** », commença Gilliard en arpentant la pièce, les mains dans le dos, les yeux baissés, à croire qu'il passait le sol en revue.

Quand il eut prononcé le dernier mot, la fille qui m'avait découvert redressa à nouveau la tête, mais ses yeux étaient simplement interrogateurs et perplexes, comme si elle se demandait quelle pouvait être l'orthographe de « chèvres ».

– Allons-y, bon sang ! marmonna Youri en me tirant.

Cette fois, il parvint à m'arracher à mon poste, mais j'eus le temps d'observer le visage de la petite fille qui s'appelait Marie – ou Maria en russe. Blonde avec des reflets roux, sa chevelure était aussi abondante que rebelle et déferlait dans son dos, à peine retenue par un ruban bleu ciel noué sur sa nuque. Comme ses sœurs, elle portait une robe blanche dont la monochromie était rompue par un autre ruban céleste lui ceignant la taille. Mais ses traits étaient ce qu'il y avait de plus remarquable dans sa personne. Elle avait un visage ovale, des lèvres charnues et un menton quelque peu insolent. Plus sombres que ses cheveux, ses sourcils arqués donnaient l'impression qu'elle posait perpétuellement une question et, en dessous, s'ouvraient de magnifiques yeux gris. Je n'avais jamais vu une fille aussi charmante, du moins pas avant qu'une des quatre autres têtes se redresse, offrant à ma vue la frimousse d'une des deux aînées. Si Maria avait les cheveux blond vénitien, ceux que je venais de découvrir étaient plus sombres, légèrement ondulés, et une mèche rebelle encadrait la joue droite de cette jeune fille. Elle avait les pommettes hautes des Slaves et un nez parfait. Pas particulièrement grands, plutôt en amande, ses yeux ambrés et assombris par des sourcils bien dessinés lui conféraient un air exotique et vaguement provocant. Naturellement, ce sont là des réflexions et des appréciations bien postérieures à ce fameux jour. Sur le moment, je me dis simplement que j'accepterais volontiers d'être condamné à perpétuité à l'enfer des chaudières et des conduits noirs de suie à condition de pouvoir glaner plus de détails sur ces jeunes filles extraordinaires. J'avais par exemple envie de connaître le prénom de la sœur aînée, de voir à quoi ressemblaient les deux autres afin de savoir si elles étaient aussi jolies que les premières. Malheureusement – et ce fut la seconde découverte de la journée –, même de l'enfer on peut être expulsé sans égards, et la bourrade de Youri s'en chargea.

Il me fut impossible d'en voir davantage. Tandis que nous nous éloignions, rampant en silence pour ne pas trahir notre présence, j'entendis les dernières paroles de la scène à laquelle j'avais assisté :

– *Mademoiselle** Tatiana, maintenant c'est vous qui vous intéressez à la frise du plafond ? Votre lecture ne vous captive plus ? Avez-vous quelque reproche à faire à Athos, Porthos et Aramis, ou à un autre personnage immortel des *Trois Mousquetaires* ? Vous préférez peut-être vous joindre à vos sœurs cadettes et faire *une petite dictée** en leur compagnie ? Quant à vous, *Mademoiselle** Marie, je n'arrive *vraiment** pas à comprendre pourquoi votre imagination s'égare dans les hauteurs à la moindre occasion. *La Chèvre de Monsieur Seguin** d'Alphonse Daudet ne vous inspire donc pas ? Oh, vous allez sans doute me dire que vous aimez mieux les chats et les musaraignes que les chèvres…

Cette dernière remarque fut saluée par un concert de rires. Elles semblaient si heureuses.

BIBLIOTHÈQUE MUNICIPALE D'ALMA

Tante Nina

– *Water-babies ?* Bon sang ! On peut savoir ce que cela veut dire et depuis quand la cour de Russie parle anglais ? C'est abracadabrant ! s'indigna ma tante, Nina Petrovna, quand, quelques semaines plus tard, en visite dans mon ancien foyer, je lui racontai, ainsi qu'à ma mère, comment j'avais passé ma première journée à récurer les conduits des poêles impériaux.

Naturellement, j'avais gardé pour moi la première impression que m'avaient causée les filles du tsar. Les garçons de mon âge et de ma condition ne s'intéressaient pas aux filles, pas même lorsqu'il s'agissait de grandes-duchesses. Ils préféraient courir derrière une balle en chiffon ou chasser les oiseaux quand les températures de nos contrées le permettaient. En revanche, j'avais raconté à ma mère et à tante Nina que, au palais, on nous désignait sous ces termes anglais.

– Et j'ai appris des tas de mots dans cette langue. Je vais t'en dire quelques-uns que j'aime beaucoup.

Ma tante posa quatre doigts irrités sur mes lèvres, comme pour m'empêcher de blasphémer.

– Je ne veux plus rien entendre ! Dis à cet enfant de se taire, Sonia, ajouta-t-elle en se tournant vers ma mère, qui l'observait en essayant sans trop de succès de réprimer un fou rire.

– Allons, Nina ! Combien d'années as-tu été camériste dans l'antichambre de la tsarine ? Quatre ? Cinq ? Tu es bien placée pour savoir ce qui s'y passe.

Maman et tante Nina appartenaient comme moi au corps de métier des serviteurs impériaux et avaient travaillé au palais jusqu'à ce qu'elles décident quelques années plus tôt de se consacrer à la couture. Elles partageaient désormais un modeste logement dans la partie sud de Saint-Pétersbourg, mais avaient mal choisi le moment de se reconvertir. Elles subissaient de plein fouet la situation économique désastreuse qui touchait tout le pays et vivotaient en faisant des retouches et du raccommodage pour des dames moyennement fortunées, tandis que notre foyer devenait un sanctuaire de daguerréotypes, portraits et autres souvenirs des grands personnages qu'elles avaient servis. J'ai grandi parmi ces reliques, apprenant très tôt les bonnes manières : comment s'adresser à une dame, à un gentilhomme ou à un pope, avec quels couverts manger des blinis ou de la *mousse** au chocolat. On m'avait également enseigné à m'exprimer avec aisance en français. « Capricieuse comme elle est, on ne sait jamais quand la chance peut tourner, se plaisait à répéter ma mère. Ce ne serait pas la première fois qu'on verrait un valet prendre la place de son maître. J'en ai connu plusieurs à qui c'est arrivé. »

Avec le temps, ce présage s'est réalisé. Pourtant, m'envoyer travailler à neuf ans pour rapporter quelques kopecks à la maison ne laissait rien augurer de tel. Aux yeux de maman et de tante Nina, qu'un Sednev – leur patronyme les emplissait d'orgueil – retourne au palais était déjà un début prometteur, même s'il y exerçait des fonctions médiocres.

– Je ne comprends pas pourquoi tu t'étonnes de ce que raconte Léonid, poursuivit ma mère. Qu'est-ce qui t'irrite autant ? Les temps changent, Nina.

– Évidemment, mais pas en bien. Des mots anglais à la cour de Russie ! A-t-on jamais vu ça ? Comme tout le reste, c'est à cause d'elle.

– De qui, tante Nina ?

– De qui veux-tu que je parle ? De la tsarine. Que peut-on attendre de bon d'une princesse allemande de second rang ayant passé sa vie non pas dans son pays, comme l'aurait exigé son éducation, mais à la cour d'Angleterre, pendue aux jupes de sa *grandma*, la reine Victoria ?

– Oh, Nina ! Tu es injuste et tu le sais, intervint ma mère.

– Ce que je sais, c'est que ça ne date pas d'hier, mais du jour où elle est arrivée en Russie. Tout le monde était contre cette union, tout le monde, à commencer par les parents de Nicolas ! Moi qui ai eu la chance ou la malchance, selon l'angle sous lequel on se place, d'être embauchée au palais la semaine où elle a fait son entrée dans Saint-Pétersbourg en qualité de fiancée impériale, je m'en suis vite rendu compte. Quelle dinde ! Si timide qu'elle était incapable d'articuler un mot, que ce soit en allemand, en anglais ou dans n'importe quelle autre langue. Muette comme une carpe ! Mais nous pensions qu'au fil des ans elle aurait au moins la gentillesse d'apprendre le russe pour satisfaire son peuple et la Cour !

– C'est encore plus injuste, Nina. Tu sais mieux que personne qu'à la Cour on parle toutes les langues, sauf le russe ! Dans la rue, les gens seraient stupéfaits d'apprendre que les Youssoupov, les Orlov, les Korsakov et la plupart des nobles et des hommes fortunés de Saint-Pétersbourg trouvent amusant de parler russe avec un fort accent français. Quant aux diplomates, c'est pire.

Notre ambassadeur en France, par exemple, ne sait même pas dire *pojaluysta*[1]. Alors pourquoi reprocher à la tsarine de ne pas connaître le russe ?

J'avais envie d'intervenir pour leur dire qu'elles se trompaient et que, d'après ce que j'avais pu remarquer pendant mes deux premières semaines de travail dans les conduits des poêles impériaux, les grandes-duchesses parlaient le russe avec leur père et entre elles, tandis que la tsarine s'adressait avec aisance dans cette langue à ses dames de compagnie et réservait l'anglais aux conversations qu'elle avait avec son mari.

Malheureusement, on ne me laissa pas prononcer plus de deux mots, tante Nina s'étant lancée dans une description de la Cour telle qu'elle l'avait découverte dix-huit ans auparavant, quand elle et la tsarine y étaient arrivées, et il n'y avait pas moyen de l'arrêter.

– *Sunny* ou parfois *Sunbeam*. C'étaient les seuls mots anglais qu'on entendait à l'époque. Tu te souviens, Sonia ? C'était le surnom que Nicolas avait donné à sa fiancée. Et tu veux que je te dise ?... Je n'ai jamais vu de sobriquet aussi incongru. Au début, cela se justifiait peut-être de la qualifier de « rayon de soleil ». Après tout, elle était blonde et aussi très jolie, il faut bien l'avouer. Encore que... Un rayon de soleil, c'est gai, chaud, étincelant. Tout le contraire de cette Alix. Au cas où tu ne le saurais pas, Léonid, ajouta-t-elle d'un air docte, les membres de sa famille, excepté l'empereur, l'appellent Alix. Enfin, je disais donc qu'elle a toutes les qualités qu'une reine ou une impératrice doit posséder pour être adorée de son peuple, mais elle n'en tire aucun parti. Je vais t'expliquer, dit-elle en remarquant ma perplexité. C'est comme si, à sa naissance, deux fées, une bonne et une mauvaise,

1. « S'il vous plaît » (*NdA*).

s'étaient penchées sur le berceau d'Alix. La bonne fée lui a donné la beauté, la bonté et une nature compatissante. La mauvaise a fait en sorte que tous ces dons lui soient inutiles.

– Comment ça ? m'étonnai-je. Elle a ou elle n'a pas les qualités que tu viens d'énumérer ?

– Bien sûr qu'elle les a ! répondit ma tante avec impatience. Mais dans ce monde, mon petit, je te le dis pour que tu saches ce qu'il en est, l'*apparence* d'une personne compte plus que sa véritable nature. Or la mauvaise fée l'a frappée d'une timidité ridicule. Tu comprends, maintenant ?

– Non, soufflai-je, car j'avais toujours entendu ma mère et même Nina affirmer que la modestie et la timidité sont de magnifiques vertus.

Je le lui rappelai et maman acquiesça, ravie, mais ma tante n'avait aucune envie d'être contredite.

– Tu n'as pas idée de ce qui importe vraiment. La timidité et la modestie sont peut-être charmantes chez un jeune garçon ou des servantes comme nous, mais chez une impératrice elles se révèlent désastreuses ! Imagine un peu : dans une Cour aussi fastueuse et cérémonieuse que la nôtre, la brave Sunny n'aime pas les fêtes, déteste les banquets et fuit les courtisanes comme la peste parce qu'elles l'effraient. On n'a jamais vu ça nulle part ! Naturellement, personne ne croit qu'elle se comporte ainsi par timidité, et c'est logique. On la trouve orgueilleuse, antipathique et sotte au point de ne s'intéresser à rien. Elle est là depuis vingt ans et les choses se sont aggravées. Pour te donner un exemple, il n'y a qu'une seule femme avec qui elle se sente à l'aise, et cette « amitié » en dit long sur son compte, conclut Nina avec emphase. Connais-tu Anna Vyroubova, Léonid ?

Je m'apprêtais à lui répondre que, un jour, j'avais en effet vu cette dame de loin, mais tante Nina ne me laissa même pas commencer ma phrase.

– Mieux vaut ne pas avoir d'amies du tout qu'une amie comme celle-ci. Tu as vu un peu comment elle est ? Mais bon, je préfère ne rien dire sur son physique, sans quoi ta mère va encore me seriner qu'il ne faut pas juger les gens à leur aspect. Sauf que dans le cas de Vyroubova, c'est impossible. Je n'ai encore jamais vu un être humain qui ressemble autant à un fourmilier.

J'ignorais ce qu'était un fourmilier et je me demandai quelles pouvaient bien être les caractéristiques d'un tel animal. Les yeux écarquillés, je consultai ma mère du regard, puis tante Nina, en espérant, en vain, qu'elle me fournirait plus de précisions.

– Le pire, c'est que du fourmilier elle a aussi l'intelligence, enchaîna-t-elle. Qu'une femme comme la tsarine se lie avec un spécimen de ce genre excite la jalousie des autres. Comment comprendre qu'elle soit fuyante avec tous et qu'elle fréquente Vyroubova, qui est bête à pleurer ? Si encore Alix ne faisait que déplaire à la Cour, passons, mais elle ne semble pas non plus se soucier d'être appréciée de son peuple.

– Que faut-il faire pour plaire au peuple, ma tante ?

– Avoir un comportement radicalement opposé au sien, cher petit. Tu l'as déjà vue saluer la foule dans les rares occasions où elle daigne paraître en public ? Les gens y trouvent vraiment à redire. Elle hoche la tête de manière mécanique, comme une poupée au cou cassé. Et que penses-tu de sa fatigue perpétuelle et sa manie de se déplacer d'une pièce à l'autre en fauteuil roulant, comme une invalide ? C'est une *malade imaginaire** ! Allongée dans un canapé ou une *chaise longue** toute la sainte journée – et je ne te parle pas de son regard empreint de tristesse, voire d'amertume ! On ne pardonne à aucune souveraine d'être ainsi, si belle soit-elle, surtout si elle est à la tête du pays le plus vaste et le plus puissant du monde. Alexandra règne sur près de cent cinquante millions d'âmes et elle-même a l'air d'une âme en peine ! Comment expliquer cela ? Elle est détestée de ses sujets et plus encore des courtisans, ce qui est extrêmement dangereux. Enfin, moi, j'avais prédit tout cela depuis le début...

Je pensais qu'ensuite tante Nina entamerait une de ses litanies favorites, qui consistait à comparer le règne d'Alexandre III, tsar selon elle très viril, habile, droit et autoritaire, et celui de son fils, Nicolas II, un homme certes plein de bonne volonté mais monté trop jeune sur le trône après la mort prématurée de son père. Il multipliait les erreurs et même un garçon de mon âge connaissait ses torts, car tout le monde en parlait. On lui reprochait par exemple de s'être lancé quelques années plus tôt dans une guerre inutile contre le Japon qui s'était conclue par une défaite cuisante, d'autant plus humiliante qu'elle avait été infligée à la Russie par une puissance de troisième ordre. Dans un contexte morose dû à la défaite et à une crise économique grandissante, on lui tenait grief d'avoir ouvert le feu sur une manifestation, cent mille personnes d'extraction modeste, pour la plupart des ouvriers, qui s'étaient dirigés vers le palais d'Hiver, un pope portant une icône sainte ouvrant la marche, pour demander qu'on augmente d'un rouble leur maigre salaire. La manifestation s'était terminée par un bain de sang si impressionnant qu'on désignait les faits sous le nom de Dimanche rouge. Il ne servait à rien que des gens bien intentionnés défendent Nicolas II en disant qu'il n'était pas à Saint-Pétersbourg ce fameux dimanche et n'avait donc pu donner l'ordre de tirer sur la foule. Pour le peuple, le Dimanche rouge marquait la fin des rapports idylliques que les Russes avaient entretenus avec le *tsar batiouchka* (le Petit Père). Dans ce climat révolutionnaire consécutif à la guerre avec le Japon et lié au mécontentement général (il ne se passait pas un jour sans une barricade, un soulèvement, un attentat terroriste), de nombreuses voix s'élevaient pour demander au tsar de céder une partie de son pouvoir autocratique à la Douma. Même son oncle, le grand-duc Nicolas Nikolaïevitch, qui jouissait d'un immense prestige dans le pays, avait menacé son neveu de se suicider en sa présence d'une balle dans la tête s'il refusait de capituler. Le tsar avait donc convoqué l'assemblée représentative à contrecœur, s'était montré hésitant et, finalement, avait reculé, commettant une de ses plus grosses erreurs. Il estimait que l'autocratie était la seule manière de gouverner un peuple primitif comme le nôtre et de régner sur un pays qui avait cinquante ans de retard sur la France ou l'Angleterre, un territoire gigantesque où cinq pour cent de la population détenait quatre-vingt-quinze pour cent des terres. Alexandra était parfaitement d'accord avec son mari et l'encourageait même à supprimer les rares concessions qu'il avait faites au peuple. « Nous devons préserver l'autorité divine dont nous sommes investis afin de la transmettre entièrement à notre fils adoré, disait-elle. Cela relève de notre devoir et de notre mandat impérial. »

Tante Nina aurait pu en effet ressasser ces faits dont on ne parlait que trop à l'époque, mais, heureusement pour moi, elle était dans une veine plus ésotérique que politique et concentra ses reproches sur un autre terrain.

– Ses suivantes et ses femmes de chambre, dont j'étais, le disaient depuis le jour où elle était arrivée à la Cour, ajouta-t-elle : *elle* avait apporté le malheur avec elle. Tu te souviens de son arrivée en Russie ? La manière dont les choses se sont déroulées ne laissait rien présager de bon.

Neschastie ! s'exclama Nina en crachant à trois reprises par-dessus son épaule.

Moi qui avais été éduqué avec tant de soin par ma mère et par Nina, qui m'avaient enseigné le français et la façon la plus élégante de saluer un prêtre au cas où la roue de la fortune tournerait en ma faveur, c'était la première fois que je la voyais agir aussi grossièrement. Je connaissais pourtant cette coutume russe servant à conjurer le mauvais œil.

Passant outre aux regards réprobateurs de ma mère, tante Nina s'essuya les lèvres du revers de la main et fit deux signes de croix avant de reprendre son récit.

– C'était forcé qu'elle nous porte malheur. Tu te rends compte ? Arriver en pleine agonie du vieux tsar ! Tout le monde connaît le proverbe : « La fiancée qui suit le corbillard ne peut attirer que des malheurs. » En plus, j'étais là quand le premier signe funeste, la première tache écarlate, nous est apparu.

– Qu'est-ce que c'était que cette tache ? demandai-je avec beaucoup d'intérêt, car si la politique m'ennuyait, j'adorais en revanche le suspense.

– Une tache de *sang* ! s'exclama-t-elle en mettant bien l'accent sur ce dernier mot, les yeux écarquillés comme le font les adultes lorsqu'ils s'apprêtent à raconter à un enfant une histoire qui n'est pas de leur âge.

– Bon, ça suffit, Nina, n'en dis pas plus, intervint ma mère pour tenter de la stopper.

Mais ma tante était lancée, il n'y avait plus moyen de l'arrêter.

– Du sang, Léonid. Cette femme est poursuivie par le sang. Le sang qui est tombé sur son manteau d'hermine le jour de son couronnement, le sang de Nicolas, au Kremlin. J'étais là pour le voir...

– Sornettes ! la coupa ma mère. Justement ! Tu sais très bien qu'il ne s'agissait que de deux petites gouttes qu'une femme de chambre maladroite a fait couler en se piquant avec l'épingle d'une broche en diamants.

– Deux gouttes, vraiment ? Et que penses-tu du sang répandu ce fameux jour ? Ce sont là encore des sornettes ? Écoute, Léonid, je vais tout te raconter, ajouta Nina en s'adressant exclusivement à moi à compter de cet instant. Imagine la scène : tous les Moscovites étaient dans les rues et sur les places pour acclamer leurs jeunes souverains, qui allaient être couronnés dans la forteresse du Kremlin, comme l'exige la tradition des Romanov. Nicolas, magnifique dans son habit de cérémonie, et elle, à ses côtés, resplendissante. Dix kilos de perles minuscules et treize de pierres précieuses avaient été brodés sur sa robe. Tu vois, dès le début la charge d'impératrice a été très lourde, souffla-t-elle d'un ton où transparaissait de la compassion ou une pointe d'ironie. Bon, mais passons sur les atours et les couronnements, ce que je veux te raconter c'est ce qui est survenu peu après. Pendant que le tsar et la tsarine se changeaient dans leurs appartements, le peuple s'était rassemblé sur un grand terrain vague près de Moscou, la Khodynka, un lieu criblé de trous et tout en dénivelés, pour célébrer l'événement. Il y avait là plus de trois cent mille personnes, des musiciens, un bal était prévu et, surtout, on avait promis des boissons et de la nourriture gratuites. Les choses se sont gâtées lorsque le bruit s'est répandu qu'il n'y aurait pas assez de bière ni de victuailles pour tout le monde. Les gens se sont mis à courir, à se bousculer, et dans la panique générale beaucoup ont péri piétinés. Tu peux te représenter mille trois cents individus, Léonid ?

À cette question, je hochai la tête.

– Et mille cinq cents ? reprit Nina. Le premier chiffre est celui des blessés, le deuxième celui des morts. Mais je ne t'ai pas raconté le pire… Pour que rien ne vienne nuire à l'éclat des festivités, on a donné l'ordre de nettoyer les lieux au plus vite et de jeter de la terre sur les victimes. Et tu sais pourquoi ? Parce que dans la soirée il y avait un bal à l'ambassade de France et que le cortège impérial devait passer non loin de la Khodynka. En apprenant la tragédie, le tsar a voulu faire annuler la réception, mais ses conseillers et des membres de sa famille l'en ont dissuadé, arguant qu'il valait mieux se comporter « normalement, comme si rien n'était arrivé », et, surtout, « ne pas froisser une puissance alliée ». Un bien mauvais conseil. Pendant que le tsar et la tsarine fraîchement couronnés ouvraient le bal dans les salons de l'ambassade au rythme d'un *quadrille**, les moribonds recouverts de terre essayaient de se hisser par-dessus les cadavres. Mais le souvenir de cette journée tragique se serait peu à peu dissipé dans les mémoires si le mot « sang » n'était revenu entacher de manière funeste les noms de Nicolas et d'Alexandra les années suivantes, avec les nombreux morts de l'inutile guerre russo-japonaise dont je t'ai déjà parlé, ou ceux du Dimanche rouge, devant le palais d'Hiver. Après ce jour fatal, le jeune monarque a été affublé d'un surnom qui ne l'a plus quitté : *Okrovavleni Nikolai*, Nicolas le Sanguinaire. Tout le monde l'appelait ainsi. Et pour en finir avec le sang, une dernière tache écarlate s'est répandue sur leur royaume et aussi sur leur vie. C'est la plus terrible et on la désigne sous un terme qu'on prononce toujours à voix basse : l'hémophilie.

– L'*hémophi*quoi ? l'interrompis-je, craignant que ma tante, selon la bonne habitude des adultes, ne reprenne son récit sans m'éclairer sur le sens de ce mot.

Mes craintes étaient infondées, car Nina était en veine d'explications.

– Hé-mo-phi-lie, mon garçon. Ne t'inquiète pas, il n'y a pas si longtemps, personne en Russie n'en avait jamais entendu parler. Sauf elle, qui ne connaissait que trop bien ce mal dont souffrent un de ses frères, plusieurs de ses oncles et deux de ses neveux, rien de moins.

– Je ne suis pas du tout d'accord. C'est une maladie inconnue, riposta ma mère.

J'eus peur alors que la conversation ne soit ensuite truffée de sous-entendus et de termes difficiles. Heureusement, ma tante avait décidé de tout mettre au clair, voyant peut-être en moi un successeur, une nouvelle source de renseignements sur la famille impériale et son intimité.

– Quand quelqu'un est atteint du mal dont nous parlons, Lionechka, il suffit qu'il ait une petite plaie, une coupure, par exemple, pour que son sang ne cesse de couler. Si l'hémorragie est importante, il peut en mourir. C'est une maladie cruelle et terrible, tu comprends ? Une malédiction qui se transmet de père en fils, ou plutôt de mère en fils.

En entendant ces dernières paroles, je songeai aussitôt à Tatiana Nikolaïevna. Je la revis telle que je l'avais vue la première fois, pendant sa leçon de français. Elle était toujours aussi belle, mais à présent sa robe et son visage étaient ensanglantés. Mon expression terrifiée n'échappa sans doute pas à ma tante, qui, à l'instar des gens qui se complaisent à exposer les malheurs d'autrui, en profita pour multiplier les détails scabreux. Cependant, l'explication qu'elle me donna ensuite m'arracha un doux soupir de soulagement que je ne pris même pas la peine de dissimuler.

– Je ne t'ai pas encore dit le pire. Pour que tu te fasses une idée du côté monstrueux de cette maladie, sache qu'il n'est même pas nécessaire que le garçon – car elle ne frappe que les hommes, jamais les femmes, enchaîna-t-elle, mettant un terme à mon supplice en m'apportant cette information – se soit coupé. Un coup parfois insignifiant peut causer une grosse hémorragie interne. Au bout de quelques heures, alors que personne ne s'y attend, le patient ressent une douleur intense accompagnée d'une forte fièvre, le sang stagne et s'accumule, surtout dans les articulations. Cela peut durer des jours, des semaines, au point de putréfier la chair, les muscles et les os. Le vrai danger de l'hémophilie est là et peut conduire à la mort dans d'atroces souffrances. Tu comprends maintenant, Lionechka ? Je suppose qu'au cours de tes pérégrinations dans les tuyaux et les conduits du palais tu n'as jamais vu le tsarévitch, n'est-ce pas ? Les mauvaises langues disent qu'il est alité en ce moment, à cause d'une petite blessure de rien du tout. Pauvre petit !

J'aurais aimé pouvoir la contredire, car rien n'est plus contagieux que l'intérêt pour la vie d'autrui, surtout lorsqu'on a devant soi une commère de la trempe de tante Nina. Malheureusement pour elle et ses besoins de nouvelles fraîches, mes allées et venues dans les conduits comportaient des zones sans la moindre visibilité. Les grilles d'aération que les *water-babies* utilisaient pour prendre l'air (et espionner) brillaient par leur absence dans les chambres à coucher et les cabinets de toilette. Fallait-il y voir une mesure de bienséance pour éviter toute indiscrétion ? Peut-être. Malgré notre probable insignifiance, j'imagine que les architectes et les ingénieurs de l'immense palais Alexandre avaient préféré éviter que nous fourrions nos petits nez noirs dans des lieux aussi intimes.

– En effet, je n'ai pas encore vu le tsarévitch, avouai-je à Nina. Je peux en revanche te dire que ses sœurs et ses parents, que j'ai croisés une ou deux fois, l'appellent Baby et n'ont pas l'air inquiets à son sujet, m'empressai-je d'ajouter en constatant qu'elle était déçue par ma réponse. Je ne crois donc pas qu'il soit malade. Bien évidemment, je ne les ai jamais entendus parler d'hémo... d'hémoliphie ?

– *Hémophilie*, Léonid. Non, c'est normal que tu ne connaisses pas ce mot. Je te parie ce que tu voudras qu'ils ne le prononcent jamais, pas même en famille. C'est un terme interdit, proscrit, tu comprends ? Ils pensent peut-être sottement que ce que l'on ne nomme pas n'existe pas. Tu vois ? Une fois de plus, nos souverains se trompent. Pendant des années ils ont caché au monde entier la maladie d'Alexis et ainsi fait naître toutes sortes de rumeurs idiotes sur le mal qui le ronge. Voilà pourquoi certains sont persuadés que c'est un arriéré mental, d'autres qu'il est possédé du diable, et d'autres encore affirment que ce n'est pas un garçon mais une petite fille qu'on fait passer pour un enfant du sexe masculin, car après avoir eu quatre filles – quatre, ce n'est pas rien ! – le couple royal n'a pas osé avouer qu'il n'avait toujours pas d'héritier mâle. Ah ! Notre pauvre mère Russie est tombée bien bas... Il y a d'un côté des secrets, des ragots et des mensonges et, de l'autre, des révolutions, des morts et le discrédit. C'est elle, Alexandra Feodorovna, qui est coupable de tout. Pour moi, cela ne fait aucun doute. Son sang est maudit, comme celui des descendants de sa grosse grand-mère hideuse, la reine Victoria. Que les flammes de l'enfer la consument !

Tante Nina observa quelques secondes de silence avant de revenir à la charge.

– Les *water-babies* ! s'exclama-t-elle, revenant à cette expression qu'elle jugeait infamante et qui avait déclenché sa péroraison. Depuis quand les ramoneurs du palais Alexandre doivent-ils parler anglais ?

– Je ne comprends pas, la coupai-je. Tu as dit que la tsarine était allemande, alors pourquoi s'exprime-t-elle en anglais ?

– Je t'en ai donné la raison tout à l'heure, mon petit. Elle a été élevée en Angleterre par sa très illustre grand-mère, et à cause d'elle *toute* l'Europe est à moitié anglaise.

– À cause d'Alexandra Feodorovna ? demandai-je, en proie à la confusion, car dans la bouche de ma tante le pronom personnel de la troisième personne du féminin désignait toujours notre tsarine.

– Non, petit imbécile, à cause de la reine Victoria, qui a si bien marié ses enfants et ses petits-enfants qu'elle est maintenant apparentée à la plupart des cours royales. Elle a organisé une invasion britannique en bonne et due forme, Léonid. Méfie-toi des Anglais, je te le dis tout net. Ils n'apportent que des soucis.

Nina se répandit ensuite en injures sur les ressortissants britanniques, leurs coutumes, leur physique, leur *five o'clock tea* et leur *Christmas pudding*. Curieusement, elle truffa sa diatribe d'une foule de termes anglais, à tel point que j'en vins à me demander si la dent qu'elle avait contre ce peuple n'était pas liée à une certaine photographie qui jaunissait sur sa table de chevet. On y voyait un homme aux cheveux poivre et sel d'allure martiale revêtu d'un uniforme de la Marine que ma mère appelait Mister C. J'avais remarqué que son portrait glissé dans un cadre en argent connaissait un sort fluctuant, tantôt tourné vers le mur comme un enfant puni, tantôt brillant de mille feux et s'offrant à tous les regards à côté d'un petit cierge blanc allumé (un traitement de faveur qui semblait correspondre à l'arrivée d'enveloppes écrites à l'encre verte et cachetées d'un sceau rouge marqué d'une élégante initiale).

Je découvris vite que Mister C était anglais en surprenant des bribes de conversations entre maman et ma tante. Mes promenades dans les conduits en tant que *water-baby* ayant aiguisé mon intérêt pour la vie d'autrui, il ne me fut guère difficile d'apprendre que Nina avait rencontré ce gentleman quand elle travaillait à la Cour. En revanche, je mis des années à connaître le véritable nom de cet homme et le rôle qu'il avait joué dans l'histoire de la Russie. Pour l'instant, je me bornerai à reprendre l'image de la dernière lettre de Raspoutine au tsar et dirai que Mister C était destiné à devenir une des ondes concentriques agitant la surface d'un étang.

Montevideo, 30 avril 1994

– Vous allez bien, monsieur Sednev ? Je suis heureuse de vous voir si occupé. Vous écrivez ? Vous avez peut-être besoin d'une autre lampe ou d'un peu plus de papier... N'hésitez pas à demander, vous savez, je suis là pour ça. C'est mon travail et ma passion.

J'aime les gens qui parlent ainsi de leur travail. J'apprécie aussi qu'ils n'essaient pas de fourrer leur nez dans mes affaires et se contentent d'être gentils et serviables. Cette jeune femme a le mérite de s'occuper d'un vieux grincheux dans mon genre qui n'aime pas qu'on lui pose trop de questions. Pourtant, elle s'y prend si aimablement que c'est à peine si je m'en aperçois. En plus, elle a les yeux gris et ses cheveux blond vénitien sont retenus par un ruban bleu noué sur la nuque. C'est curieux. J'espère que ces détails ne constituent pas des signes avant-coureurs de la fin. Il paraît que lorsque celle-ci est proche on revient en arrière et les personnes qu'on a connues défilent sous nos yeux comme pour nous dire adieu.

Je suis dans cette clinique depuis trois jours et j'ai vu passer un tas de gens dans ma chambre. Ce ne sont pas des ombres du passé mais d'autres, moins rassurantes : médecins, aides-soignants, infirmières, gardiens... Cela fait beaucoup d'affluence pour un solitaire tel que moi, mais la jeune femme aux yeux gris semble différente.

J'ignore sa fonction, je ne pense pas qu'elle soit médecin, elle est trop jeune, ni infirmière, car elle ne se livre à aucune des tâches propres à ce métier. Elle ne vient pas prendre ma température à six heures, par exemple, ne me fait pas de piqûres intempestives et se garde de changer ma bouteille de sérum ou de me présenter un urinal. Elle étudie peut-être la médecine. Est-elle aide-soignante ? Bénévole ? C'est possible. J'ai cru comprendre que de plus en plus de jeunes viennent rendre visite à des malades, surtout ceux qui, en principe, ne voient jamais personne…

– Merci, ma chère, c'est adorable. En fait, je n'ai besoin que d'une chose : du temps. Vous pouvez m'en donner ? Non, évidemment, je plaisantais. Mais vous pouvez m'apporter un peu de tranquillité et je vous en remercie. Dans une clinique aussi luxueuse que celle-ci, je crois que ce n'est pas trop demander. Voyons si vous parvenez à espacer cette succession de blouses blanches, par exemple. Ah ! Et j'aimerais également une lampe plus puissante. J'ai peur que cette pénombre élégante et soporifique ne fasse surgir des fantômes et n'excite mon imagination. Vous ne vous appelez pas Tatiana, par hasard ? Ou alors Olga ou Anastasia ? Non, bien sûr que non, je dis des sottises, ne prêtez pas attention à mes divagations de vieillard. Et María ? Vous ne vous appelez pas María ? C'est un prénom si commun – mais pour moi il est unique… Non. Ne répondez pas, je préfère rester dans le doute. Vous voyez ? Encore une faiblesse de vieux gâteux. Maintenant, si vous voulez me rendre un dernier service, j'aimerais que vous me laissiez seul, j'ai envie de continuer à écrire avant l'arrivée de cette pénible infirmière aux cheveux frits par les permanentes, qui va bientôt m'apporter mon cachet pour dormir en s'adressant à moi comme si j'étais un idiot et non une personne âgée… Non, je n'attends pas de visites. Ni aujourd'hui, ni demain, ni aucun autre jour... Oui, je sais, inutile de me le préciser: je sais ce qu'on dit de moi dans le bureau des infirmières. Que je suis un homme bizarre, maniaque, seul et riche comme Crésus. Je me trompe?... S'il vous plaît, ne les écoutez pas! Avant d'être capitaine, il faut être matelot. Moi aussi je me suis beaucoup intéressé à la vie des autres, vous n'imaginez pas à quel point. Non seulement par curiosité saine ou malsaine, mais parce que rien n'est plus passionnant qu'observer les gens – surtout quand ils croient que nul ne les regarde – et être plus ou moins un témoin invisible. Ah, je pourrais en dire long sur la nature humaine! Mais, pour le moment, j'aimerais écrire, vous voulez bien?... Alors excusez-moi... Vous reviendrez? Votre travail et votre passion... c'est très beau. Bon, je dois retourner à mes moutons. Où en étais-je? Ah oui! 1912, l'année où tout a commencé à aller de travers.

« Quand je serai mort, je n'aurai plus mal, n'est-ce pas, maman ? »

L'impératrice […] s'efforçait de sourire à ceux qui s'empressaient au-devant d'elle. Mais j'avais remarqué que l'empereur, tout en causant, s'était placé de façon à surveiller la porte, et je saisis au passage le regard désespéré que l'impératrice lui jeta du seuil. Une heure plus tard, je rentrai chez moi, encore profondément troublé par cette scène qui m'avait fait comprendre tout à coup le drame de cette double existence.

Pierre Gilliard,
Treize Années à la cour de Russie

Quelques jours après avoir commencé à travailler au palais Alexandre, j'eus connaissance d'un petit accident qui marqua une étape dans la vie de la famille impériale. Dire que j'en fus le témoin direct serait exagéré, car les faits se produisirent loin de Saint-Pétersbourg, mais ils eurent de nombreuses répercussions dans cette histoire et furent consignés par des sources si fiables qu'il m'est facile d'en proposer une reconstitution.

La famille impériale séjournait temporairement à Spala, une ancienne réserve de chasse dans l'actuelle Pologne. Comme le tsar le note dans le journal intime qu'il tint sans interruption depuis son adolescence jusqu'à deux jours avant sa mort, il consacrait ses matinées à chasser, un de ses passe-temps favoris, et partait aux aurores en compagnie de nombreux nobles polonais venus spécialement de Varsovie pour lui rendre les honneurs. Plus tard, sur le coup de onze heures, il faisait une promenade à cheval, puis déjeunait avec ses filles. À quoi le tsarévitch s'occupait-il pendant ce temps ? Grâce au journal du tsar, on sait que l'enfant, à qui on avait interdit de monter à cheval à cause de sa maladie, devait se contenter de ramer sur un lac des environs avec le marin Derevenko, un des deux gardes-nounous engagés par la tsarine pour ne jamais quitter l'enfant d'une semelle.

Je le revois à présent, très sérieux dans son uniforme à rayures blanches et bleues, coiffé d'une casquette sur laquelle on pouvait lire le nom du yacht impérial, *Standart*. Passant le plus clair de son temps à courir derrière Alexis, il n'avait pas même le temps de lisser ses moustaches en guidon de vélo. Et quand il n'était pas sur les talons du tsarévitch, c'est que ce dernier était alité, ne lui laissant guère de répit non plus, car il devait le porter de-ci, de-là, une tâche qu'il accomplissait d'un air martial et ridicule, s'entourant de mille précautions, à la manière d'une poule couvant ses œufs. Son rôle, ardu, consistait à éviter que l'enfant alors âgé de huit ans ne tombe ou ne se cogne quelque part. J'ai entendu dire que, dans leur grande majorité, les garçons atteints d'hémophilie aiment s'exposer à tout type de danger pour défier leur entourage. Alexis cherchait donc constamment à déjouer la vigilance de son garde-nounou en entonnant une chansonnette de sa composition – il avait l'oreille musicale. À force de l'entendre, nous connaissions sa ritournelle par cœur : « Alexis ne peut pas courir, Alexis ne peut pas sauter, Alexis ne peut pas jouer, Alexis ne peut pas vivre, il ne peut pas, il ne peut pas… » Tout en fredonnant, il déambulait, une barre de fer rouillée en guise d'épée à la main, ou grimpait sur un parapet sous les yeux effarés de Derevenko.

*

Le marin était avec lui quand, voulant sauter sur la terre ferme après une promenade en barque, l'enfant trébucha et se blessa à la hanche en tombant sur le bordage du bateau. Il ne sentit qu'une petite gêne au début, mais par prudence le docteur Botkine lui enjoignit de garder le lit. C'étaient les vacances et la tsarine, qui n'aimait pas voir ses enfants inactifs, profita de l'immobilité de Baby pour demander à *Monsieur** Gilliard, le précepteur de ses sœurs, de lui donner des leçons afin qu'il perfectionne son français. Ce Suisse, que j'ai connu dans les circonstances que j'ai décrites précédemment et pour qui j'ai eu par la suite la plus grande affection, est resté fidèle aux membres de la famille impériale jusqu'au bout, quand les autorités soviétiques l'ont obligé à partir. Il est l'une des nombreuses personnes à avoir retracé ces années dans ses mémoires, si dignes de foi qu'ils me servent aujourd'hui à décrire l'accident du tsarévitch.

En 1912, Pierre Gilliard travaillait depuis sept ans pour la famille impériale et n'était toujours pas informé de la maladie d'Alexis. Cela semble invraisemblable si l'on considère que le palais Alexandre, lieu de résidence des Romanov, où le précepteur se rendait cinq fois par semaine pour y dispenser ses leçons de français, n'avait rien d'un immense château. Il n'était pas comparable à l'Hermitage, où se plaisait la Grande Catherine et dont la tsarine disait qu'il y avait « trop d'oripeaux, de colonnes de malachite, de salons d'ambre et de courants d'air ». Moins spacieux, plus accueillant, le palais Alexandre était idéal pour Nicolas II et Alexandra, qui adoraient être entourés de leurs proches, prendre le thé chaque jour en leur compagnie, coller des photographies dans des albums ou jouer aux cartes. Que *Monsieur** Gilliard n'ait pas été au fait d'un secret si difficile à garder paraît donc inconcevable. Mais le récit qu'il a fait de la chute d'Alexis sur la barque et de la fausse insouciance des tsars permet sans doute de comprendre pourquoi il est resté si longtemps dans l'ignorance.

Malgré la pâleur et l'aspect maladif du tsarévitch, les Romanov passaient à Spala des vacances festives et Nicolas allait de partie de chasse en partie de chasse. Deux ou trois jours après la chute d'Alexis, on annonça à Pierre Gilliard que son élève était indisposé. Le précepteur n'accorda guère d'importance à la nouvelle, jusqu'à ce que les domestiques chargés du ménage des chambres fassent courir le bruit qu'il était en réalité très malade. Le lendemain, deux médecins et trois grands spécialistes arrivèrent de Saint-Pétersbourg, mais nul ne savait au juste ce qui se passait. La famille poursuivit ses activités comme si de rien n'était. Maria et Anastasia, qui adoraient le théâtre – Anastasia a toujours affirmé qu'elle voulait devenir actrice –, donnèrent pour les invités une représentation du *Bourgeois gentilhomme*, sous la direction de Gilliard.

Caché derrière un paravent faisant office de coulisse, le professeur de français jouait les souffleurs, ce qui lui permettait d'observer les réactions du public. Inquiet pour Alexis, après le spectacle il se dirigea vers la chambre du tsarévitch, d'où lui parvenaient par instants des gémissements étouffés.

C'est alors qu'il vit l'impératrice arriver en toute hâte et se plaqua au mur ; elle passa sans le voir, le « visage bouleversé et crispé d'angoisse ». Elle revint ensuite sur ses pas pour retourner dans le salon où Olga, Tatiana, Nicolas et les invités félicitaient Maria et Anastasia pour leur interprétation comique. Il y avait de l'animation et tout le monde riait. Quelques minutes plus tard, Alexandra avait repris son masque, souriait et riait, mais quand son regard croisa celui du tsar Pierre Gilliard entrevit leur désespoir. C'est alors qu'il prit la mesure du « drame de leur double existence ».

*

Dans la pénombre de sa chambre, Alexis souffrait d'une double hémorragie interne causée par le choc en apparence insignifiant contre la barque. Le sang s'accumulait à hauteur du pli de l'aine et du bas-ventre, et sa cuisse gauche était enflée au point de toucher la droite. On ne pouvait plus lui administrer de calmants et il était secoué de spasmes. Une forte fièvre le faisait délirer. « Maman, maman, pourquoi ne viens-tu pas m'aider ? répétait-il sans cesse. Mon Dieu, ayez pitié de moi. » Toutes les personnes vivant dans le pavillon impérial savaient à présent qu'il se passait quelque chose de terrible. Le bâtiment n'était pas très grand et les cris de l'enfant traversaient les portes et les murs que ses parents avaient voulu interposer entre le monde et leur malheur. Une des domestiques chargées de faire la chambre me raconta par la suite que ses plaintes étaient si déchirantes qu'elle avait dû se mettre du coton dans les oreilles afin de pouvoir continuer à travailler. Alexis fut à l'agonie pendant onze jours et la tsarine resta à son chevet. Le visage exsangue, les yeux cernés et égarés, il se tordait de douleur devant sa mère, qui ne le quittait que pour aller se changer, sans prendre le moindre repos, ne s'accordant qu'une sieste de quelques minutes lorsque le petit, épuisé et fébrile, sombrait dans un sommeil agité. « Quand je serai mort, je n'aurai plus mal, n'est-ce pas, maman ? lui demandait-il en s'éveillant, les yeux injectés de sang. Tu me le promets ? Jure-le-moi. » Le temps que dura cette ordalie, si incroyable que cela puisse paraître, Nicolas et Alexandra continuèrent de mener leur double vie de souverains souriants et accueillants d'un côté et, de l'autre, de parents terrassés par la douleur, veillant sur leur fils dont l'état s'aggravait. La farce se poursuivit jusqu'à ce qu'un éminent spécialiste venu de Saint-Pétersbourg, le professeur Feodorov, annonce à Nicolas que si l'hémorragie ne cessait pas la fin serait proche. Il convainquit le tsar de rendre publics les bulletins de santé, car dans le pays et à l'étranger la rumeur allait bon train, parfois si extravagante que, à Londres, on pouvait lire dans le *Daily Mirror* un long article à sensation disant qu'Alexis avait été tué par un anarchiste et que le couple impérial voulait passer ce crime sous silence. Le tsar céda à l'homme de science, à condition qu'on ne révèle pas au public la maladie dont souffrait son fils.

Deux ou trois jours s'écoulèrent. La chevelure blonde de la tsarine blanchissait à vue d'œil. La situation étant sans espoir, on décida d'administrer l'extrême-onction au petit garçon. Dans la soirée, considérant que tout était irrémédiablement perdu, Alexandra Feodorovna fit parvenir un télégramme à Raspoutine, qui, sur ordre du tsar, avait été renvoyé deux semaines auparavant dans son village natal, en Sibérie. Nicolas II avait accédé à la demande de son Premier ministre, Kokovtsov, qui craignait que l'influence de cet individu ne nuise au caractère de la tsarine, qu'il qualifiait d'« impressionnable ». Jusqu'alors, la tsarine de toutes les Russies n'avait croisé que deux fois la route de ce curieux personnage qui commençait à être en vogue dans les salons élégants de Saint-Pétersbourg, toujours avides de découvrir un nouveau charlatan, un faiseur de miracles ou un ardent défenseur de cures prodigieuses. Alexandra avait fait un jour appel à lui pour soigner le tsarévitch, victime d'une légère hémorragie qu'il était parvenu à stopper d'une simple imposition des mains et, surtout, grâce à ses inquiétants yeux gris. D'après les médecins, cette guérison était mensongère ou, dans le meilleur des cas, un pur hasard. Mais Alix, qui s'estimait coupable de la maladie de son fils, était prête à accorder sa confiance à toute personne susceptible d'alléger ses souffrances, quelle que soit la manière employée. La réputation de coureur de jupons et d'ivrogne de Raspoutine déplaisait en revanche au tsar, qui avait décidé quelques mois plus tôt de prendre des mesures à son encontre. Il l'avait fait surveiller par l'Okhrana, sa police secrète, afin d'être informé de ses faits et gestes. Par ailleurs, il avait persuadé Alexandra de s'en remettre davantage aux médecins qu'à un guérisseur à la mode. Jusqu'à ce jour, la tsarine avait obéi à son mari, mais, voyant son enfant aux portes de la mort, elle déclara à Nicolas que plus rien n'avait d'importance. Dans le câble qu'elle envoya à Raspoutine, elle lui demandait simplement de prier pour Alexis.

De son exil forcé, Grigori Efimovitch répondit par le billet suivant : « Dieu a vu tes larmes et entendu tes pleurs. Ne souffre pas. L'enfant ne mourra pas. Ordonne aux médecins de le laisser tranquille. »

Ce qui survint à réception du message est l'un des épisodes les plus mystérieux concernant Raspoutine. Vingt-quatre heures plus tard, l'hémorragie cessa et le tsarévitch sombra dans un sommeil réparateur, prélude à un lent mais constant rétablissement. D'aucuns affirment que ce revirement spectaculaire était dû à l'arrêt des traitements conseillés par les médecins : le fait que l'enfant se détende ralentit la circulation du sang et stoppa l'écoulement. D'autres estiment que la paix et l'espoir que Raspoutine transmit à la tsarine jouèrent un rôle décisif, car l'angoisse d'une mère face à son fils dans un état si critique ne fait qu'accroître l'anxiété de ce dernier. Enfin, d'autres encore croient que les médicaments prescrits pour soulager les douleurs du patient étaient à base d'acétylsalicylate, un fluidifiant du sang, et que l'arrêt de leur prise mit fin à l'hémorragie. Il se peut aussi qu'il se soit produit une amélioration naturelle et que la guérison d'Alexis soit le fruit du hasard. Quoi qu'il en soit, on sait de source sûre que Raspoutine regagna Saint-Pétersbourg quelques jours plus tard. À compter de cet instant, son ombre se projeta sans cesse sur le couple impérial, et en particulier sur Alexandra.

Raspoutine entre en scène

> Cet homme se planta devant moi dans la pose et l'attitude du Christ tel qu'on le représente sur les anciennes icônes russes. Puis il me regarda de ses yeux pâles en bredouillant des textes des Saintes Écritures, faisant des moulinets avec ses mains. Je sentis monter en moi une haine intense pour cet individu, mais, dans le même temps, je m'aperçus qu'il possédait un fort pouvoir hypnotique qui m'ébranlait considérablement.
>
> Piotr Stolypine, *Mémoires*

Les yeux magnétiques couleur de glace de Grigori Efimovitch étaient frappants, mais d'autres détails moins connus méritent qu'on s'y attarde et permettent de comprendre un peu mieux qui était cet individu, l'un des personnages les plus complexes et les plus contradictoires de l'Histoire. Arrivé à Saint-Pétersbourg sept ans avant de « guérir » une première fois le tsarévitch, sa renommée croissante de « faiseur de miracles » lui permit de s'introduire dans les salons élégants de la ville. Âgé de trente-trois ans, il portait invariablement une chemise de paysan, une culotte bouffante et des bottes épaisses. Je dis « invariablement » car il se vantait de ne jamais se changer. Il dormait tout habillé, sans même prendre la peine de se laver le visage. Ses longs cheveux gras étaient des nids à poux, ses ongles n'avaient jamais vu ni savon ni ciseaux, des restes de nourriture et autres immondices que je préfère oublier constellaient sa barbe. Bien entendu, il empestait. On a souvent présenté à tort Raspoutine comme un moine alors qu'il était en réalité un *starets*, terme russe intraduisible désignant une sorte de mystique errant. Tantôt ermites, tantôt vagabonds, les *startsy* vivaient seuls, mais demandaient l'asile et le couvert dans les monastères en échange de prières. Depuis des temps reculés, on les respectait parce qu'ils avaient fait vœu de pauvreté et renoncé à tout. Les moujiks voyaient en eux des prophètes, des visionnaires, des hommes de Dieu capables de guérisons prodigieuses. Dans *Les Frères Karamazov*, Dostoïevski les définit ainsi : « Le starets, c'est celui qui absorbe votre âme et votre volonté dans les siennes. Ayant choisi un starets, vous abdiquez votre volonté et vous la lui remettez en toute obéissance, avec une entière résignation. »

On pourrait croire que ce genre d'individus, parmi lesquels abondaient en bonne logique tant les illuminés que les imposteurs, jouissaient du seul crédit des moujiks et des illettrés. Ce serait méconnaître l'âme russe. Nous avons toujours vécu – et je dois préciser que c'est encore vrai aujourd'hui – en parfait équilibre entre la lucidité et le délire, la vertu et le vice, la raison et la passion. Il n'est donc guère surprenant que même le grand Tolstoï, à la fin de ses jours, ait consulté des startsy et se soit rendu au monastère d'Optina Poustyne pour discuter avec plusieurs d'entre eux, qui le reçurent en haillons, crasseux, chargés de chaînes pour faire pénitence. En parlant d'eux, l'auteur d'*Anna Karénine* observe que « leur renoncement volontaire au monde donnait à ces saints hommes une liberté que nous autres n'avons pas. Voilà pourquoi ils peuvent *s'opposer aux tsars et même les admonester* » (les caractères en italique sont de mon cru).

Né à Pokrovskoïe, en Sibérie, Grigori Efimovitch aurait été selon certains surnommé *Raspoutine* (« débauché », « dissolu », « libertin ») par les habitants de son village. D'autres affirment au contraire que c'était là son vrai nom, qui lui allait du reste comme un gant. Quoi qu'il en soit, ses soûleries et l'amour « excessif » qu'il portait aux femmes et qui lui firent commettre plus d'un outrage avaient déjà nui à sa réputation dans son village. Ces travers étaient malheureusement monnaie courante à l'époque, mais le futur starets avait des méthodes de séduction si directes – à peine entamait-il une discussion avec une personne du beau sexe qu'il déboutonnait déjà son corsage – qu'elles lui attirèrent de nombreux ennuis de la part de frères humiliés et de maris offensés. Curieusement, il ne baissa pas les armes lorsqu'il connut le succès après avoir été introduit dans les salons les plus prisés de Saint-Pétersbourg sur la recommandation de l'archimandrite Théophane, dignitaire qui remplaçait l'évêque dans toutes ses fonctions lorsque ce dernier s'absentait. On tolérait ses saillies, son total manque d'hygiène et les libertés qu'il prenait vis-à-vis des femmes de haut rang au motif qu'il était un « homme de Dieu ». Il faut avouer que les tendances les plus diverses existaient dans la religion orthodoxe, parfois proches de l'idolâtrie quand elles ne présentaient pas les particularités d'une secte. Un de ces courants considérait le péché comme le premier pas vers la sainteté, le « repentir étant aussi divin que le pardon », un précepte cadrant à merveille avec la philosophie de vie de notre homme, qui l'adopta avec un tel enthousiasme qu'au début de sa carrière de starets il se vantait du sobriquet peu flatteur qu'on lui aurait attribué. « Je l'accepte par humilité », disait-il lorsque ses nouveaux amis influents s'étonnaient qu'on le traite de « débauché » ou de « libertin ». Son éloquence lui permettait non seulement de tourner à son avantage ce surnom, mais bien d'autres choses encore, comme de se faire pardonner par ses amies élégantes des beuveries épiques se concluant bien souvent sur l'image d'une princesse *défaite** avachie sur un canapé. Mais son bagou ne lui aurait guère servi s'il n'avait été assorti d'autres caractéristiques peu communes, à commencer par un pénis de trente centimètres au repos, un don pour les prédictions et un fort magnétisme personnel. Je reparlerai des dimensions de sa verge plus tard et j'ai déjà donné un exemple de ses talents prophétiques. Quant à son magnétisme, je dirais que même ses ennemis n'y échappaient pas.

Mon oncle Gricha se souvenait d'avoir entendu son maître, Félix Youssoupov – qui assassina Raspoutine quelques années plus tard –, dire qu'il avait été très impressionné le jour où il l'avait rencontré, et qu'en regardant ses yeux clairs il avait été légèrement engourdi.

Piotr Stolypine, notre regretté Premier ministre de 1906 à 1911, avait vécu une expérience similaire. Beaucoup pensaient que, s'il n'était pas mort sous des balles anarchistes, cet ennemi juré du starets aurait été le seul à pouvoir sauver la Russie de son cruel destin. Un jour, la tsarine l'avait humilié en envoyant Raspoutine dans son bureau afin qu'il l'« évalue » et vérifie s'il était en concordance avec la « volonté de Dieu », car, selon elle, le starets savait « lire dans le cœur des humains ».

Contrairement à Youssoupov, aucune léthargie ne me gagna lorsque je vis Raspoutine pour la première fois. Je ne fus ni humilié ni fasciné, comme la tsarine ou les dames de la bonne société de Saint-Pétersbourg. Mais notre premier entretien débuta par une grande douleur physique, tout à fait méritée je dois dire.

Ce devait être peu après le séjour de la famille impériale à Spala, car le tsarévitch était toujours convalescent et je me rappelle très nettement que, pendant des mois, une de ses jambes resta repliée, touchant presque sa poitrine et nécessitant le secours d'un appareil orthopédique en métal pour être redressée. Malgré les visites de plus en plus fréquentes de Raspoutine au palais Alexandre, je suis presque certain que le tsarévitch n'éprouvait aucune affection pour cet individu. On disait souvent qu'il suffisait au starets de poser ses yeux kaléidoscopiques sur Alexis pour qu'il cesse de saigner. Je n'ai pour ma part jamais assisté à une scène de ce genre, mais il m'est arrivé à plusieurs reprises de surprendre des commentaires irrespectueux de l'enfant à son endroit. « Tu sais ce qu'a mangé Raspoutine, aujourd'hui ? demanda-t-il un jour à Anastasia. Tout, sauf du *bortsch* », ajouta-t-il sans attendre que sa sœur lui réponde. Lorsque celle-ci s'étonna qu'il soit si bien informé, il rétorqua, faisant allusion à l'inimitable tubercule rouge qui est l'un des ingrédients de base du *bortsch* : « C'est facile : dans sa barbe, j'ai vu des restes de nouilles, de viande et même des lentilles, mais pas de betterave ! »

Reprenons à présent le récit de la souffrance que je ressentis lorsque je fis la connaissance de ce personnage. Au palais Alexandre, j'aimais par-dessus tout une salle que les serviteurs appelaient la « salle des cosaques », parce que l'un des murs était occupé par un immense tableau d'au moins six mètres de large représentant une bataille menée par ces guerriers. Nos maîtres l'avaient baptisée, eux, le « salon de Marie-Antoinette » et s'y rendaient fréquemment. À l'époque, je ne comprenais pas les raisons de l'intérêt de la famille impériale et de ses proches pour le portrait d'une dame habillée de manière ridicule et coiffée d'une perruque poudrée qui jouait avec des enfants. Je ne savais pas que ce tableau avait été offert à notre tsarine par le président du Sénat Émile Loubet quand, peu après leur couronnement, elle s'était rendue en voyage officiel en France. J'ignorais aussi que pendant son séjour Alix avait tenu à dormir dans le lit de la reine guillotinée. Je reparlerai du caractère prémonitoire et ironique de la présence de cette œuvre dans l'un de ses salons préférés et j'ajouterai que, à la fin du XIXe siècle et au début du XXe, la fascination d'Alexandra pour Marie-Antoinette n'avait toutefois rien d'extraordinaire. À l'époque, les souvenirs ou *memorabilia* des souverains guillotinés faisaient fureur en Europe. Les riches se vantaient de posséder une tasse, une tabatière, des couverts en *vermeil**, un mouchoir ou n'importe quel objet leur ayant soi-disant appartenu. Dans les salons de Saint-Pétersbourg, tous rivalisaient pour exhiber la relique la plus rare ou la plus intime.

Après avoir fait la lumière sur ce point, revenons au salon qui nous intéresse, où régnait Marie-Antoinette sous la bonne garde des cosaques. Pour ce qui me concernait, ni les murs de stuc blanc, ni les rideaux framboise assortis à une lampe gigantesque avec de longues pendeloques rouges, ni les sept portes-fenêtres qui s'ouvraient sur le parc ou le piano à queue en sommeil dans un coin n'attiraient mon attention. L'objet de ma fascination était une collection d'horloges de différentes tailles qui se concurrençaient pour donner l'heure de la façon la plus musicale et la plus charmante qui soit. Deux fois par jour, sur le coup de midi, chacune dévoilait l'originalité de son mécanisme : deux fillettes en platine et diamants dansaient sous un parapluie, un singe en or et en argent pirouettait au son des carillons, un paon déployait sa queue couverte de saphirs, un éléphant barrissait en dressant sa trompe.

De ma pendule favorite émergeait une danseuse campée sur une seule jambe. J'ignore où était passée l'autre et la mélodie qui l'accompagnait n'était pas aussi belle que celle de ses rivales, mais cette minuscule ballerine unijambiste avait deux atouts pour me séduire : des yeux en amande identiques à ceux de Tatiana Nikolaïevna et une abondante chevelure blond vénitien.

Comme tant d'autres jours, à midi moins cinq j'avais fui mes obligations pour aller voir danser ma Tatiana dans le salon désert quand, tout à coup, je ressentis une intense douleur à l'oreille gauche et entendis une voix caverneuse me demander ce que je fabriquais là. Croyant avoir été surpris par un domestique ou un des gardes qui patrouillaient dans le palais, je me retournai en m'attendant au pire et découvris que l'homme qui venait de m'apostropher était un moujik portant une très longue barbe noire. Je me rappelle m'être demandé comment ce vagabond avait pu déjouer la vigilance des gardes et j'en conclus qu'il s'était probablement introduit par une des portes-fenêtres du jardin. « Quelqu'un a dû la laisser entrouverte », me dis-je. Mais je n'eus pas le temps d'échafauder d'autres hypothèses, car l'homme ne lâchait pas mon oreille. Au contraire, il la tordait comme s'il voulait l'arracher.

Il y serait sans doute parvenu si un Abyssin n'avait fait irruption dans le salon à cet instant précis. Le troisième personnage de la scène était une véritable armoire à glace de près de deux mètres, noir comme le cirage. Il portait un pantalon bouffant écarlate, une veste brodée d'or, un grand turban de soie blanche et un cimeterre impressionnant à la ceinture. En vérité, cette apparition n'était pas aussi étonnante qu'on aurait pu l'imaginer. La garde abyssine, à laquelle le géant appartenait, était une relique de l'époque de la Grande Catherine et avait conservé son uniforme. La seule mission connue de ces titans consistait à jouer le rôle de statues vivantes devant les pièces occupées par le tsar et la tsarine, si bien que, grâce à leur présence immobile, on savait à tout moment derrière quelles portes se trouvaient nos souverains. Réputés farouches et peu bavards, ils étaient si muets et si inexpressifs qu'on aurait cru des statues d'ébène ou d'onyx. J'avais cependant réussi à établir des relations cordiales avec l'un d'eux, Jim. Plus d'une fois je lui avais apporté à boire en secret – ils devaient rester postés des heures durant sans ciller. Malheureusement, celui à qui le moujik et moi eûmes affaire ce fameux jour n'était pas Jim, mais un de ses collègues particulièrement revêche. Qu'allait-il se passer ? Servant surtout d'ornement, la garde abyssine n'avait pas pour fonction de surveiller, mais en découvrant un intrus à l'intérieur du palais le géant allait probablement réagir, prévenir un officier, donner l'alarme à l'aide de son sifflet, faire du tapage, que sais-je encore. « Pourvu qu'il le fasse », songeai-je, car c'était la seule manière de détourner l'attention de ma présence dans cette partie interdite du palais. S'il ne dénonçait pas le moujik, mon avenir était tout tracé. Dans le meilleur des cas, ma visite à la ballerine me coûterait au bas mot cinquante « baisers » de la part d'Anton Pétrovitch, mon chef, qui désignait ainsi les coups de badine qu'il nous infligeait. Mais si je jouais de malchance on me flanquerait dehors, à la consternation de ma mère et de ma tante, qui avaient bien besoin de mes appointements.

Je ruminais tout cela lorsque, à ma grande surprise, au lieu de s'étonner de voir ce moujik, l'Abyssin le salua d'une inclination de la tête.

– Vous vous êtes égaré, monsieur Raspoutine ?

Stupéfait, j'observai l'homme dont parlait toute la Russie pendant qu'ils échangeaient quelques mots. Le géant lui proposa ensuite de l'accompagner jusqu'aux appartements de l'impératrice, mais le starets refusa et répondit qu'il connaissait le chemin. L'Abyssin acquiesça d'un air cérémonieux, puis se tourna vers moi pour me demander d'un ton moins affable ce que je faisais là.

– Je, je... balbutiai-je, cherchant dans ma tête une excuse plausible sans en trouver aucune. Eh bien, voyez-vous, je...

Je n'eus guère le loisir de poursuivre par des propos plus intelligibles. Raspoutine posa une main sur mon épaule et adressa au garde un sourire magnétique.

– C'est de ma faute, intervint-il. J'ai prié ce garçon de me montrer le portrait de Marie-Antoinette. J'avais très envie de connaître ce salon et j'ignorais où il était.

Quand je revois cette scène, je me demande ce qui serait survenu si nous avions été surpris non par l'Abyssin, mais par un valet ou un des gardes du palais. Ils m'auraient probablement ramené sans un mot auprès d'Anton Pétrovitch pour que ce dernier règle ses comptes avec moi. Le géant n'en fit rien. Peut-être ne s'entendait-il pas avec les autres domestiques. Toujours est-il qu'il prit pour argent comptant l'invraisemblable explication de Raspoutine qui, afin d'admirer les tableaux du palais, avait pris pour guide un petit ramoneur.

Nous sortîmes du salon l'un derrière l'autre, l'Abyssin ouvrant la marche, suivi de Raspoutine à qui j'emboîtais le pas.

– Au revoir, monseigneur, lui dit la statue vivante, utilisant une formule ancienne et respectueuse qui flatta sans nul doute les oreilles du visiteur. Père Grigori, je vous laisse avec votre accompagnateur.

– Oui, nous avons encore d'autres tableaux à contempler. N'est-ce pas, mon garçon ? me lança mon sauveur.

Je découvris alors l'influx de ces yeux célèbres dans tout Saint-Pétersbourg, si clairs que, selon l'éclairage, leurs orbites semblaient vides comme celles d'un squelette. Il portait une tunique brune qui devait davantage sa couleur à la crasse qu'à la teinture, et une simple croix de bois pendait sur sa poitrine. Élimé au niveau des cuisses au point qu'on avait l'impression qu'il s'essuyait les mains dessus, son pantalon de velours ne paraissait guère plus reluisant que sa chemise. Une odeur âcre émanait de sa personne et se corsait dès qu'il ouvrait la bouche, ajoutant aux premiers relents ceux, impossibles à confondre, de l'alcool aigri. Un garçon tel que moi, qui passait le plus clair de son temps dans des conduits, n'avait pas l'odorat délicat, pourtant je me rappelle n'avoir pu réprimer une grimace que Raspoutine dut remarquer. Au palais, on disait que lorsque la tsarine l'avait revu après la crise hémorragique d'Alexis elle s'était prosternée à ses pieds et avait baisé le bas de sa tunique. On racontait aussi que, depuis, elle s'entretenait ou priait avec lui pendant des heures. « Bon sang ! Comment peut-elle rester si près de cet homme ? » me demandai-je. Mais je n'eus guère le temps de me lancer dans d'autres considérations, car un quatrième personnage fit alors son entrée. Je l'avais déjà vu plusieurs fois à travers les grilles d'aération, mais ne m'étais jamais trouvé à ses côtés.

– Père Grigori ! dit Anna Vyroubova en s'approchant pour baiser la croix du starets. Que faites-vous ici ? Vous vous êtes égaré ? Cela n'a rien de surprenant, ce palais est si grand… Il n'y a pas longtemps, je me perdais encore, moi aussi.

De près, l'amie intime de la tsarine paraissait bien plus grande que je ne l'avais imaginé. Tante Nina l'avait comparée à un fourmilier. Ignorant encore à quoi ressemblait cet animal, je trouvais qu'elle avait plutôt l'air d'une toupie ou, mieux, qu'elle possédait la forme ovoïde des poupées gigognes russes, les *matriochkas*, aussi rebondies de face que de dos. Elle portait une robe mauve à pois blancs d'où déferlait un jabot de dentelle surchargé de festons et même d'un bouquet de pétunias. Six ou sept petits bracelets argentés ornaient ses robustes poignets. Quant à son chapeau, je n'en avais jamais vu d'aussi ridicule. Il s'agissait d'une sorte de petite casserole en paille penchée dans un équilibre qui défiait les lois de la gravitation, surplombant une tête flanquée de bajoues et d'une bouche de la taille d'un pignon de pin. Seuls ses yeux gris-vert rachetaient sa laideur, mais son regard bovin gâchait tout leur charme.

– J'ai demandé à ce garçon de me montrer Marie-Antoinette, dit le starets en réutilisant le prétexte qu'il avait déjà servi au garde et qui n'éveilla pas davantage la méfiance de la dame au regard de vache que celle de l'Abyssin.

– Bien sûr, père Grigori, c'est parfait. Je viens d'arriver et je m'apprêtais à aller voir les enfants quand j'ai entendu votre voix. Prenez votre temps, nous vous attendons à l'étage.

À l'évidence, elle ne s'aperçut pas que j'étais là, ce qui me réjouit en plus de me sembler normal. En effet, à l'image des domestiques du monde entier, j'avais pris l'habitude d'être transparent. En effet, nous autres, nul ne nous « voit », à moins que nous ne soyons pas à notre place, comme c'était mon cas ce jour-là. Mais la présence et, surtout, les paroles du starets durent faire oublier ces circonstances à Anna Vyroubova, qui tourna les talons et rebroussa chemin, sa petite casserole oscillant sur sa tête. Je m'amusai quelques secondes à me demander si elle allait tomber, jusqu'à ce que Raspoutine, toujours avec moi, me pince de nouveau l'oreille aussi cruellement que la première fois, à la différence près qu'il en approcha ses lèvres et siffla :

– À compter de maintenant, toi et moi, nous avons un secret, n'est-ce pas ?

– Pppar…pardon, monsieur ? bégayai-je, stupéfait de pouvoir m'exprimer alors que la souffrance m'avait privé d'entendement.

La puanteur de cet homme et les poils de sa barbe s'insinuant dans mon oreille tels des asticots ne m'aidaient guère à reprendre mes esprits.

– Ton chef te ferait pire que ça s'il apprenait que tu furetais dans ce salon, je me trompe ?

– Non, monsieur. Merci, monsieur.

J'aurais dit n'importe quoi pour pouvoir m'échapper de là.

– Comment t'appelles-tu ?

– Léonid, pour vous servir. Je…

Un tour d'écrou supplémentaire me vrilla l'oreille. J'avais si mal que je n'allais pas tarder à tomber dans les pommes.

– Tu quoi, mon garçon ?

– Je vous demande pardon, monsieur, si…

– Pas de pardon. « Pardon » est un mot divin et tu ne sais rien de tout ça. Rappelle-toi juste une chose.

– Laquelle, monsieur ?

– À compter de maintenant, tu me dois un service, jeune Léonid. Ne l'oublie pas. Ne l'oublie jamais.

Scarlatine

– Alors, mon enfant, qu'est-ce que tu me racontes ? Que l'institutrice des grandes-duchesses vient de démissionner, scandalisée par la conduite de Raspoutine, qui entre dans les chambres des filles du tsar comme dans un moulin quand bien mêmes elles sont en chemise de nuit ? Que tout le monde, au palais, s'étonne que ce moujik illuminé traîne constamment ses bottes crottées sur les tapis impériaux ? Qu'il tutoie la tsarine et qu'elle se met à genoux en attendant qu'il la bénisse ? Franchement, il n'y a pas de quoi être surpris. Tout ça, je le savais déjà !

Je commençais à me lasser du côté « je sais tout » de tante Nina. Pourtant, il m'était bien agréable d'être de retour à la maison, même si les raisons de mon séjour auprès des miens n'étaient guère réjouissantes. Il y avait une épidémie de scarlatine et j'avais eu la malchance de contracter cette maladie. Je brûlais de fièvre, mes jours et surtout mes nuits étaient placés sous le signe du délire et des cauchemars et, pour couronner le tout, j'avais des démangeaisons, à croire que je m'étais roulé dans un champ d'orties.

Mais j'adorais me faire cajoler par maman et tante Nina, particulièrement sur le coup de midi, quand la fièvre me laissait un peu de répit. À cette heure, ma mère ou Nina s'asseyait près de mon lit, installé provisoirement dans le salon pour que je ne me sente pas trop seul, et m'apportait une délicieuse assiette de *bulions vermicheliu* bien chaud. Ce matin-là, maman était descendue acheter je ne sais quoi et Nina jouait les gardes-malade. Je songeai que les choses auraient pu être pires et que, en échange d'un bon *bulions* de mouton, je pouvais bien faire pénitence et supporter une dose de Nina pur jus, d'autant que sa vision du passé m'aidait à mieux comprendre ce que j'avais vu ou plutôt entendu dans mon labyrinthe de conduits et tuyaux encrassés.

– Alors comme ça, au palais, ils se plaignent d'avoir Raspoutine jusque dans leur assiette ? poursuivit ma tante en remuant avec application mon *bulions*, comme si parmi les nouilles de cette excellente soupe s'étaient égarés des poils de barbe de l'énigmatique conseiller de la tsarine. Tu sais, mon petit, ça ne m'étonnerait pas : les convertis, ou, dans ce cas, la convertie, sont souvent plus royalistes que le roi.

Tante Nina s'aperçut que la signification de ce terme, tant au masculin qu'au féminin, m'échappait. Elle se fit donc une joie de me l'expliquer, ravie que ma mère ne soit pas là pour la contredire.

– L'âme russe est très différente de l'idée que s'en font les étrangers. Lorsque l'un d'eux arrive dans notre pays, il est d'abord surpris, puis indigné et, enfin, subjugué. Ceux qui ne tiennent pas compte de cette particularité risquent de ne rien comprendre à la Russie.

– Quel rapport entre Raspoutine et les... convertis ? m'empressai-je de lui demander avant qu'elle ne change de sujet, selon sa bonne habitude.

– Je parle de l'impératrice, naturellement, et des raisons qui expliquent sa fascination pour ce type à moitié analphabète. Tu as vu les pamphlets obscènes qui circulent dans toute la ville ? On y voit Raspoutine et la tsarine dans diverses postures qui n'ont rien de distingué. Enfin, inutile que tu les voies, tu es encore trop jeune et je te l'interdis, ajouta-t-elle en se signant avec dévotion, faisant trembler la cuillère plongée dans mon *bulions*. On raconte qu'ils sont amants, mais, moi, je dis que tout ça, c'est des sornettes ! Pour comprendre les sentiments d'Alix envers ce moujik, il suffit de penser à l'angoisse d'une mère pour son fils malade, mais il faudrait aussi revenir légèrement en arrière. Tu sais quoi, Lionechka ? Quand le présent t'échappe et te paraît grotesque, analyse le passé et cette impression se dissipera. C'est une évidence, même si les gens ne pensent jamais à le faire, d'où leurs nombreux problèmes. Moi, en revanche, je suis toujours tournée vers le passé, affirma-t-elle en pointant vaguement sa cuillère sur une lettre ouverte posée sur une table, non loin de nous. (Il s'agissait d'une de ces mystérieuses enveloppes écrites à l'encre verte qui, de temps à autre, venaient égayer son existence.) Oui, tout s'éclaire quand on regarde en arrière. Dans le cas d'Alexandra et du starets, nous devons remonter à l'arrivée de l'impératrice dans notre pays, bien avant leur rencontre. En ce temps-là, c'était une très jeune et très fervente luthérienne qui, follement amoureuse de Nicolas, hésitait cependant à accepter sa demande en mariage. Elle s'inquiétait de devoir renoncer à sa foi pour embrasser la nôtre. Elle a malgré tout fini par s'y résoudre avec la véhémence des convertis, c'est-à-dire qu'elle est devenue plus orthodoxe que n'importe quelle personne pratiquant notre religion. Tu as déjà essayé de compter les icônes qui couvrent les murs de sa chambre ?

J'allais ouvrir la bouche pour lui signifier que mon travail de *water-baby* comportait quelques points obscurs, dont les chambres à coucher du palais, puis je pris conscience qu'elle ne m'avait posé cette question que pour la forme. Elle n'attendit du reste pas ma réponse pour enchaîner.

– Deux cent soixante-huit. Deux cent soixante-neuf si on compte l'icône minuscule toujours épinglée sur sa culotte. Un jour, j'ai pris le temps de les dénombrer. Il y a des vierges, des saints, des christs, et tellement d'éclats de la Croix que si on les rassemblait on obtiendrait une forêt. Maintenant, si tu ajoutes à sa ferveur le premier de ses malheurs, qui est d'avoir eu quatre filles à vingt mois d'intervalle chaque fois... Oui, Léonid, c'est là que tout a commencé et je ne serais pas étonnée que...

En entendant ces mots, je l'interrompis. Je n'avais pas envie qu'elle tienne des propos désagréables sur les filles du tsar, et surtout pas sur ma chère Tatiana.

– Qu'est-ce qu'elles ont de mal, ces demoiselles ? lâchai-je en songeant ensuite combien ce commentaire devait être ridicule dans la bouche d'un garçon tel que moi.

Malheureusement – ou peut-être était-ce une chance –, une fois encore, tante Nina ne m'avait pas entendu.

– Une fille après l'autre quatre fois de suite ! Quelle guigne ! Un vrai désastre... À tel point que lorsque la troisième, Maria Nikolaïevna, est venue au monde Alexandra s'est tournée vers Dieu, ou plutôt vers un homme de Dieu, corrigea-t-elle. Parce que si au palais vous êtes scandalisés par Raspoutine, c'est que vous n'avez pas connu celui qui l'a précédé !

– Un autre moujik avec des restes de nourriture coincés dans la barbe ? ai-je lancé, amusé.

– Absolument pas. Pas de barbe crasseuse ni de cheveux gras, pas d'odeur de porcherie non plus. Ce Français *très chic** s'appelait Philippe de Lyon. C'était même un ancien parfumeur, raison pour laquelle il sentait toujours la violette. Le parallèle avec Raspoutine tient à autre chose : notre tsarine était et reste une proie facile pour les charlatans et les visionnaires. Le fait est que, après la naissance de Maria, Alexandra était inconsolable, même si elle et le tsar adoraient leurs trois petites filles – personne n'osera jamais dire qu'ils ne sont pas des parents exemplaires. Mais le pays avait urgemment besoin d'un héritier, tu comprends ? Pour faire oublier la misère sociale, les attentats terroristes, comme celui qui, à l'époque, a mis fin à la vie d'un oncle et beau-frère de Nicolas, le grand-duc Serge, marié à Élisabeth, la sœur d'Alix. Une sacrée bombe, dont l'explosion a été retentissante. Des semaines plus tard, on retrouvait encore les doigts bagués et les phalanges du grand-duc sur le toit d'un immeuble proche du Kremlin. Il faut dire qu'en Russie les attentats sont aussi fréquents que les chutes de neige. Tu sais comment est mort le grand-père de Nicolas, Alexandre II, le plus réformiste des tsars, qui a aboli le servage et survécu à plus de cinq attentats, y compris à la bombe qui a précédé de peu celle qui, finalement, allait le déchiqueter ?

– Il y a eu deux attentats le même jour ?

– À dix ou quinze minutes d'intervalle. La première bombe était camouflée dans une bouteille de champagne, mais Alexandre s'en est sorti indemne. Ensuite, quand il est descendu de voiture pour voir s'il y avait des blessés, un autre terroriste a lancé une deuxième bombe qui lui a arraché les jambes. Il s'est vidé de son sang et a rendu son dernier soupir sur le chemin du palais. Nicolas, encore adolescent, a appris deux choses ce jour-là : primo, qu'il est dangereux d'être un tsar réformiste ; deuzio, que le danger peut s'insinuer partout, jusque dans une bouteille de délicieux champagne. Mais, puisque nous en sommes là, je vais te raconter une anecdote étrange. Tu connais l'histoire d'Alexandre II et du champagne ? Apparemment, il avait obtenu que sa maison préférée crée en son honneur une cuvée spéciale. Afin d'éviter les empoisonnements, qui étaient monnaie courante à la cour de Russie, il avait demandé une bouteille qui soit non pas verte, mais en cristal transparent. Contrairement aux autres, elle avait un fond plat pour qu'on ne puisse rien y dissimuler. C'est ainsi que la cuvée Cristal Roederer a vu le jour, un champagne hors de prix et exceptionnel. Aucun tsar n'étant délivré de la menace d'un attentat planant comme une ombre au-dessus de sa tête, Nicolas II s'est lui aussi entouré de précautions. Il adore le vin rouge, livré en principe dans une bouteille verte à cul creux. Pour s'épargner des frayeurs inutiles, il a demandé à ses sommeliers d'aller chercher de bons crus hors d'Europe, dans des contrées assez lointaines pour que le « tsar de Russie y fasse figure de personnage aussi flou et obscur que Gengis Khan », a-t-il expliqué. Les excellents vins chiliens ont ainsi fait leur entrée dans la vie de notre souverain. Mais je m'égare un peu, mon garçon. Où en étions-nous ?

« Un peu ? » m'étonnai-je sans rien dire, préférant rappeler à tante Nina que, avant ses digressions sur le champagne et le vin, elle parlait du besoin que le pays avait d'un héritier après la naissance des trois premières grandes-duchesses.

– Ah oui ! Eh bien, comme je te le disais, la venue au monde d'un tsarévitch aurait apporté un peu de joie et d'espoir à un peuple qui adorait encore son *tsar batiouchka*. La petite Maria Nikolaïevna ne marchait pas qu'Alexandra annonçait qu'elle était à nouveau enceinte. Au palais, tout le monde était ravi, comme tu peux le concevoir, mais très vite on s'est aperçu que son état était le fruit de son imagination. Ne me demande pas de t'expliquer ce qu'est une grossesse fantôme, tu n'as pas à savoir ce qui se passe parfois dans le corps des femmes. Je me contenterai de préciser qu'il n'y avait pas de bébé. C'est alors que *Monsieur** Philippe est entré en scène avec ses manières doucereuses et son odeur de violettes. Pour que tu puisses te représenter ce bonimenteur, je vais te raconter comment ton oncle Gricha a fait sa connaissance. Mon frère, tu le sais, est au service du jeune prince Youssoupov, le plus bel homme de toute la Russie. Il est si beau, ajouta-t-elle en levant les yeux au ciel, que quand il se travestit – ce qu'il adore faire – les admirateurs pullulent. Figure-toi que l'an dernier, à Paris, Édouard VII s'est jeté sur lui en le prenant pour une demoiselle. Évidemment, il n'y a rien d'étonnant à ce que le jeune Félix aime les jupons, les décolletés et les sautoirs, parce qu'à sa naissance sa mère, qui avait déjà eu trois garçons, était tellement déçue qu'elle l'a habillé en fille jusqu'à ses six ans. Tu aurais dû le voir ! Il était vraiment chou avec ses anglaises et ses petits colliers de corail. Il portait aussi de ravissantes boucles d'oreilles. Il se les est même fait percer pour que ce soit plus pratique quand il va à ses fêtes... Enfin, je ne devrais pas te révéler ce genre de choses, Gricha va se mettre en rogne contre moi. Bon, où en étions-nous ? Mon frère avait accompagné son jeune maître en Crimée et, tous les matins, Félix Youssoupov se promenait sur la plage. Un jour, sur le rivage, ils ont croisé la princesse Militza, une des filles du roi de Monténégro. Elle et sa sœur Anastasia se passionnaient tellement pour les sciences occultes et la magie qu'à Saint-Pétersbourg on les avait surnommées *Chiorni Opaznost*, le Péril Noir. Tu vas vite comprendre pourquoi : en voyant s'approcher Mlle Péril Noir au bras d'un homme, Félix a retiré galamment son chapeau pour la saluer, mais elle a poursuivi son chemin sans lui accorder un regard, comme si elle n'avait pas remarqué sa présence. Quelques jours plus tard, ils se sont de nouveau croisés et Youssoupov lui a demandé pourquoi elle l'avait ignoré souverainement. « Vous ne pouviez pas me voir ! s'est-elle exclamée, stupéfaite. J'étais au bras de mon ami, le docteur Philippe. Quand il porte son chapeau magique, il devient invisible et les gens qui l'accompagnent aussi. »

Ma tante marqua une pause de quelques secondes en dessinant des arabesques avec la cuillère encore remplie de *bulions vermicheliu*, qui menaçait de se répandre sur mes draps blancs.

– C'est cet homme qui, sur la recommandation de la princesse Militza, a examiné la tsarine pour lui permettre d'avoir un fils. Laisse-moi aussi te dire que Militza et l'autre moitié du Péril Noir, sa sœur Anastasia, ont été les premières à inviter Raspoutine dans leur salon quand il est arrivé à Saint-Pétersbourg, introduit par l'archimandrite Théophane. Ce sont elles qui l'ont présenté à la tsarine, avec toutes les conséquences que nous connaissons. Mais ça, c'était bien plus tard. Pour le moment, nous sommes encore sous l'« ère » de Philippe, qui avait promis un fils à l'impératrice à condition qu'elle se place sous la protection de saint Séraphin. Le problème, c'est qu'aucun saint de ce nom n'existait dans notre religion, alors comment faire ? Heureusement, comme par hasard, quelqu'un lui a signalé qu'au XVIIIe siècle, à Sarov, avait vécu un moine appelé Séraphin. L'empereur a aussitôt ordonné sa canonisation. Avec le plus grand respect, le procureur du saint-synode a tenté d'expliquer à Sa Majesté que les empereurs n'ont pas le pouvoir de proclamer des saints, mais ça, Alexandra s'en fichait. Je me souviens qu'une de ses femmes de chambre, une amie qui, ce jour-là, changeait l'eau de ses fleurs, a entendu la réponse de la tsarine quand on l'a informée de ce contretemps : « L'empereur peut tout ! » Tant et si bien que Séraphin a été canonisé de manière expéditive. La famille impériale a ensuite fait un voyage à Sarov et, quelque temps plus tard, miracle ! Alix était enceinte ! Les mois ont passé, elle a perdu les eaux et nous attendions tous l'heureuse délivrance en chantant au son des canons qui annonçaient l'arrivée d'un héritier. Il devait y avoir cent cinquante coups. Malheureusement, au cinquantième, on a été informés que c'était une fille, la quatrième.

Ma tante se tut pour reprendre son souffle, mais sa pause fut de courte durée et elle revint vite à la charge.

– Et voilà comment est née Anastasia, que tout le monde considère comme la plus facétieuse des cinq enfants du tsar. Elle l'a prouvé dès sa venue au monde, mais ne crois pas qu'après cet échec notre impératrice ait baissé les bras, pas du tout ! Elle a continué à consulter une cohorte de voyants et de prophètes. Je me souviens d'un estropié avec des moignons à la place des bras, qui était épileptique et faisait des prédictions quand il avait une crise. Il y avait aussi une jeune malade mentale qui avait des visions, un vétérinaire mongol qui parlait chinois, un mystique appelé Papus, capable d'entrer en communication avec des extraterrestres... Tous disaient qu'elle allait bientôt accoucher d'un garçon robuste. Et que s'est-il passé ensuite ? Eh bien, un enfant mâle beau comme un soleil est né, frappé de cette terrible maladie héritée de sa mère, qui se sent coupable, au point que je l'ai souvent entendue dire que chaque fois que son fils saigne elle a l'impression de planter un couteau dans son petit corps tendre. La culpabilité est une chose affreuse, Léonid. Elle nous incite à commettre des actes stupides et il se trouve toujours un imposteur pour en profiter. C'est pourquoi, comme tu peux le constater, il ne faut jamais se fier aux charlatans et aux illuminés, qu'il s'agisse de femmes n'ayant pas toute leur tête, de parfumeurs français, de moines chinois ou de moujiks crasseux. Garde toujours cet enseignement dans un coin de ta tête, conclut ma tante en posant l'assiette désormais froide de *bulions* sur la table de chevet, me laissant la faim au ventre.

Fièvre

Deux jours après le dernier conseil avisé de tante Nina, j'étais toujours alité avec de la fièvre, en particulier la nuit. Mais le décor avait changé : après avoir constaté une légère amélioration de mon état, on m'avait exilé du salon à ma chambre, une pièce étroite et lugubre à peine éclairée par une petite lucarne en hauteur, d'où je distinguais à peine un réverbère qui, puisque je n'avais pas de montre, me donnait une idée approximative de l'heure. Dans le demi-sommeil qui caractérise la fièvre, je ne tardai pas à découvrir qu'on allumait le bec de gaz vers trois heures et demie de l'après-midi, avant la tombée de la nuit, et que sa faible lumière s'éteignait à une heure du matin, plongeant la ruelle dans une complète obscurité. Les nuits d'hiver sont longues à Saint-Pétersbourg, surtout quand on n'arrive pas à fermer l'œil. Grâce à mes insomnies, j'appris à identifier les bruits du quartier : le vacarme des étudiants après une soirée bien arrosée, le samedi, à l'aube, ou les cloches de la cathédrale Saint-Isaac, que j'entendais très nettement quand le vent venait du nord. J'étais aussi capable de reconnaître les cahotements d'une automobile pétaradant au loin, sur une grande artère, et les bredouillements d'un pope et de son acolyte allant voir un malade ou un moribond. Une ville plongée dans le sommeil n'est jamais silencieuse et mes nuits blanches eurent au moins l'avantage de me rendre attentif à des manifestations sonores que j'aurais ignorées toute ma vie si je n'étais pas tombé malade.

Voilà pourquoi, une nuit, sur le coup de onze heures, d'après mes calculs, je sursautai en captant un son nouveau et différent qui m'était familier, mais ne laissait pas de me surprendre dans ce quartier modeste. « Bon sang ! pensai-je en entendant un tintement de clochettes accompagné d'un doux "shhh" pareil à celui d'une voiture légère glissant sur la neige. Pourquoi un traîneau impérial s'aventure-t-il par ici ? » Pour en avoir entendu parler au palais, je savais que depuis l'irruption des automobiles dans l'existence des riches privilégiés les traîneaux autrefois en vogue avaient presque sombré dans l'oubli. On ne voyait plus guère de ces moyens de locomotion en forme de lyre, aériens comme des libellules, tirés par un ou deux chevaux, dont les clochettes identiques à celles qui venaient de résonner à mes oreilles avertissaient les passants de leur passage.

Si ma température avoisinait les trente-neuf degrés, comme toutes les autres nuits, je ne m'en aperçus pas. Je n'avais qu'une envie : me mettre debout sur le lit, atteindre le rebord de la lucarne et observer la rue. Au début, je ne vis rien, mais quand mes yeux se furent acclimatés à la pénombre je constatai qu'il n'y avait pas de lune et que l'unique réverbère dessinait un halo pâle. Les grelots se rapprochèrent. « Pourvu que le traîneau passe par ici, murmurai-je, désireux qu'un événement vienne rompre la monotonie d'une nuit blanche. Par pitié, par pitié… Pourvu que j'aie cette chance. »

Le bruit étouffé de sabots sur la neige fraîchement tombée me parvint quelques secondes avant que le son allègre des clochettes m'annonce que le traîneau allait bientôt tourner le coin de la rue. « Comme c'est étrange !

Que fait ce traîneau dans le quartier ? » pensai-je à l'instant où le véhicule, tiré par deux chevaux blancs, s'immobilisait à deux ou trois mètres de chez moi. À en juger par la buée qu'exhalaient les naseaux des bêtes et les couvertures de fourrure tendues sur les passagers, il faisait un froid glacial. Il m'était pour le moment impossible de savoir si les occupants étaient des hommes ou des femmes. Quand l'un d'eux aida son compagnon à descendre du traîneau, je ne pus en apprendre davantage, ne distinguant que des silhouettes floues emmitouflées dans de gigantesques manteaux. Était-ce du renard ? De la loutre ? De la zibeline ? L'une d'elles était beaucoup plus grande que l'autre et portait une chapka de renard roux. « Qu'ils parlent, qu'ils se dépêchent de dire quelque chose », implorai-je, de plus en plus intrigué, en m'agrippant à la poignée de la fenêtre car je commençais à avoir des vertiges. Mon vœu ne fut pas exaucé, contrairement à un autre que je n'avais même pas encore formulé. J'eus en effet la joie de constater que, après avoir mis pied à terre et secoué la neige amoncelée sur ses épaules, la forme chapeautée de la chapka rousse se dirigeait d'un pas alerte vers notre immeuble. Des visites à une heure aussi tardive ? Allaient-ils sonner à notre porte ? Sûrement pas. Qui aurait pu venir nous voir ? Pour autant que je sache, ma mère et ma tante ne recevaient qu'une voisine ou des clientes de moins en moins nombreuses, et qui ne se seraient jamais déplacées en pleine nuit. Un des chevaux s'ébroua. La tête me tournait. J'eus alors l'impression que les amples et luxueux manteaux noirs, blancs et gris s'étaient faufilés dans ma chambre et dansaient sur mon lit, semblables à des fantômes. La chapka rousse était là elle aussi et se posait au sommet de mon crâne tandis qu'une vague de chaleur moite montait du bas de mon dos et gagnait ma nuque. Mes oreilles bourdonnaient, mes yeux louchaient et mes genoux s'affaissaient, comme lestés par un poids aussi invisible qu'insoutenable. « Aïe, Léonid, ce n'est vraiment pas le moment de t'évanouir », eus-je le temps de me dire avant que ma vue se brouille complètement.

Valets sans naissance et valets de sang

Quand je me réveillai, il faisait nuit noire. Le réverbère était éteint, ce qui signifiait qu'il était au moins une heure du matin. Pendant quelques instants, je pensai que la vision du traîneau et de ses occupants en longs manteaux coiffés de chapkas était le fruit de mon délire. Je me serais sans doute pelotonné sous les couvertures pour trouver le sommeil si des murmures peu discrets ne m'étaient parvenus de l'autre côté de la porte. Je dressai l'oreille, essayant de savoir à qui appartenaient ces voix. L'une d'elles m'était tout à fait familière et n'était autre que celle de tante Nina. Je mis plus longtemps à identifier les autres. Deux vieux amis – je dirais presque les seuls – de la maison étaient là : mon oncle Gricha et quelqu'un dont je n'ai pas encore parlé, même si cette histoire lui doit beaucoup. Il s'agissait de Lara Aleksandrovna, que j'appelais tante Lara, plus par tendresse qu'en vertu de nos liens de parenté. J'avais été embauché au palais grâce à son grand cœur. On pourrait croire qu'après de longues années passées à la Cour maman et Nina avaient assez de relations pour me trouver une place. Malheureusement, au palais, la mémoire des gens chargés d'engager les domestiques n'était ni bonne ni généreuse, si bien que, lorsqu'il fallut trouver des personnes susceptibles de me recommander, maman eut recours à ceux qu'elle appelait les « valets S. ».

Ce terme recouvrait tout un système très complexe qu'un enfant de mon âge pouvait difficilement comprendre. Mais il joue cependant un rôle si important dans ce récit que je vais tâcher de l'expliquer, tel que je l'ai compris peu après en écoutant l'exposé de mon ami Youri. En Russie et dans d'autres pays, je suppose, les domestiques des grandes familles se divisaient depuis des siècles en deux catégories : les valets et les serviteurs. Quand ils débutaient dans le métier, ces derniers n'avaient jamais eu de contacts avec l'aristocratie pour laquelle ils travaillaient. Paysans ou paysannes sans formation, ils étaient affectés aux tâches les plus dures. Avec les années et un peu de chance, ils gravissaient un ou deux échelons dans l'échelle sociale rigide de la domesticité. À leur retraite ou à leur mort, ils étaient tout au plus palefreniers ou récureuses, garçons d'écurie ou buandières. Avant de m'attacher à décrire l'autre groupe, celui des valets, il me faut signaler qu'au fil du temps ce mot a subi comme tant d'autres une dégradation. Aujourd'hui, il est chargé de connotations négatives, mais à l'origine il qualifiait les serviteurs qui naissaient et étaient élevés dans la maison de leurs maîtres. Dès l'enfance, ils tissaient ainsi des liens privilégiés avec la famille, en particulier avec les enfants de leur âge. Tant que le monde et ses vanités ne leur avaient pas assigné un rôle inamovible, les uns et les autres occupaient le même paradis ou, tout au moins, les limbes du territoire idyllique et égalitaire de l'enfance. Mais les différences ne s'arrêtaient pas là, car parmi les valets certains étaient dits « sans naissance » et d'autres « de sang ». Les parents, les oncles et les cousins des premiers servaient la même famille depuis des années. C'était une véritable dynastie à l'intérieur de la maison et souvent ils cohabitaient avec leurs maîtres depuis des générations, au point de connaître leur intimité et leurs secrets et de se les approprier. Que ce soit à force de côtoyer la noblesse, de vivre dans ce milieu ou par simple osmose, les jeunes valets finissaient par acquérir des connaissances et une culture non négligeables. Dans un pays tel que la Russie, où une grande partie de la population était analphabète ou semi-analphabète, les valets lisaient, écrivaient, connaissaient les quatre opérations de base, et, comme Youri, ils maîtrisaient le français et comprenaient l'anglais. Leurs bonnes manières leur auraient permis de passer sans problème pour de parfaits aristocrates ou des dames sophistiquées, ce qui fut du reste le cas pour nombre d'entre eux après la révolution bolchevique. Très estimés dans les classes aisées, on se les arrachait, et il n'était pas rare qu'un comte ou un duc débourse une somme rondelette pour débaucher en douce le valet d'un proche, qui s'apercevait que, peu après avoir demandé son congé, son brave Ivan, Anatole ou Piotr portait désormais la livrée dans les salons de son ami intime et déloyal.

Ce système embrouillé de castes mijotait sur les fourneaux, dans les sous-sols des grandes maisons russes. Mais il me faut encore aborder la catégorie de serviteurs la plus intéressante de toutes, celle des valets de sang ou « valets S. ». Combien d'enfants naturels des princes Orlov, Golitsyne ou Youssoupov, combien de rejetons d'un grand-duc ou d'un tsar faisaient la vaisselle et les lits ou vidaient des pots de chambre dans les palais de Saint-Pétersbourg ? C'est un décompte qui ne figurera dans aucun livre. Comment pourrait-on en dresser la liste, dans la mesure où régnait sur eux la loi du silence, une *omerta* sociale bien pratique qui fait que certaines choses ne sont jamais dites ni écrites. Ainsi, aux étages supérieurs, nul ne savait rien, et on aurait été estomaqué en découvrant un quelconque lien de parenté entre un noble et un des valets cantonnés au sous-sol. Même quand le domestique qui vidait le crachoir d'un prince ou d'une grande-duchesse était son frère ou, parfois, son père ou sa mère, personne n'ouvrait la bouche. La chose demeurait secrète, tue, taboue, car ce dont on ne parle pas n'existe pas.

Pourtant, le valet connaissait tous les secrets de son maître, y compris le plus grand de tous, celui qui avait changé sa vie ou l'avait considérablement ébranlée. On dit souvent que les serviteurs doivent être sourds, muets et aveugles. On pourrait ajouter que, pour être valet, il faut avoir une mauvaise mémoire ou être bête comme chou. Mais je ne le pense pas. Qui n'a pas connu la vie des sous-sols peut difficilement comprendre le mal étrange dont souffraient les valets de sang, une affection sans rapport avec la surdité ou le mutisme, la cécité et moins encore l'amnésie ou la niaiserie, mais qui se traduisait par des symptômes que moi-même, valet sans naissance, je serais bien incapable de comprendre. Tout ce que je sais, pour l'avoir souvent constaté, c'est que les valets S. s'estimaient différents des autres, supérieurs. À nous, bien évidemment, mais surtout à leurs frères, leurs enfants, leurs pères ou leurs mères des étages supérieurs, qu'ils traitaient avec autant d'amour que de condescendance. Il me semble que c'est la meilleure façon de décrire leurs sentiments. Ils témoignaient de l'affection à leurs maîtres et parents, mais aussi du mépris, car être détenteur du plus grand secret de quelqu'un vous donne de l'ascendant sur lui.

Il ne faut donc pas s'étonner que, quand maman et tante Nina furent contraintes de mettre du beurre dans le *bortsch* familial grâce aux quelques roubles que pouvait rapporter un petit ramoneur, elles aient eu deux idées en tête. La première, de solliciter une place au palais pour le jeune Sednev afin de faire tourner la roue de la fortune.

La seconde, de faire appel, pour y parvenir, à une domestique de sang. Cette femme était Lara Aleksandrovna, dont je venais de reconnaître la voix derrière la porte close de ma chambre. Elle appartenait à l'aristocratie des serviteurs, car sa mère avait eu un jour la malchance de croiser la route du plus jeune frère du tsar Alexandre III, mais ça, j'étais encore trop jeune pour en avoir connaissance. En revanche, je savais qu'elle était la dame de confiance d'Anna Vyroubova, que j'avais souvent vue à travers la grille d'aération des tuyaux de poêle.

J'ai déjà dit ce que je pensais de cette femme que j'avais rencontrée avec Raspoutine dans le salon de Marie-Antoinette, mais, puisqu'elle est une des ondes concentriques qui ont contribué à faire éclater la tempête latente, il me semble nécessaire d'expliquer en quelques lignes son amitié avec notre tsarine.

Anna Vyroubova était plus jeune qu'Alexandra, et la manière dont elles se sont connues en dit long sur le caractère de l'impératrice. Anna était la fille cadette, et aussi la moins gâtée par la nature, d'une famille proche des Romanov. Alix et elle se virent pour la première fois alors que la petite Anna venait d'avoir le typhus et portait une perruque, car elle avait perdu ses cheveux. De nature charitable, Alexandra s'intéressait aux malades, aux faibles, aux pauvres d'esprit et aux défavorisés, si bien qu'il n'y a rien d'étonnant à ce qu'elle se soit inquiétée de l'état de santé de la jeune fille au physique ingrat qui, à compter de ce jour, lui resta à jamais fidèle et dévouée. Pourtant, Anna fut la première surprise de recevoir un ou deux mois plus tard la cocarde de diamants la désignant comme dame d'honneur de l'impératrice. Par la suite, elle devint la meilleure amie et la confidente d'Alix. Mais pour occuper sa fonction elle devait être mariée. Alexandra alla jusqu'à lui chercher un époux, l'officier Vyroubov, qui se révéla être un ivrogne doublé d'une brute. Puisqu'il faut toujours connaître les deux versions d'une histoire, je donnerai celle de Vyroubov, qui racontait qu'on l'avait forcé à convoler avec une femme qui ne lui plaisait en aucune façon, et que, s'il lui était arrivé de la frapper (une pratique assez courante à l'époque, disons-le tout net), c'était moins à cause de ses soûleries (autre pratique tout aussi répandue) que parce qu'il en avait par-dessus la tête de la voir assise ou agenouillée devant Raspoutine.

Quoi qu'il en soit, le mariage battit immédiatement de l'aile et la tsarine se sentit coupable et redevable envers la jeune dame de compagnie qu'elle avait mise dans une situation aussi délicate. À la suite de cette courte et malheureuse union, Anna développa une telle aversion pour les hommes qu'elle s'en écarta à jamais. Pour être franc, Vyroubov, trop ivre, excédé par Raspoutine ou plus simplement parce que sa femme était laide comme un pou, ne l'avait guère approchée non plus, tant et si bien que le mariage ne fut pas consommé et fut rapidement annulé. L'hymen intact d'Anna devait lui sauver la vie bien des années plus tard : après la révolution, les bolcheviques l'accusèrent d'avoir participé à des actes de débauche avec la tsarine et Raspoutine, qui, de l'avis de tous, avaient mené la Russie à sa perte. Un examen médical suffit à prouver que sa relation avec le starets avait été celle, spirituelle, d'un maître et de sa disciple. À quarante ans passés, Anna était aussi pure que lors de sa venue au monde.

On lui reprocha également d'avoir présenté Raspoutine à l'impératrice. Il est vrai qu'Anna, captivée par le starets, jouait les messagères entre Alexandra et lui. Pourtant, l'honneur douteux d'avoir introduit Raspoutine au palais revient à la princesse Militza, celle-là même qui se croyait invisible quand elle se promenait au bras du docteur Philippe, coiffé de son chapeau magique.

Couvre-chefs miraculeux, prophéties, conjurations… Tout cela était inconnu pour un petit garçon tel que moi. Jusqu'au jour où j'entendis les murmures de tante Nina et de ses deux visiteurs à une heure avancée de la nuit. Que disaient-ils ? De quoi parlaient-ils pour paraître aussi ébranlés ?

Je plaquai mon oreille contre la porte afin d'en apprendre davantage…

Des voix d'outre-tombe

– Je n'arrive pas à croire que tu sois si bête, demi-portion, me dit mon ami Youri trois ou quatre jours plus tard quand, de retour au palais, je lui fis part de ce que j'avais vu et entendu cette fameuse nuit.

Youri avait à mon intention toute une panoplie de sobriquets. « Demi-portion » était le plus fréquent, mais il me traitait également de « minus » et de « gringalet ». Il avait ses raisons, car, si je le dépassais de six bons centimètres, ce n'était plus un enfant ni même un adolescent. Il avait vingt-cinq ans et en avait passé près de quinze dans les tunnels noirs de suie qui composaient notre univers. S'il avait vécu dans le monde du dehors, on aurait probablement évité de prononcer le mot « nain » en sa présence, mais étant né de ce côté-ci de l'Éden Youri non seulement ne fuyait pas ce terme désobligeant, mais il l'employait au contraire à tout bout de champ, se servant du rire pour exorciser sa difformité. « N'oublie pas qu'aux cartes les nains sont aussi les jokers », disait-il, fier de sa taille d'elfe et de ses mains minuscules et agiles. Il pouvait s'enorgueillir de ses exploits, car dans notre réseau complexe de tuyauteries toute imperfection ou dommage nécessitait son intervention. « Avec moi, on a deux hommes pour le prix d'un, décrétait-il en souriant – et ses petites dents blanches et parfaites étincelaient dans son visage noir de suie. Je suis un capitaine général qui a l'allure d'un cadet. Que demander de plus à un *water-baby* ? »

Nous passions de longues heures ensemble, tant à nous affairer dans les conduits qu'à attendre dans le réduit malodorant encombré de valves et de tuyaux coudés qui était notre quartier général. C'est ainsi que je découvris que Youri avait beaucoup à m'apprendre, mais que, en outre, il adorait jouer le rôle de mentor, et pas seulement pour ce qui touchait à notre métier. D'après les bruits qui circulaient sur son compte, Youri était le fruit des malheureux ébats entre une récureuse et un grand-duc. Il connaissait autant l'argot que les règles de l'étiquette et les bonnes manières. « C'est l'avantage d'être un éternel *voyeur**, demi-portion, déclarait-il avec un accent français que je lui enviais. On apprend des tas de choses sans même s'en rendre compte. Des bonnes comme des mauvaises, et je crois que les secondes sont presque plus utiles », précisait-il en me gratifiant de son sourire d'elfe, une copie miniature de celui de ses cousins, les Romanov.

Naturellement, nous n'évoquions jamais sa filiation, enfouie sous la loi du silence. En revanche, il répondait volontiers à toutes les questions que peut se poser un garçon qui fait ses premiers pas dans le monde des adultes. Voilà pourquoi je n'avais pas hésité à lui rapporter la scène dont j'avais en partie été témoin en entrebâillant ma porte, la nuit où tante Nina avait reçu de la visite.

– Ce que tu me décris ressemble vraiment à une séance de ouija, me dit-il quand je lui eus exposé la situation.

Je n'avais jamais entendu ce mot auparavant, mais quand mon ami m'eut expliqué sa signification j'éclatai de rire.

– Parler aux esprits ? Les consulter ? Impossible ! Deux jours plus tôt, tante Nina m'avait mis longuement en garde contre les dangers que présentent les charlatans et leurs sottises.

– Ah, demi-portion... Plus tôt tu comprendras qu'entre ce que disent et ce que font les adultes il y a un monde, une distance aussi grande que celle qui sépare le palais Alexandre de la cathédrale Saint-Isaac, mieux tu te porteras. Pour ton information, je te dirai que dans tout Saint-Pétersbourg, parce que les temps sont difficiles, parce que tout le monde se méfie de tout le monde, ou parce que c'est à la mode, je ne sais, on joue au ouija – à supposer qu'il s'agisse d'un jeu.

– Comment peux-tu savoir ce qui se passe à Saint-Pétersbourg, gros malin, toi qui ne sors jamais de tes tunnels ? Et puis, chez moi, ce n'est pas un palais, mais un modeste appartement, et les gens qui ont frappé à notre porte, l'autre nuit, sont des serviteurs, comme nous. Ma mère était allée se coucher, mais il y avait tante Nina, dont je t'ai beaucoup parlé, son frère Gricha et Lara Aleksandrovna, que tu connais bien pour l'avoir souvent vue ici, et...

– Demi-portion, me coupa Youri, c'est justement parce que j'ai passé le plus clair de mon temps dans ces passages que je sais de quoi je parle. J'ai vu toutes sortes de choses, tu peux me croire. Et ces deux individus sont peut-être des domestiques, mais dis-moi : n'étaient-ils pas vêtus comme des princes ?

Je n'avais guère envie de lui donner raison, mais comment oublier les luxueux manteaux de nos visiteurs, la chapka de renard roux et même le type de véhicule qu'ils avaient pris pour se rendre dans notre quartier ?

– Inutile que je te demande si ton oncle est un valet de sang, un valet sans naissance ou un simple serviteur, poursuivit Youri, qui semblait lire dans mes pensées. Il fait clairement partie de la première catégorie.

Souviens-toi du proverbe, « Béni soit celui qui aux siens ressemble » – tu vois ce que je veux dire... En plus, dans une maison aussi grande que celle des Youssoupov, il est facile d'emprunter un traîneau dont plus personne ne se sert pour aller rendre visite à des amis. Tu as entendu leur conversation ?

– Ils étaient tous les trois assis autour d'une petite table, je croyais qu'ils jouaient aux cartes. Ils ne parlaient presque pas et, pendant un long moment, seule la voix de mon oncle Gricha me parvenait.

– Et que disait-il ?

– Rien. Il énonçait des lettres : « v », « e », « n », « d », rien de plus.

– C'est justement le principe du ouija, idiot, je viens de te l'expliquer. On pose une question, puis les « esprits » répondent en désignant les lettres ou les chiffres qui figurent sur une planche. Mais quelqu'un devait se charger de les écrire – qui, à ton avis ?

– Tante Nina, je suppose, parce que de temps en temps elle interrompait Gricha en lui demandant s'il avait bien dit « a » ou quelle lettre venait après le « f ».

– Comme observateur, tu n'es pas très doué, gringalet. Fais un petit effort. À aucun moment ils n'ont lu le ou les mots formés par les lettres que récitait ton oncle ?

– Il y avait un papier, en effet, mais ils ne l'ont pas lu à voix haute. Enfin, puisque tu en parles, je me rappelle un ou deux mots, ou plutôt des chiffres. Gricha a dit « quatorze » et Lara « dix-huit ».

– Tu te souviens d'autre chose ? Réfléchis bien. Avec le peu de renseignements dont tu disposes, difficile d'en savoir plus. La prochaine fois que tu retourneras chez toi, tu devras te livrer à une chasse au trésor et passer l'appartement au peigne fin pour mettre la main sur ce fichu papier et le lire.

– Mais, si ça se trouve, je ne vais pas rentrer avant des mois !

– Tu auras bien l'occasion d'aller voir ta mère. En attendant, il ne nous reste plus qu'à analyser les quelques informations dont nous disposons. En principe, après une séance, chaque participant part avec une copie de ce qui a été dit. Comme tu peux t'en douter, c'est un aide-mémoire, parce qu'il peut s'écouler des mois, voire des années, avant qu'il comprenne ce que le ouija voulait dire.

– Comment fait le ouija pour parler, Youri ?

– Il ne parle pas, sot que tu es ! Il ne fait que répondre à des questions, qui sont en général toujours les mêmes. On veut connaître son avenir, savoir si on sera heureux en amour ou riche, on fait part de ses doutes... et en général le ouija répond par « oui » ou par « non ». Tu n'as rien entendu d'autre ?

– Après ce « quatorze » et ce « dix-huit », tante Nina a ajouté à voix basse : « rouge sang ». Mais il ne faut pas trop y prêter attention, elle adore ce genre de réflexions. Ils parlaient peut-être des chiffres de la roulette et de la couleur des cases, tu ne penses pas ?

– Ils sont joueurs ?

– Pas à ma connaissance.

– Dans ce cas, demi-portion, je crois qu'il va falloir chercher ailleurs. Essaie de te rappeler un fait marquant.

– Il n'y a rien eu de plus. Après ce que je viens de te raconter, maman est sortie de sa chambre pour leur dire que ça suffisait, qu'ils allaient me réveiller avec leur vacarme et que des adultes qui ont la tête sur les épaules ne s'amusent pas à des jeux aussi idiots et dangereux. Oui, c'est ça. Elle a ajouté qu'elle n'aurait jamais cru ça d'eux. Moi, j'avais la ferme intention de l'interroger le lendemain, mais je n'ai pas osé, j'avais l'impression que cette histoire l'attristait. Et au matin tante Nina n'était pas d'humeur à répondre à mes questions. Elle avait puni Mister C.

Youri voulut savoir qui était cet homme et je lui expliquai le destin capricieux du cadre contenant le cliché de ce type en uniforme de la Marine tantôt face au mur, tantôt entouré de bougies.

– Ah… « l'amour est aveugle, et les amants ne peuvent voir les charmantes folies qu'ils commettent », conclut mon ami, son visage d'elfe éclairé par un sourire.

Ce n'est que bien plus tard que je compris que cette phrase était extraite du *Marchand de Venise*. Sur le moment, je songeai seulement que j'allais encore devoir passer des jours et des nuits dans les tunnels encrassés avant d'acquérir ne serait-ce qu'un dixième de l'érudition de Youri.

Le début de la fin

> Le XIXe siècle, dans son idéalisme littéral, était sincèrement convaincu qu'il se trouvait sur la route rectiligne et infaillible du « meilleur des mondes possibles ». On considérait avec dédain les époques révolues, avec leurs guerres, leurs famines et leurs révoltes, comme une ère où l'humanité était encore mineure et insuffisamment éclairée. Mais à présent, il ne s'en fallait plus que de quelques décennies pour que les dernières survivances du mal et de la violence fussent définitivement dépassées, et cette foi en un « Progrès » ininterrompu et irrésistible avait, en ce temps-là, toute la force d'une religion.
>
> Stefan Zweig,
> *Le Monde d'hier. Souvenirs d'un Européen*

De 1912 à 1914, j'ai vécu les plus belles années de ma vie et j'ai beaucoup appris. Si je croyais aux esprits, je dirais maintenant que ce « quatorze » « rouge sang » dont parlait le ouija se référait à la Première Guerre mondiale. Mais je doute qu'un jeu ou un spectre moqueur parmi ceux invoqués dans les salons de Saint-Pétersbourg ait été capable de prévoir l'ampleur du désastre qui allait s'abattre sur nous. Le maréchal allemand Hindenburg, qui fut notre ennemi dans ce conflit, déclara des années plus tard, en évoquant les batailles au cours desquelles nous nous étions affrontés, que ses soldats devaient souvent déplacer des montagnes de cadavres russes devant leurs tranchées afin de pouvoir continuer à tirer sur les hommes, jeunes pour la plupart, qui déferlaient sur eux comme des vagues. Parfois, les chiffres sont plus éloquents que les mots. Pour donner la mesure de l'horreur du Quatorze Rouge Sang qui s'annonçait, il me suffira de dire que, sur les quinze millions et demi de soldats mobilisés par notre tsar tout au long de la guerre, près de huit trépassèrent, rentrèrent blessés ou furent constitués prisonniers.

Pourtant, deux ans auparavant, rien ne laissait présager un tel désastre en Europe. Le Vieux Continent vivait au contraire une époque pacifique et, pour l'essentiel, les occupants des différents trônes étaient cousins germains. Dans certains cas, leur ressemblance frappante entraînait des situations cocasses, comme lors du banquet de mariage de George V, où de nombreux invités vinrent féliciter notre tsar, le confondant avec le jeune roi d'Angleterre. Nicolas et Alexandra étaient chacun de son côté apparentés au Kaiser Guillaume II, mais bien que Willy (tel était son petit nom avec ses intimes) eût un physique proche de celui de notre Nicky, je doute qu'on ait pu les interchanger, car le Kaiser avait un bras paralysé qu'il dissimulait en mettant la main dans la poche de son uniforme militaire, de plus en plus impressionnant et majestueux. D'autres monarques – au Danemark, en Grèce, en Norvège et en Espagne – avaient épousé leur cousine germaine. Une foule de princes et les ducs de Hesse, Saxe, Schleswig-Holstein ou Battenberg avaient fait de même. Pour résumer, les rois et reines du Vieux Continent formaient une grande et heureuse famille souvent réunie pour fêter une noce ou un baptême, ou plus simplement jouer au tennis ou se promener en yacht.

À la veille de la Grande Guerre, il régnait donc dans toute l'Europe un climat de belle fraternité. Il y a quelques années, j'ai lu les mémoires de Stefan Zweig, qui décrit l'esprit de ce temps en à peine deux mots qui revenaient alors très fréquemment : « foi » et « progrès ». Foi en l'être humain et en ce nouveau siècle de rayonnement culturel, avec des peintres comme Klimt et Schiele, des musiciens comme Mahler et Strauss, des philosophes comme Nietzsche et Wittgenstein et des écrivains comme Tolstoï et Pirandello.

Foi aussi dans le progrès, qui nous apportait chaque jour de merveilleuses inventions : la fée Électricité, l'automobile, le téléphone, la photographie…

En Russie, malgré les troubles sociaux et la pénurie, ceux qui flottaient dans la bulle dorée de la richesse n'avaient pas à se plaindre. Leur douce existence n'était ébranlée que lorsque survenait un attentat meurtrier ou qu'on leur annonçait la consolidation de partis politiques de tendance socialiste. C'était le cas d'un groupement dirigé par un individu appelé Vladimir Ilitch Oulianov, que ses coreligionnaires avaient surnommé Lénine. Mais cet homme ennuyeux qui avait passé des années à l'étranger et été emprisonné en Sibérie n'avait guère de poids dans un pays où, en dépit des réticences du tsar, la Douma était de plus en plus le reflet de la société.

Consentie à contrecœur par Nicolas, cette assemblée était constituée de quelques aristocrates progressistes, mais surtout d'une intelligentsia de médecins, avocats, journalistes, nouvelle classe bourgeoise qui avait commencé à exercer une grande influence sur la société russe. Cependant, les occupants de la bulle dorée estimaient qu'elle ne faisait que « diviser et semer la discorde entre le peuple et l'aristocratie ».

Les heureux mortels de la noblesse se plaignaient beaucoup, mais continuaient de mener le train de vie auquel ils estimaient avoir droit en raison de leur naissance. Ils se rendaient sur leurs grands domaines en chemin de fer, dans des wagons qui leur appartenaient, fabriqués à Londres et équipés de tout le confort moderne. Il était de bon ton de ne jamais s'arrêter : on passait l'hiver à Saint-Pétersbourg ou à Moscou, l'été en Crimée, l'automne sur la Côte d'Azur, le printemps à Londres ou à Paris et, de temps à autre, on s'embarquait sur un vapeur pour faire le tour du monde et profiter de l'inversion des saisons. En d'autres termes, la fête battait toujours son plein dans la bonne société russe, et les nouvelles générations devaient se préparer à une existence agitée et cosmopolite. Voilà pourquoi on envoyait ses fils étudier à l'étranger, le plus souvent en Angleterre puisqu'on parlait déjà couramment le français à la maison. Pour que les jeunes gens ne soient pas *dépaysés** ni nostalgiques, leurs parents – surtout leur mère – leur offraient un valet de chambre, un majordome et même un cuisinier capable de leur préparer un bon *bœuf strogonoff**, des *piroshki* ou des blinis nappés de caviar et de crème aigre, car « la cuisine anglaise est une horreur », disaient les dames nobles. Pendant que les garçons polissaient leur accent à Oxford et étonnaient les Anglais en organisant des fêtes effrénées avec des *balalaïkas*, des danseuses nues et des ours dressés, papa et maman restaient dans leur palais, à Saint-Pétersbourg, et donnaient leurs propres soirées, au terme desquelles ils jetaient parfois des services de vaisselle entiers dans la Neva afin d'étaler leur richesse. Ils avaient aussi l'habitude d'envoyer laver leur linge à Londres ou à Paris, car « rien ne vaut une bonne *laundry* anglaise ou une *blanchisserie* française ».

De leur côté, les membres de l'intelligentsia considéraient ces individus avec agacement et dédain et les tenaient pour des barbares cousus d'or n'ayant que deux points communs avec eux : la passion du théâtre, de la musique et du ballet, et leur haine grandissante de Raspoutine, à laquelle faisait écho une animosité terrible envers la tsarine.

Tout le monde savait que, comme me l'avait raconté Nina, c'était la haute société de Saint-Pétersbourg qui la première avait introduit le starets dans ses salons. L'exhiber à des fêtes comme un phénomène de foire ou batifoler avec lui sur une *chaise longue** – ainsi que de nombreuses dames en avaient l'habitude – passait encore, mais de là à en faire le centre de leur vie à la manière d'Alexandra... C'en était arrivé au point que l'impératrice ne laissait plus Nicolas prendre une seule décision politique sans avoir consulté Raspoutine au préalable, afin de savoir si la mesure en question était ou non conforme à la « volonté de Dieu ». Plus les critiques de l'intelligentsia et de la noblesse fusaient, plus les pamphlets obscènes la ridiculisant se multipliaient dans les rues, et plus Alexandra se réfugiait auprès de son conseiller et confident. « J'ai trouvé en lui mon rocher, ma forteresse », déclarait-elle en citant les Saintes Écritures.

« *Our Friend* », disait-elle aussi pour le désigner dans la langue qu'elle se plaisait à parler avec son mari. À partir de 1912, ce terme revient souvent dans leur correspondance privée et il se fait encore plus fréquent à compter de 1914. Il faut préciser qu'à l'époque on avait coutume de s'écrire chaque jour, même quand on se voyait à toute heure. La correspondance de Nicky et Alix est très volumineuse et a en grande partie survécu à la révolution. Rien que dans une mallette qui les suivit jusque dans leur dernière résidence, on a retrouvé six cent trente lettres d'Alexandra à Nicolas. Cette correspondance nous révèle des détails intimes de leur existence, comme le grand amour qu'ils se portaient ou la manière soumise, mais opiniâtre et persuasive, avec laquelle Alexandra s'adressait à son époux pour l'obliger à agir selon son gré. « Chère âme de mon âme », « Mon petit », « Mon doux ange », écrivait la tsarine avant d'entrer en matière : « Notre Ami dit que tu dois te méfier de ce ministre... » ou, au contraire : « Notre Ami dit que M. Untel est "favorable à Dieu" et gagnerait à être vite nommé conseiller », « Notre Ami pense que... », « Notre Ami dit que... »

L'ami en question s'était installé dans un appartement agréable, rue Gorokhovoï, à Saint-Pétersbourg, où il recevait d'innombrables requêtes émanant de gens de toutes conditions sociales. Il touchait d'importantes sommes d'argent en échange de ses services, mais les roubles quittaient aussi facilement sa bourse qu'ils y étaient entrés, car Raspoutine ne s'intéressait pas aux biens matériels. Hormis ce qu'il dépensait en alcool, en opium ou en femmes – ce qui n'était guère important, car tous finançaient volontiers ses « petits » travers et les femmes l'adoraient –, tout tombait dans la main du premier nécessiteux qu'il croisait. « Telle est la volonté de Dieu », disait le starets en donnant à un mendiant stupéfait ou à une veuve reconnaissante la bague ornée d'un rubis ou la liasse de billets qu'un de ses adeptes venait de lui offrir.

Raspoutine était en effet capable du meilleur comme du pire, d'où la difficulté à cerner la dimension du personnage. On pourrait dresser de lui un portrait flatteur en affirmant qu'il n'était ni ambitieux ni cupide, que son seul intérêt consistait à faire ce qu'il estimait être juste et qu'il volait au secours des humbles. Défenseur des pauvres, il essaya de faire descendre de sa tour d'ivoire le *tsar batiouchka*, qu'il tutoyait, afin qu'il se rapproche du peuple et prenne connaissance de ses misères. Mais il était par ailleurs convaincu – et c'était là la source de tous les problèmes à venir – que pour mieux aider le peuple Nicolas devait conserver son pouvoir autocratique et ne le céder ni aux politiques ni à la Douma, dont Raspoutine traitait les membres de « fouineurs ».

En bonne logique, l'intelligentsia désapprouvait les relations entre Raspoutine et Alexandra et penchait de plus en plus du côté des socialistes. Les ministres les plus progressistes du tsar considéraient eux aussi le starets d'un œil mauvais. Redoutant le renouvellement des mouvements révolutionnaires de 1905, ils faisaient pression sur le tsar pour qu'il consente au plus vite à une monarchie constitutionnelle.

Connu pour se rallier à l'avis de la dernière personne consultée – d'un côté, sa femme et Raspoutine, de l'autre, ses ministres et conseillers –, Nicolas II eut un comportement confus, convoquant la Douma pour revenir ensuite sur ses décisions, au grand désespoir des partisans du changement comme des adeptes de l'immobilisme.

En 1913, un an avant la Grande Guerre, l'intelligentsia s'alarmait de plus en plus de voir les nominations politiques aux mains de la tsarine et de son *Friend*. De son côté, l'aristocratie se plaignait de l'incompréhensible timidité d'Alexandra, toujours cloîtrée avec son mari, ses enfants et ce que d'aucuns appelaient le « duo sinistre » formé par Raspoutine et sa grosse amie, Anna Vyroubova.

Parce que la tsarine n'aimait ni les fêtes ni les banquets, auxquels elle refusait d'assister, prétextant des problèmes de santé, une Cour parallèle s'était constituée à Saint-Pétersbourg, sous l'empire de deux femmes : Maria Feodorovna, la mère du tsar, surnommée Minnie, une femme intelligente et moderne qui paraissait presque plus jeune que sa belle-fille et ne cachait pas son antipathie pour cette dernière, et Marie Pavlovna, qu'on appelait la grande-duchesse Wladimir, l'étoile éblouissante du moment. Allemande comme Alix et veuve du troisième fils d'Alexandre III, elle se réjouissait d'être au centre de cette deuxième Cour. Intelligente, pleine d'énergie, très cultivée mais aimant les cancans et les bruits de couloir, elle était l'exact opposé d'Alexandra. Son palais au bord de la Neva était le point névralgique de toutes les réunions mondaines. Marie avait également conscience que, derrière le tsarévitch fragile et le frère cadet de Nicolas, qui avait fait un mariage morganatique, ses fils étaient les plus prochains candidats au trône. Il ne faut donc guère s'étonner que ses élégantes *soirées**, où se produisaient les célèbres danseurs du Ballet du Bolchoï et où le champagne coulait à flots, aient été un panier de crabes. On y conspirait dans l'espoir d'envoyer Alix dans un couvent, un sort fréquemment réservé aux tsarines qui mettaient leur grain de sel partout. La situation empira quand on apprit par la rumeur qu'Alix devait son influence grandissante sur son mari à des herbes sibériennes recommandées par Raspoutine, qu'elle aurait administrées de sa main au pauvre homme et qui étaient responsables de sa faiblesse de caractère. Pour aggraver son cas, Alexandra fit à l'époque la plus grosse *gaffe** qu'on puisse commettre aux yeux d'une femme de la trempe de Marie Pavlovna. Elle lui infligea un camouflet magistral en refusant la proposition de Marie, qui voulait que son fils Boris épouse l'aînée des grandes-duchesses. Après avoir déchiré en mille morceaux la lettre de Marie Pavlovna, Alix écrivit au tsar les mots suivants : « Imagine comme notre petite fille aurait été malheureuse. Notre pauvre Olga précipitée dans des intrigues sans fin, entourée de ces gens insolents et vulgaires [...]. Un homme de trente-huit ans avec une jeune fille de vingt ans sa cadette, condamnée à vivre dans une maison où sont passées plusieurs de ses maîtresses ! »

En 1913, Olga Nikolaïevna fêta ses dix-huit printemps. Resplendissante, elle avait l'âge de commencer à sortir, de se mettre en avant, de tomber amoureuse. Ses sœurs avaient elles aussi grandi et gagné en beauté, et elles étaient devenues les plus jolies princesses d'Europe. Près d'un siècle plus tard, elles le sont toujours et nul ne pourra jamais leur dérober ce titre. La mort a au moins une prérogative : ses élus restent jeunes et beaux pour l'éternité.

Nous en avons la confirmation, car l'un des pass…

Montevideo, 15 mai 1994

– Ah, mademoiselle… Entrez, entrez, je vous en prie… Non, ne vous inquiétez pas, si c'est vous qui m'interrompez ça n'est pas grave. Je continuerai plus tard… Oui, c'est vrai qu'il fait gris aujourd'hui, on voit que l'hiver approche. Notez que ça ne me dérange pas. Comme vous pouvez l'imaginer, pour un Russe, un peu d'air de la pampa, ce n'est rien comparé au froid sibérien. Mais pour tout vous dire, il y a une chose à laquelle je n'ai jamais pu m'habituer, c'est l'inversion des saisons. Dans l'hémisphère Nord, au mois de mai, on est au printemps, presque en été. Quand j'étais petit et que j'étudiais une mappemonde, j'avais l'impression que les habitants de l'hémisphère Sud avaient la tête en bas. C'est idiot, n'est-ce pas ?… Si j'aimerais retourner là-bas ? Non, ma chère, même quand l'Union soviétique s'est désintégrée, cette idée ne m'est pas venue à l'esprit. En Russie, on dit qu'il ne faut pas revoir l'endroit où on a été heureux et que le seul paradis possible, c'est le paradis perdu… Qu'aimeriez-vous savoir d'autre ? N'ayez pas peur. C'est logique qu'à l'arrivée d'un nouveau patient vous vous posiez des questions sur son identité ou son activité. Qu'est-ce qui vous intéresse ? Comment et quand je me suis installé dans cette partie du monde, par exemple ? « La curiosité est un trésor divin », telle a toujours été ma devise. Je suis convaincu que, en vieillissant, cette qualité, car c'en est une, soyez-en sûre, est une assurance-vie. On est fini dès lors qu'on ne se pose plus de questions. Eh bien, pour que vous ne restiez pas sur votre faim, sachez que je suis arrivé dans le Río de la Plata il y a plus d'un demi-siècle, autant dire une éternité. C'était en 1934 et, après m'être promené dans la vieille Europe, je redoutais ce qui allait nous tomber dessus. Ce n'était ni par clairvoyance ni pour aucune autre raison similaire, mais à vingt ans j'avais déjà vécu une révolution et une guerre mondiale – vous voyez le topo. Et la guerre qui a éclaté ensuite a été la pire de toutes. Enfin, vous n'avez certainement pas envie de parler de ça. On a dit et écrit tellement de choses sur ce conflit, et ils ont été si nombreux à fuir leurs fantômes en Amérique latine... Chacun fuyait les siens. Ceux qui m'ont conduit ici un peu avant la Seconde Guerre mondiale étaient déjà anciens, ils partageaient mon existence depuis 1918. Vous voyez ces papiers ? J'essaie de mettre de l'ordre dans mes idées. Parfois, il faut attendre presque un siècle avant d'oser fouiller certains épisodes de sa vie. Dans mon cas, il s'agit de l'année de mes quinze ans. Pour être franc, je ne parviens que maintenant à évoquer certaines choses, et je préfère le faire par écrit. Les mots sont légers et parfois traîtres, vous ne trouvez pas ? Si ça ne vous dérange pas, nous allons donc laisser cette période de côté, du moins pour l'instant. Interrogez-moi comme il vous plaira sur ce qui s'est passé de 1919 jusqu'à aujourd'hui, je me ferai un plaisir de vous répondre. Mais avant ça, rapportez-moi quelques potins... Non ? Vraiment ? C'est ce qu'on pense de moi ?... C'est drôle qu'elles soient allées chercher ça. Eh bien, ma chère, on vous a mal renseignée, parce que je ne suis pas du tout un grand monsieur, mais quand il a fallu jouer les nobles je m'en suis parfaitement sorti. J'ai endossé ce rôle dès que j'ai embarqué sur le bateau qui m'a amené de ce côté-ci du monde, le *Lorraine*. Il était rempli d'*émigrés**, c'est comme ça qu'on appelait à l'époque les gens qui avaient fui la révolution bolchevique. Dans les années 1930, quand j'ai décidé de prendre le vapeur – on qualifiait ces grands bateaux ainsi – et de venir dans le Río de la Plata, il y en avait partout : en Allemagne, en Pologne, en Angleterre, en Suisse et en Espagne, mais surtout en France, où ils avaient décroché des emplois plutôt bizarres. Des princes travaillaient par exemple dans les toilettes publiques, des cosaques déchargeaient les wagons à la gare de l'Est, leurs décorations impériales épinglées sur le torse. Des comtesses se produisaient dans les théâtres de variétés et des comtes lançaient des couteaux dans les cirques ou conduisaient des taxis. À Paris, un hôtel réputé avait engagé comme portier un grand-duc en livrée. Bien sûr, il y avait aussi pas mal d'imposteurs et des petits malins qui feignaient d'être de souche aristocratique... Oui, ma chère, entre les vrais et les faux, on s'y perdait, et en Europe tous les Russes étaient princes, ducs ou au moins comtes. Il était parfois difficile de distinguer les usurpateurs des autres. Pour ne citer que moi, on n'aurait pas pu me démasquer, je vous le garantis, même si on m'avait fait passer le « test du petit pois »... Tout à fait. Comment avez-vous deviné ? Cette histoire de petit pois vient du conte d'Andersen où on explique comment reconnaître une authentique princesse en la faisant dormir sur sept matelas sous lesquels se cache un de ces minuscules légumes. Personne ne nous obligeait à passer la nuit sur un matelas posé sur un petit pois, mais chez les aristocrates français et anglais c'était le nom donné à deux ou trois épreuves infaillibles pour détecter les plaisantins. La première, très simple, consistait à prêter une oreille attentive à l'accent du supposé comte ou duc : il devait parler la langue de Molière aussi bien qu'un Français ayant grandi en France. Il y avait aussi d'autres moyens plus fantasques : on observait par exemple la manière dont le simulateur pelait une orange ou savourait une *mousse** au chocolat (le fin du fin, c'était de le faire à la fourchette). Mais dans le véritable test du petit pois, ma chère, on servait à la personne en question, en accompagnement d'une viande, ces délicieuses petites boules vertes et on regardait comment elle s'y prenait pour les déguster. Comme le prescrit *The Debrett's Book of Good Manners*, qui est en quelque sorte la bible de l'étiquette, quand ils accompagnent un *roast beef*, les petits pois doivent être hissés sur la fourchette avec l'aide du couteau, mais toujours piqués face aux pointes et non sur le côté. Il est également permis de les écraser avec le couteau, sur le dos de sa fourchette pointée vers le bas, une prouesse à laquelle seuls les virtuoses peuvent prétendre car elle va à l'encontre des lois de la gravitation. Bon, je ressemble à ma vieille tante Nina, qui s'égarait toujours quand elle racontait des histoires. En vérité, tout ce que je viens de vous dire n'a jamais servi à confondre un faux aristocrate. Non qu'ils aient été rares ; bien au contraire, ils pullulaient. Mais on se fichait de leur français comme de leur art de consommer les petits pois. Dans la France de l'entre-deux-guerres, ma chère, tout le monde était fasciné à l'idée de compter parmi ses amis ou *protégés** un grand aristocrate russe, même si l'aristocrate en question était plus faux qu'un franc en fer-blanc. Il y avait du reste à l'époque d'incroyables impostures, comme celle d'Anna Anderson. Malgré votre jeune âge, vous avez certainement dû entendre parler d'elle... Tout à fait, je vous parle de cette femme qu'on a retrouvée en 1920 à demi noyée et amnésique, dans un canal berlinois où elle s'était jetée pour tenter de se suicider. On l'a envoyée dans un asile d'aliénés et un interne lui a dit qu'elle avait quelques traits de ressemblance avec la grande-duchesse Anastasia. Elle l'a cru. Mais le plus étonnant, c'est qu'elle s'est arrangée pour que le monde entier le croie également. Pourtant, la couleuvre était difficile à avaler parce qu'elle parlait russe avec un affreux accent polonais et ne connaissait ni l'anglais ni le français, langues que la véritable Anastasia maîtrisait à la perfection. Mais qu'importaient ces déficiences ? On les mettait sur le compte du traumatisme qu'elle avait subi après avoir survécu à un massacre aussi effroyable. Une femme d'une intelligence exceptionnelle que cette Anna : elle a trompé la planète pendant près de soixante ans. J'aurais adoré la rencontrer, surtout pour découvrir d'où elle tenait tant de détails intimes sur la famille impériale. Car elle en savait long. Elle connaissait par exemple le nom des deux petits chiens des grandes-duchesses ou les chansons que fredonnait Anna Demidova, la femme de chambre de la tsarine, morte avec cette dernière à Ekaterinbourg. J'ai longtemps pensé qu'une mystificatrice de ce calibre était forcément une ancienne domestique, quelqu'un faisant partie du bataillon de serviteurs du palais impérial. Mais je me trompais. Les tests ADN réalisés après sa mort ont révélé qu'il s'agissait d'une paysanne polonaise appelée Franziska Schanzkowska, née à Borowe, et qu'elle n'avait vu la famille Romanov qu'en photo ou en peinture. Maintenant que la science a enfin infirmé son histoire, on la considère comme la plus grande usurpatrice d'identité de tous les temps. « *Game over !* » se serait exclamé le mari d'Elizabeth d'Angleterre en apprenant les résultats des examens biologiques. Vous vous demandez probablement ce que vient faire là-dedans Philip d'Édimbourg… Philip est le petit-neveu d'Alexandra – il vaudrait mieux dire le petit-fils de la sœur d'Alexandra –, et c'est lui qui a accepté de se soumettre à des tests

ADN afin de prouver que les restes retrouvés en 1979, dans une mine proche d'Ekaterinbourg, et inhumés en 1991, étaient bien ceux des Romanov. Par la suite, à la demande d'un des amis et protecteurs d'Anna Anderson, on a prélevé un échantillon d'ADN à cette dernière et on l'a comparé à celui du duc d'Édimbourg. Le résultat a été négatif. En revanche, confronté à celui de la famille de Franziska, la femme qu'elle avait toujours nié être, il s'est révélé positif à 98,5 %. *Game over*... Cependant, une question demeure : où avait-elle glané tant de renseignements au sujet de la famille impériale ?... Oh, ma chère, ne me regardez pas comme ça. La réponse est bien plus simple qu'il n'y paraît. Franziska avait une grande force : comme beaucoup, elle voulait transformer ses rêves en réalité. L'une de ses protectrices les plus ferventes était la fille du docteur Botkine, le médecin des Romanov, disparu avec eux. Intentionnellement ou non, Tatiana Botkine avait confié les petites habitudes de la famille à Anna, lui permettant ainsi d'édifier sa grande imposture. Deux ou trois autres proches du tsar et de la tsarine ont réellement pris Franziska pour la grande-duchesse Anastasia et lui ont fourni de précieux détails que cette femme assimilait et transformait en « souvenirs ». Mais l'histoire ne se termine pas là. Le destin, ou quoi que ce soit d'autre qui, de là-haut, tire les ficelles, aime tant l'ironie et les farces qu'il contribue à les mettre sur pied. Quand on a découvert les dépouilles de la famille impériale dans l'ancienne mine de Ganina Yama, on s'est rendu compte qu'il manquait deux corps. Vous savez lesquels ? Justement ceux des deux membres de la famille qui ont inspiré le plus de mystificateurs : Anastasia et le tsarévitch Alexis. Pas moins de douze personnes ont cherché à se faire passer pour eux. Pendant une bonne partie du XXe siècle, on a vu apparaître plusieurs Alexis et quelques Anastasia. C'est incroyable, n'est-ce pas ? Aujourd'hui, avec les tests ADN les imposteurs ne peuvent plus prétendre à rien... Comment je sais tout cela ? Par une voie qui n'a rien de secret, ma chère : tout ce que je viens de vous raconter a été rendu public et est consigné dans des livres. Mais je m'aperçois que je m'égare, sans compter que notre conversation a commencé par une question bien légitime de votre part : comment et quand je suis arrivé à Montevideo – et moi, vieil idiot que je suis, je me disperse. Revenons à mon débarquement sur vos côtes, en 1934... À moins que vous ne préfériez un épisode de ma vie d'*émigré** russe dans l'Europe de l'entre-deux-guerres, entouré de comtes et de princes, certains vrais, d'autres de pacotille, mais tous ruinés. Si cette époque vous intéresse davantage, je serai ravi de vous éclairer. Comme je vous l'ai déjà dit, je suis prêt à satisfaire toutes les curiosités sur la période qui va de 1919, l'année où j'ai quitté la Russie, jusqu'à aujourd'hui. Mais... un instant... Non, je vous en prie, ne bougez pas. Restez là où vous êtes, s'il vous plaît. Placée ainsi de profil, dans le contrejour de la fenêtre, vous me rappelez vraiment quelqu'un... La première fois que vous êtes entrée dans ma chambre, je vous ai demandé votre prénom, puis, sans attendre votre réponse, je vous ai dit que je préférais ne pas le connaître, vous vous souvenez ?... Mon Dieu ! C'est étrange, mais j'en étais sûr ! C'était forcément un prénom russe, ce sont les plus beaux : Xenia, Olga, Irina, Tatiana, Marina, Anastasia, Gala, Nadia, Lara... Bien sûr, le vôtre, María, est le même dans toutes les langues, c'est le prénom féminin le plus répandu. Il m'évoque tant de choses... Mais bon, il vaut mieux que je bride mon imagination et que je retourne à mes occupations. Je n'ai guère de temps, voyez-vous ? Vous me pardonnez, n'est-ce pas, Macha ?

Une promenade dans le royaume d'OTMA

L'un des passe-temps de la famille Romanov, la photographie, s'est révélé providentiel pour reconstituer leur vie. Le tsar, la tsarine et leurs enfants possédaient chacun leur album personnel et se réunissaient souvent pour organiser ce qu'ils qualifiaient de « *photo-puzzle night* » (oui, une fois encore, j'emploie un terme anglais qui aurait fait hurler tante Nina). Au cours de ces soirées, ils s'amusaient à classer et à coller des photos. Grâce à ce *hobby* auquel beaucoup de leurs proches s'adonnaient, le monde a eu accès à des fragments de la vie privée du dernier tsar et de sa famille dont il n'aurait jamais eu connaissance sans l'existence de ces clichés.

Certains sont protocolaires et montrent les Romanov sur le yacht impérial, le *Standart*, ou à des parades militaires où tous, y compris les filles, étaient revêtus de l'uniforme de leurs régiments respectifs. Mais il en est d'autres plus intimes, parfois très étranges, comme cette image, retrouvée dans l'album de Maria, sur laquelle on voit le tsar, grand amateur d'hydrothérapie, faire de la plongée, nu, dans un fleuve glacé.

Sur d'autres, plus banales, Nicolas II, infatigable athlète, pratique différents sports. Ses filles partageaient son inclination pour l'exercice au grand air, si bien qu'il y a des photos – et même toute une pellicule – des grandes-duchesses jouant au tennis, au badminton et, plus tard, faisant du patin à glace au bras d'élégants officiers. Le tsarévitch est lui aussi très présent : sur un cliché ô combien révélateur, il descend les montagnes russes « capitonnées » que ses parents avaient fait construire dans un petit palais des glaces, afin qu'il puisse glisser sans danger.

Des milliers de clichés ont survécu à la révolution. Pour reprendre les termes sous lesquels les Romanov désignaient leurs soirées récréatives, ils constituaient un immense « puzzle » reflétant les traits de personnalité de chacun. Il suffit de regarder une photo d'Olga pour comprendre qu'elle était intelligente et réfléchie. Plus belle, plus impériale, Tatiana est sans doute aussi plus distante, au point que ses sœurs se moquaient d'elle en la traitant de « gouvernante ». Maria, plus enveloppée, était la bonne âme de la fratrie. Quant à Anastasia, son espièglerie se décèle au premier regard et on la sent prête à faire les quatre cents coups. Un curieux montage réalisé par leurs soins montre une Anastasia spectrale aux yeux injectés de sang qui attaque Maria, dite Macha, alors que celle-ci éclate de rire. Les trois autres pièces du puzzle sont peut-être les plus tragiques : le tsarévitch, un enfant aussi beau que malade et impotent ; le tsar, qui apparaît sur les images comme un bon père ; et Alexandra, qui ne se départ jamais de l'air triste et hautain que ses sujets lui reprochaient tant.

Voilà donc un premier coup d'œil sur chaque pièce du puzzle ou, mieux, sur la partie d'échecs qui allait se jouer peu avant la Grande Guerre et se conclurait quatre années plus tard, au petit matin, à Ekaterinbourg.

Mais, avant que les uns et les autres se mettent à bouger sur l'échiquier, il me semble nécessaire de décrire un pion qui n'était pas fait de chair et d'os mais a lui aussi joué un rôle essentiel dans cette histoire. Je veux parler du palais Alexandre, le merveilleux monument qui allait être en partie le théâtre d'un drame. Il appartenait à un ensemble de palais comprenant chacun un parc et connu sous le nom de Tsarskoïe Selo, situé à vingt-quatre kilomètres de Saint-Pétersbourg. Après le Dimanche rouge, le tsar et la tsarine avaient décidé d'y séjourner la majeure partie de l'année. Ils avaient choisi cet endroit pour échapper aux attentats, mais aussi aux intrigues de la haute société pétersbourgeoise. Enfin, ils pouvaient s'y consacrer à la vie familiale qui leur tenait vraiment à cœur. Plus petit et beaucoup plus accueillant que le palais Catherine, son ostentatoire voisin, le palais Alexandre était (et demeure) une belle bâtisse à un étage en forme de fer à cheval. Plus austères que les pièces situées à l'étage, le rez-de-chaussée et ses salons étaient de style russe, mais une touche anglaise que ma tante Nina et les aristocrates de la Cour déploraient y devenait de plus en plus appuyée. À mon jeune âge, je ne comprenais rien aux subtilités de l'art décoratif et ne prêtais guère attention à ce type de détails. Longtemps après, en lisant les mémoires de Félix Youssoupov, je pris la mesure des critiques que j'avais entendu formuler à voix basse par certains de nos visiteurs :

> *Le palais Alexandre n'aurait pas manqué de charme sans les lamentables « améliorations » que la tsarine y avait faites. Dès son arrivée, elle s'acharna à éliminer la plupart des tableaux, stucs et bas-reliefs russes, qu'elle remplaça par des panneaux d'acajou tendus de chintz. Elle aménagea des petits coins « cosy » d'un goût déplorable. Des meubles neufs commandés chez Maple, à Londres, infestèrent très vite une grande partie de l'édifice et l'ancien mobilier impérial fut relégué dans les greniers.*

De toutes les pièces gâchées par un « déplorable goût anglais », une est particulièrement célèbre. Il s'agit du *salon mauve**, où la tsarine passait le plus clair de son temps. Elle y cousait, y recevait la visite d'Anna Vyroubova ou de Raspoutine. La moitié supérieure était tapissée de soie lilas, l'inférieure ornée de panneaux de bois clair. Le « déplorable goût anglais » ne cédait un peu de place au style russe que sur le mur principal du *boudoir**. Là, derrière une banquette d'angle, trônaient sur trois étagères murales des photos de famille et une icône sainte. Sur une petite table pliante (de chez Maple, naturellement) se trouvait l'unique téléphone du palais et à gauche un petit couloir reliait le salon mauve au bureau du tsar. Alexandra n'avait qu'à ouvrir deux portes pour écouter les conversations de son mari avec ses ministres. Les détracteurs de la tsarine lui reprochèrent l'emplacement du téléphone et la communication entre les deux pièces, et dénoncèrent l'influence excessive qu'elle exerçait sur son mari. Un jour, j'entendis une voix noble et féminine murmurer une phrase qui est resté gravée dans ma mémoire : « Depuis son *salon mauve**, alanguie dans un sofa, en compagnie de son paysan crasseux, elle dirige l'empire. »

Cette aristocrate pleine de ressentiment avait peut-être raison, mais je peux certifier que pendant ses quarante-six ans de vie Alexandra a été la meilleure des épouses et une excellente mère, tout en étant par nature contradictoire. Je crois qu'aucun adjectif ne la définit mieux que celui-ci. Certes, elle écoutait les délibérations de son mari avec ses ministres, et le tsar devait obligatoirement aller dans son *boudoir** pour se servir du téléphone, mais le salon mauve était en premier lieu le quartier général d'une femme qui ne pensait qu'aux siens. C'est pour cette raison qu'elle avait choisi d'être tout près du bureau de Nicolas et juste en dessous des chambres de ses enfants. Ainsi, le matin, après que chacun d'eux était passé l'embrasser, elle reprenait ses activités non loin de son époux, dressait l'oreille pour écouter leurs pas joyeux et les leçons de piano qu'on leur dispensait. La tsarine souffrant de douleurs dans les jambes et de problèmes cardiaques – que ma tante Nina qualifiait de « maladies imaginaires » –, elle avait fait installer un ascenseur électrique moderne qui reliait le salon mauve au domaine des grandes-duchesses et du tsarévitch. Elle montait les voir fréquemment, sans même avoir à se lever du fauteuil roulant dont elle ne se servait qu'en l'absence de visiteurs.

Les dix ou douze pièces de l'étage que je viens de mentionner comprenaient les appartements du futur tsar de toutes les Russies et, plus important à mes yeux, l'inégalable « royaume d'OTMA ». J'appelais ainsi ce domaine interdit, mais l'acronyme n'est pas de moi. Tous les proches de la famille impériale connaissaient ce mot, constitué des initiales d'Olga, Tatiana, Maria et Anastasia. Si je me penche un moment sur les photos de la famille, si je les observe comme le ferait un de ces spécialistes qui excellent à détecter les messages secrets cachés dans les images, je m'aperçois que certains clichés des filles du tsar regorgent de détails révélateurs. Tout d'abord, sans être des copies conformes, elles étaient extraordinairement belles. Ensuite, je remarque qu'elles s'habillaient presque de la même manière. Pour plus d'exactitude, je préciserai que pendant les dernières années de leur vie l'analogie vestimentaire fonctionnait par paires, avec Olga et Tatiana d'un côté, Maria et Anastasia de l'autre. À la fin de leur courte existence, la seule chose qui avait changé chez les grandes-duchesses était leur coiffure et, parfois, les bijoux qu'elles arboraient. Hormis cela, les quatre occupantes du royaume d'OTMA étaient pareilles en tout. Chacune avait son caractère, mais elles adoraient agir à l'unisson, à tel point qu'elles auraient pu adopter la devise suivante : « Une pour toutes, toutes pour une », qui renvoie au roman de Dumas qu'Olga et Tatiana lisaient la première fois que je les ai vues à travers la grille d'aération. Les lettres qu'elles écrivaient à leurs parents ou amis étaient du reste signées « OTMA », de même que les cartons accompagnant les cadeaux qu'elles envoyaient à leur grand-mère Minnie ou à leurs tantes. Cette griffe était également apposée au bas des aquarelles qu'elles offraient parfois aux jeunes officiers du yacht impérial avec qui elles jouaient au tennis ou patinaient, toujours en compagnie de leur chaperon.

Le quartier général de ce singulier *tétravirat* se composait de la dizaine de pièces situées à l'étage que les grandes-duchesses partageaient avec leur frère Alexis. Leur domaine privé comptait plusieurs salles d'étude, deux salons de musique, la salle de jeux du tsarévitch et le petit séjour de ses sœurs, sans oublier les chambres. L'idée d'y pénétrer ne m'avait jamais effleuré. J'avais trop peur qu'on me surprenne à fouiner. En revanche, je considérais tout ce qui leur était extérieur comme un terrain d'exploration praticable, et il m'est arrivé plus d'une fois de m'y risquer. J'ignore ce que j'espérais y trouver, mais je me plaisais à y revivre les sensations que j'avais éprouvées le jour où j'avais rencontré OTMA. Parmi ces quatre lettres, une en particulier était devenue à mes yeux la plus charmante de l'alphabet. Dans nos tunnels, je griffonnais des « T » de toutes tailles en veillant que Youri ne soit pas à côté de moi, sans quoi il serait parti d'un rire tonitruant. J'utilisais un bout de bois brûlé ou un crayon et dessinais cette lettre dans des endroits inaccessibles que j'étais le seul à connaître, comme une sorte d'incantation écrite ou, qui sait, un sésame qui me conduirait peut-être un jour à renoncer à ma condition d'invisible pour entamer une autre vie.

J'avais vite découvert l'heure idéale pour m'introduire dans ce royaume où je n'aurais jamais dû mettre les pieds. À onze heures du matin, avec une ponctualité suisse, les grandes-duchesses et Alexis allaient se promener dans le parc avec *Monsieur** Gilliard. Quelques minutes avant leur départ, je me cachais près de l'escalier de service et entendais leurs rires et leurs voix s'évanouir dans le grand escalier. Quand ils s'engouffraient dans le salon mauve pour saluer leur mère, je quittais mon abri et gravissais les marches quatre à quatre. Le souffle court, je me précipitais dans le royaume d'OTMA, où flottaient encore les effluves des filles du tsar. Je n'ai découvert le nom de leur parfum que bien plus tard, en lisant un des nombreux ouvrages écrits sur la famille impériale : *Rose Thé* pour Olga, *Spanish Jasmin* pour Tatiana, *Eau de Lilas* pour Maria et *Violets* pour Anastasia. Mais bien avant de connaître leurs noms commerciaux je savais les identifier, car ils étaient impossibles à confondre, semblables à quatre portes différentes s'ouvrant sur un même paradis.

En 1914, je perdis des matinées entières sur leurs traces, surtout quand le redoux s'annonça et que les promenades des grandes-duchesses avec *Monsieur** Gilliard devinrent plus longues. Youri et moi étions désormais inséparables, mais j'eus au début toutes les peines du monde à le convaincre de m'accompagner dans mes excursions. Il n'y avait pas moyen. J'avais beau insister, il me répétait que les filles du tsar ne l'intéressaient pas. « Tu es bête, demi-portion, disait-il. Quand tu auras un peu plus de plomb dans la cervelle, si tant est que ça arrive un jour, parce que certaines personnes atteignent l'âge de quatre-vingts ans sans jamais y être parvenues, tu comprendras qu'il ne faut pas rêver de l'impossible. Elles font partie d'un autre monde, d'une autre planète. » Je me récriais, lui soutenant que j'avais juste envie de fureter dans un lieu interdit, mais à l'évidence Youri ne me croyait pas, alors je le bravais en lui demandant ce que les rêves ont de mauvais. J'ajoutais que pour vivre il faut se bercer d'illusions. Youri pouffait de rire en me montrant ses petites dents de lutin, les mêmes en miniature que celles des Romanov. Parfois, il se mettait sur la pointe des pieds et m'ébouriffait les cheveux, comme le font les adultes avec les enfants qui ne veulent rien entendre. « Allons, tu as la tête dans les nuages. Je suppose que tu sais, gringalet, que si on t'attrape dans ces salons… disait-il, puis il laissait sa phrase en suspens et passait d'un geste éloquent le tranchant de sa main devant sa gorge. Si tu crois que je vais risquer mon poste pour te suivre, tu te trompes. »

Mais il finit par céder, selon lui pour m'éviter des problèmes au cas où on me surprendrait. Et même s'il rouspétait à chaque pas, j'en vins à penser que ces excursions pleines de découvertes et de trésors cachés ne lui déplaisaient pas. Nous trouvions tantôt un mouchoir imprégné de jasmin oublié sur un canapé, tantôt une lettre inachevée sur une table d'étude. Je m'empresse de préciser que les missives de l'époque n'avaient rien de comparable à celles d'aujourd'hui. Comme les gens s'écrivaient à tout bout de champ, elles ne présentaient souvent aucun intérêt. Le style était plus effusif[1] que le nôtre, et si les billets des grandes-duchesses regorgeaient de « Mon immense trésor », « Mon amour adoré », de telles épithètes s'appliquant aussi bien à des parents qu'à des

1. À l'époque victorienne, on abusait des *terms of endearment*, ou « expressions affectueuses ». Que ce soit entre personnes du même sexe ou de sexe opposé, dans la correspondance on écrivait fréquemment « mon adoré », « mon cœur saigne pour toi », ce qui a donné lieu à de nombreuses interprétations erronées (*NdA*).

amis ou à des connaissances, le corps du texte tenait plutôt du bulletin météorologique. On lisait ce genre de phrases : « Aujourd'hui, il a fait beau dès le matin, nous nous sommes promenées dans le parc avec *Monsieur** Gilliard et Baby, mais dans l'après-midi il s'est mis à pleuvoir », et autres propos aussi insignifiants. Cependant, je ne tirais pas le moindre plaisir à parcourir le contenu de ces lettres ; en examinant une écriture ou des dessins figurant dans la marge, je cherchais surtout à en identifier l'auteur.

Youri et moi déambulions dans ce paradis et ses trouvailles inattendues dans un silence sépulcral, les mains dans le dos ou enfoncées dans nos poches, comme si nous redoutions que l'une d'elles ne s'échappe pour s'emparer d'un objet contre notre volonté. Nos délicieuses escapades n'incluaient pas les chambres. Mais le mois de juin fut porteur d'un cadeau inespéré : notre chef, Anton Pétrovitch, nous demanda de procéder à la *generalnaya uborka* des appartements privés de la famille impériale.

La *generalnaya uborka*, ou « nettoyage intégral des cheminées », avait lieu à la fin du printemps, quand le redoux permettait de mettre en sommeil non seulement les poêles, qui étaient notre domaine, mais aussi les cheminées de marbre des pièces plus exiguës. Après l'hiver, il était nécessaire de ramoner tous les conduits et, bien sûr, de désincruster à la main et à la raclette la suie accumulée dans l'âtre, un travail minutieux qui exigeait qu'on consacre plusieurs heures à chaque cheminée et grâce auquel je pris connaissance de détails étonnants concernant les enfants impériaux. Je pus ainsi avec surprise constater leur mode de vie austère, presque monacal. Car peu de gens peuvent concevoir que l'héritier d'un si vaste empire ait dû faire son lit tous les matins, dormir sans oreiller et prendre des bains froids au lever. Il s'agissait manifestement d'une vieille coutume de la famille Romanov. La tsarine, qui avait reçu une éducation victorienne, refusait que ses enfants aient des privilèges qui, selon elle, risquaient de « gâter leur caractère ». Il lui importait que « nul ne fasse à la place de mes enfants ce qu'ils peuvent faire par eux-mêmes ».

Youri, qui se plaisait à m'instruire, m'avait expliqué cela par le menu. Pourtant, malgré cette austérité spartiate, la chambre d'Alexis, par laquelle nous commençâmes notre grand ramonage, me parut très gaie. Des lambris de bois clair couvraient les murs à mi-hauteur, le reste était tendu d'une chatoyante soie bleu clair sur laquelle se détachaient des icônes. Sur l'autre mur, moins sévère et moins religieux, se déroulaient des scènes de contes de fées russes aux couleurs vives. Cette chambre ne manquait pas d'intérêt, mais je n'avais qu'un désir : y finir ma tâche au plus vite et attaquer celles des grandes-duchesses. Voilà pourquoi je redoublai d'efforts et expédiai un travail soigné en un temps record, comme si ma vie en dépendait, ce qui était du reste le cas tant j'avais hâte de pénétrer dans le véritable royaume d'OTMA, au fond du couloir, avant que l'imprévisible Anton Pétrovitch change d'avis et nous envoie ramoner l'autre aile du palais.

Quand ce jour arriva, il faisait une chaleur moite qui nous obligeait, Youri et moi, à éponger constamment notre sueur avec de vieux chiffons. En plus petits, nous ressemblions aux gardes abyssins à la peau noire et luisante.

« Il faut que les cheminées briiiillent comme de l'oooor, nous avait prévenus notre chef, qui aimait traîner sur certaines syllabes, comme si cette prononciation avait une incidence sur notre métier hygiénique. Les cheminéééees de ces appartemeeeents doivent être plus briiillaaaantes que mes fiches de service », avait-il ajouté en pointant un doigt au demeurant peu reluiiiiisant sur deux portes jumelles.

Les grandes-duchesses étaient-elles deux par chambre ? Qui dormait derrière la porte de droite et qui derrière celle de gauche ? Me serait-il difficile de découvrir celle de Tatiana ? Ces questions stupides se bousculaient dans ma tête quand Youri actionna la première poignée et poussa un battant qui s'ouvrit sur une vaste pièce aux tons roses.

Nous fîmes une courte pause, puis nous nous aventurâmes, Youri et moi, dans la chambre avec la même prudence que celle que nous avions observée lors de nos escapades précédentes. Nous n'avions plus les mains dans le dos, car nous portions nos brosses, raclettes et autres ustensiles, mais nous étions aussi silencieux que pour entrer dans le sanctuaire d'une de nos églises, situé derrière l'iconostase et auquel seuls les élus ont accès.

Le plafond de la chambre rose était orné de libellules assorties aux rideaux.

– Youri, regarde ! m'exclamai-je en désignant les lits. On dirait les nôtres !

En effet, j'ignorais qui des quatre filles dormaient là, mais elles passaient la nuit sur des lits de camp étroits qui avaient l'air plutôt durs.

– Que le tsarévitch dorme dans des conditions militaires, je trouve ça normal : après tout, c'est un soldat, confiai-je à Youri à voix basse, intimidé par l'endroit. Mais elles, des filles...

Je laissai ma phrase en suspens, attendant que mon ami m'éclaire, ce qu'il fit dans un murmure, m'expliquant que dans la tradition russe, jusqu'au jour de leur mariage, les filles des tsars ne peuvent prétendre avoir de plus grands lits.

– Pour éviter qu'on les viole ? demandai-je, les yeux écarquillés.

– Non, petite tête. Ce sont des coutumes qui datent de la Grande Catherine, comme l'obligation pour le tsar d'avoir des gardes abyssins postés devant sa porte ou, pour la famille impériale, de ne manger au petit déjeuner que du pain noir et aucune pâtisserie. Notre tsarine a essayé à mille reprises de modifier ces habitudes, mais *babouchka* Catalina est coriace.

– Tu veux parler de son fantôme, n'est-ce pas ?

J'avais souvent entendu dire que, en punition de tous ses péchés, Catherine avait été condamnée à errer dans les couloirs comme une âme en peine.

– Non, je parle de son esprit ! s'esclaffa Youri. Nul ne peut lutter contre lui, pas même la tsarine. *Babouchka* Catalina règne sur ce palais comme sur tout le reste, et personne n'oserait contrevenir à certains de ses ordres, si ridicules soient-ils.

Il s'appliqua ensuite à énumérer les pratiques bizarres de la Cour, mais il me faut avouer que je ne m'en rappelle aucune, trop occupé que j'étais à essayer d'identifier les occupantes de la chambre. Olga et Tatiana ou Maria et Anastasia ? Nous trouvions-nous dans le domaine privé d'OT ou dans celui de MA ?

Sur la table de chevet du lit de gauche, je remarquai un livre en français et songeai qu'il me fournirait peut-être une piste intéressante. L'auteur s'appelait Guy de Maupassant, un nom qui ne m'évoquait rien. D'après ce que j'avais pu constater au fil de mes enquêtes, OT comme MA avaient l'obligation de lire des auteurs français, et ce roman peu épais pouvait très bien appartenir aux filles cadettes des Romanov.

Je fis un, deux, trois pas en avant et, sur une petite console, je vis un automate, un rossignol dans une cage qui paraissait en or. Plus loin, sagement assise, trônait une grande poupée de porcelaine. Étais-je donc dans la chambre de Maria et d'Anastasia ? Impossible de l'affirmer. L'oiseau mécanique ne m'apprenait pas grand-chose sur l'âge des maîtresses des lieux. Quant à la poupée aux terribles boucles noires et aux yeux fixes, elle me faisait davantage penser à un élément décoratif qu'à un jouet. « Je sais ! m'écriai-je mentalement. Je vais jeter un coup d'œil sur les photos et voir qui apparaît le plus souvent. » Mais, là encore, j'échouai. L'esprit d'OTMA régnait, souverain, et les quatre filles étaient toutes les quatre présentes sur les clichés, si bien que je n'avançai pas d'un pouce dans mes déductions.

Youri s'était attelé à la tâche. Agenouillé devant l'âtre, il raclait les parois de la cheminée. À un moment donné, il tourna vers moi sa tête de lutin plus sale que jamais et me demanda si je comptais venir lui donner un coup de main.

– Monsieur l'espion a fini son enquête ou je dois faire le travail tout seul ?

– Encore une minute, Youri, le suppliai-je. Je te jure qu'après j'arrête.

Sur le manteau de la cheminée, en dessous d'un recueil de poèmes et d'un volume de nouvelles de Tchekhov, je venais d'apercevoir le dos nacré d'une chose dont je connaissais depuis peu l'existence et qui ne serait sans doute pas aussi simple à identifier de nos jours, mais, à l'époque, nous savions ce qui se cachait dans ces pages. Les journaux intimes avaient une reliure tantôt en bois, tantôt métallique ou nacrée, comme celle qui s'offrait à ma vue. Tous avaient cependant un point commun : deux attaches métalliques et un petit cadenas pour les rendre inaccessibles aux indiscrets. Je me souviens d'avoir tout d'abord pensé que c'était un endroit très peu sûr pour y laisser un objet aussi privé. « Il appartient sûrement à une personne très confiante », me dis-je avant de me décider à soulever les deux livres posés dessus afin de l'observer de plus près. Était-il à Tatiana ? Je réfléchis quelques instants encore, puis m'emparai du recueil de poèmes et du livre de Tchekhov et découvris que le journal était à l'envers. Je devais le retourner si je voulais vérifier à qui il appartenait, à supposer qu'un nom ou une initiale figure sur la couverture. Mais comment le toucher avec des mains aussi crasseuses ? « Allons, Léonid, lance-toi ! C'est sûrement celui de Tatiana. » Ma main venait de le saisir lorsqu'une voix gaie et surprise s'éleva derrière moi, me glaçant le sang dans les veines.

– Oh ! Regarde, Anastasia : un *water-baby* !

Les intonations de la voix n'avaient rien de désagréable, mais je faillis lâcher le carnet en nacre en tâchant de le dissimuler dans les plis de ma chemise.

« Mon Dieu ! Saint Nicolas et Notre-Dame de Kazan ! Saint Basile et saint Isaac ! m'exclamai-je en pensée. Tirez-moi de ce mauvais pas et je ne furèterai plus jamais ou en tout cas pas avant longtemps. Doucement, Léonid, tourne-toi légèrement et prie pour ne pas avoir affaire à une institutrice au visage aigre comme le vinaigre. Lentement, mon ami, lentement. »

– Il est identique au personnage de notre livre ! Tu te souviens, Nastia ? Oui, le conte du ramoneur et de la petite fille riche que maman aimait tant. Nous pleurions toutes en le lisant. Comme c'est romantique !

Je vis enfin la propriétaire de la voix. Youri, qui sortait lui aussi de la cheminée, manqua de tomber dans les pommes en découvrant ce que je cachais dans mon dos. Ensuite, pendant quelques secondes qui me semblèrent éternelles, nous restâmes plantés à un bout de la pièce tandis que, de l'autre côté, les deux grandes-duchesses nous étudiaient sans rien dire. Vêtues de robes blanches leur arrivant à mi-mollet et de bas blancs ajourés, leur merveilleuse chevelure blonde légèrement ébouriffée, les cadettes d'OTMA posaient sur nous leurs yeux gris, captivées par leur découverte.

– Comment t'appelles-tu ? demanda Maria. Tu travailles au palais depuis longtemps ? Tu as quel âge ? L'âge de Baby, plus ou moins, non ? Et toi, devant la cheminée, quel est ton nom ? C'est très dangereux d'être un *water-baby* ?

Les questions fusaient, mais d'un ton si chaleureux que Youri et moi commençâmes à répondre en même temps, jusqu'à ce que des coups frappés à la porte mettent un terme à notre agréable conversation.

– *Mademoiselle Marie, mademoiselle Anastasia, mais que se passe-t-il ici ? C'est bien votre chapeau que vous êtes venues chercher, n'est-ce pas ? Vite, vite, l'heure n'est pas au bavardage, mais à la promenade. Vous êtes vraiment incroyable, mademoiselle Marie, vous jacassez comme une pie et ces deux garçons sont en train de travailler* !*

J'avais plus ou moins saisi le sens des paroles de *Monsieur** Gilliard. Les soirées passées auprès de maman et de tante Nina pour parfaire mon éducation en vue d'une possible inversion de la roue de la fortune en ma faveur n'avaient pas été inutiles… Leur précepteur leur disait qu'il était temps d'aller se promener, qu'elles étaient montées pour prendre un chapeau et non bavarder avec des domestiques, que mademoiselle Maria parlait trop… Je compris aussi ce qu'elles rétorquèrent pour leur défense à leur professeur : elles n'étaient dans la chambre que depuis une minute à peine, jamais auparavant elles n'avaient vu de vrais *water-babies*.

– Il est pareil au personnage du célèbre conte de Charles Kingsley. C'est un récit magnifique, *Monsieur** Gilliard.

J'ai pleuré comme une Madeleine en le lisant, insistait Maria.

– Vous savez ce que j'aimerais faire, *Monsieur** Gilliard ? dit Anastasia, plus téméraire que sa sœur. Les prendre en photo, s'ils le permettent. Ils s'appellent Youri et Léonid, ils viennent de nous l'apprendre. L'occasion nous est si rarement donnée de parler à quelqu'un... S'il vous plaît, *Monsieur**, s'il vous plaît ! Juste une photo pour mon album !

– Et pour le mien aussi, intervint Maria. Grand-mère Minnie dit qu'on n'a presque pas d'amis et que ce n'est pas bon.

Elles avaient débité leurs arguments sans se départir de leur sourire, mais *Monsieur** Gilliard se moquait visiblement de la littérature anglaise, des *water-babies* et de l'art photographique. Il n'avait pas davantage l'intention de parler du manque d'occasions qu'avaient ses élèves de converser avec des personnes extérieures à leur monde, si bien que quelques secondes plus tard tous trois s'éloignaient dans le couloir. Les derniers propos qui me parvinrent, étouffés, n'avaient nul besoin de traduction : « *Mademoiselle Marie, vous êtes in-cor-ri-gible, et vous, mademoiselle Anastasia, vous êtes une enfant TERRIBLE* ! »*

Je restai dans la position que j'avais prise à l'apparition inattendue des grandes-duchesses, les mains dans le dos, serrant vigoureusement le journal intime, à tel point que, s'il avait été conçu dans un matériau plus poreux que la nacre, aujourd'hui encore il aurait conservé mes empreintes digitales. J'attendis que les voix de *Monsieur** Gilliard et de ses élèves se soient éloignées pour le remettre en place sous la bonne garde de Tchekhov. Auparavant, comptant sur les bonnes dispositions de saint Nicolas, saint Basile, Notre-Dame de Kazan et tous les autres membres de la Cour céleste, j'en profitai pour leur demander une dernière chose. J'espérais que la lettre de la couverture soit un « T » et que mon adorée ait laissé son journal dans la chambre de ses sœurs pour me permettre de le tenir quelques minutes entre mes mains.

Ce n'était évidemment pas le cas. Aucun des saints invoqués, et encore moins Notre-Dame de Kazan, n'ont pour habitude de gâcher leurs pouvoirs dans des vétilles, et l'initiale que je découvris sur le journal était un très beau « M ».

« Cher Journal… »

Si on étudiait les journaux intimes des membres de la famille impériale – ceux du tsar, par exemple, dont tous les volumes nous sont parvenus, contrairement à d'autres, qui n'ont été conservés que quelques années –, on s'apercevrait qu'au début de l'été 1914, en plus de l'ombre lugubre du dieu de la guerre, la brise suave et gaie d'Éros flottait sur le palais Alexandre. Dans les communs, les domestiques parlaient d'un bal qui devait avoir lieu à la fin de juillet au palais Livadia, la résidence d'été des souverains et la plus belle de toutes celles qu'ils possédaient. Ces festivités avaient été organisées pour que les grandes-duchesses, qui vivaient selon leur grand-mère Minnie « sous cloche », se montrent un peu, tissent des amitiés, en particulier avec des garçons de leur âge. Quand on l'interrogeait sur ce point, la noble dame, qui déplorait les méthodes éducatives de la tsarine et presque tous ses traits de caractère, faisait le signe de croix tartare et disait que tant de zèle et de chichis dans l'éducation de ses petites-filles les faisaient s'exprimer comme des enfants de cinq ans. « En outre, ajoutait-elle, elles vivent dans une cage dorée, comme de très jolies créatures inaccessibles qui courent le risque de devenir un jour des vieilles filles. » De là le projet – pour une fois, belle-mère et bru s'étaient miraculeusement accordées – de profiter du séjour du tsar et de la tsarine à Livadia pour y organiser une fête au cours de laquelle les trois aînées des grandes-duchesses croiseraient de « nobles gentlemen de leur âge ».

Si Alexandra ou Minnie avaient eu accès aux journaux intimes des grandes-duchesses, elles auraient été soufflées de constater que, bien que « sous cloche » dans sa cage dorée, malgré son parler enfantin et ses chichis victoriens, une de ces âmes solitaires vibrait pour quelqu'un. Olga, la plus réservée des quatre sœurs, venait de vivre une grande déconvenue amoureuse. Le briseur de cœur s'appelait Pavel Voronov et était officier sur le yacht impérial. Issu de la petite noblesse, comme tous les officiers du *Standart*, Pavel est présent sur de nombreuses photographies prises à bord et lance souvent à Olga un regard appuyé. « Je n'ai jamais été aussi heureuse de toute ma vie », écrivait la jeune fille dans un langage codé qu'elle devait croire indéchiffrable mais qui était en réalité d'une simplicité élémentaire, car il consistait à remplacer les lettres par des chiffres. Les pétales d'une pensée mauve sommeillaient aux côtés de ces signes naïfs que n'importe quel apprenti détective aurait été capable de décrypter. « Je baise chaque jour la fleur que tu m'as donnée », a écrit Olga dans la marge avant de relater ses aventures sentimentales dans les pages suivantes : « Aujourd'hui, nous avons joué aux cartes, puis il m'a invitée à danser trois fois, même devant maman. » Deux jours plus tard, les pages du journal deviennent plus sombres. « Il passe à présent tout son temps avec une autre Olga. Mon Dieu, donne-moi la force de le supporter. »

L'autre Olga était une des nièces d'une comtesse amie de la famille impériale. Elle et sa sœur Tatiana – quel hasard qu'elles se soient prénommées comme les deux grandes-duchesses aînées ! – étaient aussi belles, sinon plus, que les filles du tsar ou en tout cas que la taciturne Olga Nikolaïevna. En réalité, nul ne sait si le brusque report d'intérêt de Pavel pour une Olga sur une autre était dû aux attraits supérieurs de la petite comtesse ou à certaines insinuations de la part de la tsarine. Il est probable qu'Alexandra ait laissé entendre au jeune homme qu'elle se réjouirait qu'il en épouse une autre. Dans le langage crypté de la vie de Cour, ceci revenait à lui dire qu'elle ne le considérait pas comme un bon parti. Il se peut également qu'un facteur plus prosaïque ait influencé Pavel dans son revirement. La seconde Olga possédait une fortune colossale qui tombait à pic pour venir redorer les blasons écaillés de la famille Voronov, qui n'avait pas l'intention de rester le bec dans l'eau. Personne n'a jamais eu le fin mot de l'histoire, mais on sait que, peu après, la fille aînée des Romanov souffrit le martyre en étant témoin d'honneur au mariage de Pavel avec sa rivale. La conservation de son journal intime de 1914 nous permet d'imaginer la scène comme si nous y étions : Olga décrit la cérémonie dans la cathédrale avec tout le *fair-play* hérité de son éducation anglaise. Elle était obligée de sourire à chacun de ses pas pour que nul ne devine sa douleur. Elle raconte aussi qu'elle évita les regards compatissants et affligés que ses sœurs lui lancèrent quand la jeune épousée prononça les mots fatidiques – « Oui, je le veux » –, et le sourire ô combien ambigu du marié, qui faillit selon ses termes lui « faire perdre connaissance ». Olga, la plus russe et donc la plus passionnée des grandes-duchesses, confia ce soir-là à son journal : « Je tremblais de partout, et le pire, c'est qu'à tout moment j'étais prête à me jeter à ses pieds. Je sais que, dorénavant, il faut que je sois prudente, mais comment, mon Dieu, comment si je n'ai aucun empire sur moi-même ? » Dans les paragraphes suivants, elle prouve qu'elle avait néanmoins du sang-froid : « Seigneur, rends mon bien-aimé heureux... Mais fais aussi en sorte qu'il se souvienne de moi à jamais. »

Après ce déboire amoureux, Olga jeta son dévolu sur un autre officier, un parti bien meilleur que Voronov. Le grand-duc Dimitri était le fils de Paul Alexandrovitch Romanov, le frère cadet d'Alexandre III. Il s'agissait par conséquent d'un membre de la famille impériale. Orphelin de mère à sa naissance, il avait eu une vie familiale compliquée et était plus jeune que son cousin Nicolas II. Alix et son mari, qui le considéraient comme leur neveu, s'étaient chargés de son éducation, aussi pensèrent-ils que c'était le mari parfait lorsqu'il manifesta de l'intérêt pour Olga. Malheureusement, ce mirage romantique dura moins longtemps encore que celui qu'avait créé Pavel. Très vite, une voix anonyme apprit à la tsarine que son protégé avait la passion des danseuses, de l'opium et des fêtes qui duraient jusqu'à point d'heure.

Cette fois, Olga se garda de coucher son chagrin sur le papier en langage codé et ne glissa aucune fleur séchée dans les pages de son journal intime. Elle n'avait peut-être pas eu le temps de se bercer d'illusions ou commençait à s'habituer au goût amer des amours contrariées.

Si le cœur d'Olga était soumis à rude épreuve, celui de Maria, surnommée Macha par ses proches, battait à tout rompre. Contrairement à sa sœur, qui préférait se murer dans le silence, Macha aimait partager ses chagrins d'amour avec les siens. Depuis sa plus tendre enfance, la troisième fille des souverains, la plus sociable aussi, avait des élans romantiques qui amusaient toute la famille. Avant le bal de Livadia, elle signait ses lettres, y compris celles qu'elle adressait au tsar, « madame Demenkov ».

Kolya Demenkov était comme Pavel Voronov un officier de marine issu d'une famille de bonne souche mais ruinée. Contrairement au soupirant d'Olga, il n'eut pas à entendre la tsarine lui conseiller subtilement d'aller voir ailleurs, car il ne prit jamais la passion de Maria au sérieux. Une lettre d'Alexandra à sa fille explique bien pourquoi :

> *Macha chérie, essaie de faire en sorte qu'il n'occupe pas trop tes pensées. Notre Ami* [ici, il faut naturellement lire « Raspoutine »] *dit que Kolya t'apprécie, mais comme une petite sœur. En outre, une grande-duchesse ne doit pas s'intéresser aux soldats, si beaux soient-ils.*

Maria lui répondit, en le faisant savoir à toute la famille, qu'elle avait l'intention « d'épouser un soldat russe et d'avoir vingt enfants ». Personne ne s'en formalisa car elle n'avait pas encore quinze ans. « C'est Macha tout craché », affirma-t-on. Ses traits harmonieux annonçaient une beauté plus admirable encore que celle de ses sœurs, qui, pourtant, se moquaient d'elle. Elle traversait alors cette phase de l'adolescence où les filles ont quelques kilos superflus. Ajoutés à sa grande taille, ceux-ci lui conféraient une allure pataude et peu raffinée. Ses parents, son frère et ses sœurs la surnommaient *Bow-wow*, un appellatif que les Anglais réservent aux chiots maladroits et joueurs. Elle acceptait ces railleries avec bonhomie car c'était une fille adorable que les domestiques préféraient aux autres grandes-duchesses.

Anastasia plaisait aussi beaucoup. Nous la considérions comme la petite rigolote de la fratrie. Elle adorait emprunter les vêtements et les chapeaux de sa mère pour amuser les officiers du *Standart*, qui ne voyaient en elle qu'une gamine de treize ans.

Et ma Tatiana ? À presque dix-huit ans, elle était en âge de tomber amoureuse, mais je crains qu'elle n'ait été la plus énigmatique de toutes les filles du tsar. Son journal intime et ses lettres ne révèlent aucune passion, du moins pas à l'époque.

Et soudain, la guerre

Les quatre sœurs se lancèrent dans les préparatifs du bal estival. La tsarine oublia quelques jours sa tiédeur pour les mondanités et sa froideur à l'égard des dames de l'aristocratie, avec qui elle signa une sorte d'armistice, leur demandant de mettre en sommeil leurs langues trop déliées et de s'afficher comme elle pensait le faire elle-même en aimables matrones et en chaperons le temps que les jeunes gens s'adonnent à l'éternel et toujours exquis rituel qui consiste à se conter fleurette.

Pendant qu'on envoyait les cartons d'invitation aux familles des éventuels prétendants, un autre Éros moins démocratique et plus institutionnel virevoltait autour du palais. Nicolas et Alexandra, qui avaient eu la chance de faire un mariage d'amour, souhaitaient qu'il en aille de même pour leurs filles, mais leurs excellentes dispositions avaient des limites et ils n'avaient guère envie qu'elles deviennent mesdames Voronov ou Demenkov. Parmi les soupirants, il en était un retenu entre tous : beau, destiné à régner sur un vaste pays et à devenir le plus grand amoureux de tous les temps. Je veux parler du futur Édouard VIII d'Angleterre, plus connu des amateurs de ragots sous le nom de duc de Windsor et plus tard comme mari de Wallis Simpson. On ignore si l'opération Cupidon échoua juste après avoir été ébauchée du fait du manque d'enthousiasme qu'affichait alors le jeune prince vis-à-vis du beau sexe, ou si une ombre plus nuisible se chargea de tuer ce projet dans l'œuf. En effet, l'hémophilie hantait les deux familles, qui auraient tenté le diable en prévoyant une nouvelle union consanguine. L'idylle entre « *Cousin D* » (il signait ses lettres ainsi, car ses proches l'appelaient David) et « *Cousin Olga* », qui apposa cette griffe dans la seule et unique missive qu'elle lui adressa, ne fut qu'un court échange de politesses ne portant guère à conséquence.

Un autre prétendant d'Olga disposa de plus de temps pour déployer ses charmes. Il s'agissait de Carol, prince héritier de Roumanie, qui intéressait la famille impériale au point qu'elle se déplaça jusqu'à Constanța afin que les deux jeunes personnes se rencontrent. Le garçon, « couvert d'une acné impossible », nota une des grandes-duchesses dans son journal, ne séduisit visiblement pas Olga, et OTMA mit aussitôt en œuvre une stratégie destinée à faire capoter l'entreprise. « Nous avons un plan, écrivit Anastasia, pour que Carol parte en courant et ne pense plus jamais à Olga. Nous comptons nous présenter à Constanța brûlées par le soleil. Nous voir ainsi, de la couleur d'un garde abyssin, lui donnera sans aucun doute matière à réfléchir… »

Que ce soit à cause de l'étrange projet d'OTMA ou pour toute autre raison, les choses ne fonctionnèrent pas davantage avec Carol qu'avec Édouard. Olga, qui se rappelait probablement son cher Pavel Voronov, nota ces lignes dans son journal : « Je suis ravie. J'ai dit à papa que je voulais rester russe toute ma vie et il a promis de ne m'obliger à rien. »

Triste cas de prières exaucées, car ce vœu se révéla par la suite aussi prophétique que tragique. Avec du recul, je ne peux m'empêcher de songer que si Carol n'avait pas eu le visage grêlé de cette « acné impossible » Cupidon aurait peut-être décoché ses flèches et Olga, princesse héritière roumaine, aurait échappé à la mort. Il est bien regrettable de savoir que le destin des personnes dépend parfois de telles insignifiances.

*

Quant à moi, pendant l'étouffant mois de juillet de 1914, mes préoccupations étaient principalement liées à mon travail. La nature suivant son cours, j'allais fêter mes douze ans, j'avais mué et tellement grandi que, du jour au lendemain, je dépassais Youri d'une bonne tête.

– Anton Pétrovitch ne va pas tarder à t'annoncer que tu ne peux plus ramoner les conduits, me dit-il d'un air affligé. C'est le désavantage d'être « normal », demi-portion. Moi, en revanche, je ne mesurerai jamais plus d'un mètre vingt. Je suis le *water-baby* idéal. Ça va me faire de la peine de te quitter, alors sois gentil et suis mon conseil : si tu ne veux pas qu'on te renvoie chez toi avant Noël, cherche-toi un parrain ou une marraine. Je suppose que ta mère est toujours en bons termes avec la femme de chambre d'Anna Vyroubova. Parle-lui-en, il faut bien que ses amis influents lui servent à quelque chose.

Je tins compte des recommandations de mon ami et rencontrai Lara Aleksandrovna quelques jours plus tard. Elle était certes une vieille amie de la famille et maman m'avait suggéré de l'appeler « tante Lara », mais elle n'en restait pas moins un être inaccessible. « Elle est timide », disait ma mère, mais, à mon sens, « timide », « sèche » et « revêche » se recoupent parfois. Il me fut difficile d'obtenir son soutien, mais j'y parvins à force d'obstination et de suppliques. Après maintes protestations, elle m'avoua être très liée avec Kharitonov, un des cuisiniers du palais, et me promit de lui parler de moi. M'en remettant au proverbe « Aide-toi et le ciel t'aidera », j'ouvris les yeux, bien décidé à ne laisser passer aucune occasion de changer de service par un autre biais que celui de tante Lara. Si j'étais engagé comme garçon d'écurie, par exemple, ou comme apprenti jardinier, je pourrais continuer à vivre à proximité des grandes-duchesses. En revanche, descendre au sous-sol équivaudrait à passer mes journées dans un endroit aussi sombre que les conduits de poêle et me priverait en outre de la liberté dont j'avais jusqu'à présent profité avec Youri.

Quelqu'un évoqua alors une solution intermédiaire, ou plutôt temporaire, mais très séduisante. Je n'avais qu'à demander à être inscrit sur la liste de la centaine de valets, hommes de main et aides en tout genre dont on allait avoir besoin pour organiser le bal de Livadia. J'eus de la chance et fus choisi. Je me réjouissais à l'avance à l'idée de souvent voir Tatiana, de pouvoir les regarder, elle et ses sœurs, jouer au tennis avec le tsar ou se promener dans le parc, mais, le 29 juillet 1914 très exactement, le monde dans lequel nous vivions cessa de tourner.

Un mois auparavant, l'héritier du trône de l'Empire austro-hongrois avait été assassiné par un anarchiste serbe, Gavrilo Princip, lors d'une visite officielle dans la ville de Sarajevo. Au début, on crut que cette mort serait punie par une réaction énergique de la part des Autrichiens et de plates excuses formulées par les Serbes, mais l'imprévisible roue de la fortune en décida autrement et ne tourna pas dans le sens de la sagesse. Les visées expansionnistes des grandes puissances européennes (d'un côté, l'Allemagne et l'Autriche et, de l'autre, l'Angleterre et la France) empêchèrent qu'il en soit ainsi. Si on ajoute d'autres ingrédients à ce cocktail d'ego et d'ambitions, par exemple d'anciennes alliances obligeant les pays à s'appuyer mutuellement et, dans le cas de notre tsar, un sens de la loyauté poussé à l'extrême à l'égard des Serbes, nous obtenons le mélange hautement inflammable qui allait conduire l'Europe à la catastrophe.

Pendant quelques semaines, Nicolas II adressa de longs câblogrammes à son cousin, le Kaiser, un échange connu par la suite sous le nom de « correspondance Willy-Nicky », car ils signaient leurs messages des petits noms dont s'affublent en toute confiance deux parents proches. Les lignes qu'ils s'adressaient l'un à l'autre étaient rédigées en anglais et dénotaient la personnalité de chacun. Rusé et mégalomane, Willy ordonnait à son cousin de rester les bras croisés face à l'invasion de la Serbie par l'Autriche. Fidèle et obstiné, Nicky voulait à tout prix venir en aide aux Serbes. D'aucuns estiment que Willy attendait depuis des années l'occasion d'étendre sa zone d'influence, et que c'est pour cette raison qu'il mentit à Nicky, lui promettant de ne pas mobiliser son armée s'il fallait défendre l'Autriche. D'autres pensent au contraire que Nicky n'aurait jamais dû être le premier à déplacer ses troupes jusqu'à la frontière. Ce qui pour lui n'était qu'un geste sans conséquence sonnait comme une provocation pour les témoins de son temps. Tout le monde, même ses ministres, s'accordait à dire que la guerre couvait, aussi injustifiable qu'inégale.

« Plus qu'une erreur, c'est un suicide, Majesté, dirent ses conseillers au tsar. Notre situation politique et sociale ne saurait être plus catastrophique. Nous avons un million et demi de grévistes, des manifestations et des troubles quotidiens à Saint-Pétersbourg et à Moscou. Quant à la situation économique, elle est encore plus grave, sans parler des avantages qu'ont nos ennemis sur tous les plans : pour une dizaine de kilomètres de voies ferrées en Russie, il y en a cent en Allemagne ; pour chaque usine russe, les Allemands en ont cent cinquante. En vérité, la seule chose que nous possédions, ce sont des hommes. »

En effet, avec près de cent cinquante millions d'habitants, nous avions plus d'effectifs que nul autre pays. Voilà pourquoi, en quelques jours à peine, on parvint à mobiliser un million et demi de soldats, puis quatre millions et demi supplémentaires. Tout au long du conflit, quinze millions et demi d'hommes rejoignirent le front.

*

Il n'y eut à Livadia ni bal ni aucune opération Cupidon, et pas davantage de robes blanches ni de fleurs piquées dans les cheveux des dames. Les officiers de Sa Majesté endossèrent leur uniforme non pas pour éblouir les grandes-duchesses ou danser un *quadrille**, mais pour partir au front. Toute la ville de Saint-Pétersbourg se réunit devant le palais d'Hiver pour écouter le discours de Nicolas II et l'acclamer jusqu'à en perdre la voix, car dans un moment tel que celui-ci, où la patrie était offensée, le peuple n'avait pas hésité à descendre dans la rue afin de soutenir son souverain. La tsarine se tenait à ses côtés, resplendissante, presque aussi belle que dans sa jeunesse, l'aile de son chapeau relevée pour que tous puissent l'admirer. Le tsarévitch, en convalescence après une crise, n'était pas là, contrairement à ses sœurs, qui portaient une tenue identique. D'impressionnantes coiffes blanches encadraient leurs visages émus. La foule applaudissait, ovationnait, bénissait son empereur et son impératrice. Hommes et femmes soulevaient leurs enfants en bas âge pour les offrir à Nicolas : « Voici mon fils ! Prends-le, la Russie a besoin de lui ! Ceci est mon sang et aussi le tien ! »

Youri et moi nous étions échappés du palais et assistions au défilé. Pour rien au monde nous n'aurions manqué ce spectacle. À côté de nous, un homme édenté hurlait : « Que Dieu soit avec toi, *batiouchka* ! Ensemble jusqu'à la victoire ! » Un peu plus loin, une femme au cou déformé par un goitre se fraya un chemin dans la foule et grimpa en haut d'une petite pente pour mieux se faire entendre : « Aucun sacrifice n'est inutile pour sauver la patrie ! Ordonne et nous t'obéirons ! » Les drapeaux flottaient au vent, les coups de canon résonnaient sur le passage des troupes et la sainte icône de la Vierge de Kazan, notre relique la plus sacrée, défila dans toute la ville tandis qu'une centaine de popes bénissaient les soldats.

On n'avait encore jamais vu tant d'exaltation et de ferveur. Les yeux de tous étaient noyés de larmes, excepté les miens. Je ne pouvais pas me permettre de pleurer et d'avoir une vision brouillée de Tatiana Nikolaïevna, qui souriait au peuple, même si j'avais l'impression qu'elle ne le faisait qu'à mon intention.

Dieu sauve la Russie ! Dieu protège pour toujours notre tsar !

L'amour au milieu des bandages et du coton

Les premiers mois du conflit se déroulèrent dans l'enthousiasme général. Quelqu'un a dit, Napoléon peut-être, qu'il n'y a rien de tel qu'une guerre pour faire battre les cœurs à l'unisson. C'est ce qui arriva. Du jour au lendemain, on oublia les soucis et les injures, les grèves et les barricades disparurent des rues de Saint-Pétersbourg et de Moscou, et même les politiciens et les agitateurs partagèrent l'euphorie de tous. La patrie était menacée, c'était la seule chose qui comptait. Porté par la ferveur populaire, Nicolas II adopta deux mesures, l'une avisée, l'autre moins. La première consista à remplacer le nom trop germanique de Saint-Pétersbourg par Petrograd, plus russe. La seconde fut d'interdire la vodka sur le territoire national le temps que dureraient les hostilités. En voulant nous protéger des excès d'alcool à une période difficile, notre *batiouchka* créa une situation désastreuse. Il priva l'État, qui avait le monopole de l'alcool, d'une source de revenus considérable, et encouragea par ailleurs la fabrication d'une vodka artisanale de piètre qualité qui, en plus de causer de nombreuses morts par intoxication, favorisa un sinistre marché clandestin. Administré par des fonctionnaires corrompus, celui-ci venait s'ajouter à d'autres trafics déjà existants. « L'enfer est pavé de bonnes intentions. » Une fois encore, la justesse de ce proverbe se vérifiait.

Parvenu à ce point, je vais interrompre mon récit et consacrer quelques lignes à la personnalité de l'homme qui régissait notre destin. Je m'aperçois que, si j'ai tenté de décrire le caractère de la tsarine et de ses enfants, je n'ai pas défini celui de Nicolas II, pourtant la pièce maîtresse de cette partie d'échecs qui allait se conclure sur un mat. Loin de moi l'intention d'imiter le docteur Freud, alors très en vogue, mais je crois nécessaire de préciser qu'entre le jour de sa naissance, ceux de son abdication et de sa mort, notre tsar vécut dans l'ombre de son père, Alexandre III, au sens propre comme au figuré. En effet, l'immense portrait de l'ancien monarque, décédé prématurément et de manière fulgurante à l'âge de quarante-neuf ans, assombrissait le mur central de son bureau privé. Ainsi, sous le regard de son géniteur, qui n'avait jamais eu une très haute opinion de lui et préférait ses autres enfants, notre souverain s'efforçait de fournir le meilleur de lui-même, toujours hanté par une question récurrente : « Que ferait papa s'il était à ma place ? »

Le père et le fils n'auraient pu être plus différents. Alexandre III était une armoire à glace de près de deux mètres, son fils ne dépassait guère un mètre soixante-dix. Alexandre se vantait d'avoir la carrure et l'allure d'un rude paysan russe alors que jusqu'au jour de sa mort, malgré sa barbe fournie, Nicolas garda l'aspect d'un cadet, d'un être délicat cherchant à plaire. D'une grande intelligence, Alexandre III était plein d'assurance et coureur de jupons ; Nicolas, en revanche, paraissait réservé, à la fois hésitant et têtu et, côté cœur, hormis quelques incartades de jeunesse, il n'avait d'yeux que pour sa femme, qu'il adorait sans savoir – ni vouloir – s'imposer à elle. Une anecdote me revient aujourd'hui, que j'ai entendue involontairement de la bouche d'un vieux courtisan. Un jour, après que la tsarine eut fait primer ses vues sur celles de son époux en usant de ses tactiques habituelles – pleurs, larmes, invocations à Dieu et à l'infaillible clairvoyance de Raspoutine –, elle lui demanda, aussi triste qu'amusée : « Comment peux-tu vivre à mes côtés ? » Le tsar lui baisa les mains avec dévotion avant de répondre : « Moi aussi, cela me surprend, Sunny. Tout ce que je sais, c'est que je ne pourrais pas vivre sans toi. »

Comme je l'ai déjà dit, la mère de Nicolas n'appréciait guère sa bru. Elle la plaignait d'avoir un fils malade, mais désapprouvait son comportement. On raconte qu'elle se présenta un jour devant le tsar avec un pasquin insidieux sur lequel figurait la caricature d'Alexandra et Anna Vyroubova dans un lit, en compagnie de Raspoutine. Nicolas les observait, minuscule, dans un coin, sans oser intervenir.

– Tu ne te rends pas compte que cet individu risque de précipiter sa fin en même temps que la nôtre ? Que faut-il qu'il advienne pour que tu affrontes ta femme et que tu lui montres qui commande dans ce pays ? s'indigna-t-elle.

Le tsar lissa sa moustache du dos de la main, une habitude qui avait tendance à devenir un tic nerveux, et réfléchit quelques instants avant de rétorquer à sa mère :

– Alix et moi pensons que tous les prophètes ont été décriés en leur temps. Nul ne sait ce que je subis à ce propos, ajouta-t-il comme pour lui-même.

Nicolas était fataliste, comme la plupart des Russes. Ayant toujours estimé qu'il était de son devoir de défendre l'autocratie et de transmettre à son fils le pouvoir absolu que lui-même avait hérité de son père, il pensait également qu'il lui fallait accepter tous les signes que Dieu lui envoyait. La maladie du tsarévitch en faisait partie, de même que l'insoutenable situation politique du pays, ou cette guerre dans laquelle son grand sens de la loyauté vis-à-vis des Serbes et de ses alliés de toujours, la France et l'Angleterre, venait de le précipiter.

Ceux d'entre vous qui aiment les clins d'œil du destin seront ravis d'apprendre que Nicolas était né un 6 mai, jour de la Saint-Job, personnage tragique de la Bible dont la foi est éprouvée par Satan avec l'accord de Dieu, et qui traverse toutes sortes d'épreuves afin que le diable puisse déterminer ce qu'il peut endurer sans renier le Seigneur. Jusqu'à la fin de sa vie, le tsar prit exemple sur son saint patron. « Dieu me l'a donné, Dieu me l'a repris, loué soit le Seigneur » : telle était la devise de Job, qui aurait très bien pu être celle de Nicolas II. Son admirable stoïcisme après son abdication et jusqu'à l'heure de sa mort le prouve.

Mais ces ondes concentriques menaçantes à la surface de l'étang, ces nuages noirs appelés à devenir une tempête tumultueuse n'étaient encore que des cirrus ou tout au plus des cumulonimbus dans le ciel d'été de l'année 1914. Le pays bouillonnait d'une ardeur guerrière et le tsar en profita pour se comporter comme l'autocrate qu'il avait toujours jugé bon d'être. Il interdit à la Douma de se réunir tant que le conflit ne serait pas terminé et ordonna l'arrestation de ses six députés bolcheviques. Ensuite, convaincu de mener son affaire rondement, il déploya une grande carte de l'Europe sur la table de billard qui se trouvait dans son bureau et suivit l'évolution de son armée à la minute près. Les premiers mois, les choses étaient bien engagées pour la Russie, ce qui fit taire un moment les voix qui s'opposaient à la guerre. Toutes sauf une : celle de Grigori Efimovitch.

Fort de sa curieuse intelligence, mélange à parts égales de lucidité et d'intuition paysanne, le starets prit immédiatement conscience du prix élevé en pertes humaines que ce conflit ferait payer au pays. En juillet 1914, Raspoutine était en Sibérie, blessé grièvement après un attentat qui avait failli lui faire perdre la vie. Malgré son état de santé critique, il se débrouilla cependant pour faire parvenir à la tsarine le câble suivant : « Que Papa ne fasse pas la guerre ! *Stop*. Car la guerre signifie la fin de la Russie et de vous-mêmes. *Stop*. Vous périrez tous ! »

Alexandra montra le message au tsar mais, exceptionnellement et sans que cela servît de précédent, Nicolas ne semblait pas disposé à écouter sa femme et il déchira le télégramme en mille morceaux. L'impératrice ne se battit pas pour faire prévaloir l'opinion de Raspoutine. Au début de la guerre, l'influence du moujik sur nos souverains déclina pour la première fois depuis la guérison « miraculeuse » du tsarévitch à Spala, deux ans auparavant. À la suite de cette perte momentanée de crédit, le starets se serait, dit-on, mis à boire plus que de raison. Dans son village, où il passa plusieurs semaines afin de se remettre de ses terribles blessures, seule la vodka l'aidait selon lui à supporter sa douleur. Quand il fut rétabli et qu'il eut regagné Saint-Pétersbourg, il continua d'écluser une bouteille après l'autre, sans doute parce que le téléphone moderne que la tsarine avait fait installer pour entrer en contact avec lui ne sonnait plus.

Alexandra avait alors d'autres chats à fouetter et une ferveur différente l'animait. Comme elle l'avait fait dans d'autres situations problématiques – les crises aiguës de son fils, par exemple –, elle donna le meilleur d'elle-même pour se mettre au service de ceux qui souffraient. Elle aimait secourir son prochain. Cela lui faisait d'une part oublier sa timidité et, de l'autre, lui donnait l'impression de se rendre utile. Elle qui se levait en général à une heure de l'après-midi, fuyait la société et se déplaçait en fauteuil roulant à l'intérieur du palais, oublia toutes ses « maladies imaginaires » pour sortir du lit à sept heures et assister à la messe. Du jour au lendemain, elle troqua ses merveilleuses robes de mousseline et ses rangs de perles contre un austère uniforme d'infirmière des Sœurs de la Miséricorde, et se leva de son fauteuil avec une énergie dont elle n'avait pas fait preuve depuis la maladie d'Alexis, à Spala.

Elle commença par aménager le palais Catherine, voisin du nôtre, en hôpital militaire. Avant la fin de l'année, à Saint-Pétersbourg (ou, plutôt, Petrograd), quatre-vingt-cinq centres placés sous son patronage recevaient des blessés.

Bien entendu, la vie au palais Alexandre avait changé, surtout pour moi. Ainsi que Youri me l'avait prédit, Anton Pétrovitch ne tarda pas à me dire que j'étais trop grand pour m'occuper du ramonage des poêles impériaux. « Tu es trop grand et trop robuste, mon gars. Tu ne peux plus travailler comme *water-baby* », m'annonça-t-il d'un ton désagréable. Mais alors que j'allais être renvoyé chez moi sans ménagement, la recommandation de Lara Aleksandrovna fit effet et je fus affecté aux cuisines ou, plus exactement, dans les sous-sols du palais, dont je ne sortais pour voir la lumière du soleil que lorsque j'allais vider les poubelles.

– Tiens ! Voilà monsieur Sednev, le second du chef ! s'exclama Youri, moqueur, un jour où, ayant échappé à la vigilance de Kharitonov, je m'étais précipité sur mon ancien lieu de travail pour bavarder avec lui et me lamenter sur mon sort.

– Plus que second, je suis un rang en dessous des marmitons, le corrigeai-je. Pour l'instant, je m'occupe des poubelles et épluche des montagnes de pommes de terre. Et le pire de cette existence souterraine, c'est qu'une fois qu'on a servi le petit déjeuner des domestiques et des soldats, qui sont plus d'une centaine, il faut attaquer le déjeuner, puis le thé réglementaire, et ensuite le dîner. Je mène la vie d'une taupe ! Et encore, les taupes peuvent de temps en temps sortir le nez de leurs galeries, alors que moi…

– Tout ça, c'est parce que tu n'as pas tiré parti de tes contacts avec l'aristocratie. Je te l'ai pourtant dit et redit ! Qui n'est pas parrainé n'est jamais baptisé, demi-portion. Pourquoi n'es-tu pas allé voir Lara Aleksandrovna ?

– C'est justement grâce à elle que je croupis à la cave ! Et puis la guerre a tout chamboulé, Youri. Plus rien ne redeviendra comme avant.

– Le monde va peut-être changer en *mieux*. À condition que tu saches tirer les ficelles, évidemment.

Il me raconta ensuite comment, en nettoyant les conduits, il avait appris qu'au palais Catherine, où était installé le nouvel hôpital, Anna Vyroubova était chargée de distribuer leurs repas aux malades.

– Elle va avoir besoin d'un régiment de marmitons pour éplucher les patates et préparer la nourriture saine et insipide des blessés. Si tu veux quitter ta cave et voir de nouveau la lumière du jour, tu sais ce qu'il te reste à faire : aller parler à ta tante Lara. Ah, demi-portion ! Je parie que tu ne devineras jamais le nom des deux jeunes infirmières pleines d'entrain qui viennent de suivre un cours accéléré pour contribuer à une cause aussi patriotique ! En uniforme, la moitié supérieure d'OTMA est vraiment à croquer…

Youri tira de ses poches noircies une photo d'Olga et Tatiana en robe grise, protégée par un tablier au plastron brodé d'une grande croix. Elles portaient une toque amidonnée qui encadrait admirablement leurs traits.

– C'est pour moi ? demandai-je, persuadé que mon ami, qui se moquait toujours de mes sentiments à l'égard de Tatiana, avait « emprunté » ce cliché pour le simple plaisir de me l'offrir et de me voir faire ce qu'il appelait une tête de « mouton égorgé ».

– On ne touche qu'avec les yeux ! Je dois la remettre à sa place.

Youri avait toujours affirmé ne pas s'intéresser aux grandes-duchesses. À l'entendre, il n'avait accepté de pénétrer dans le royaume d'OTMA que pour voler à mon secours en cas de pépin. Pourtant, ce jour-là, alors qu'il s'empressait de glisser l'image dans une pochette qu'il fit disparaître entre les plis de ses vêtements, j'eus l'impression que ce n'était pas la seule photo qu'il conservait près de son cœur.

– Va voir Lara Aleksandrovna, insista-t-il. Avec un peu de chance, tu quitteras peut-être les patates du palais Alexandre pour servir la soupe aux malades du palais Catherine. Tu seras encore plus près de ta chère T. Tu sais ce qu'on dit à propos des guerres, demi-portion : Mars et Cupidon aiment travailler ensemble. Quand le premier est lâché, les amours les plus invraisemblables deviennent possibles. *Amours de guerre**, disent les Français, qui s'y connaissent vraiment en la matière.

Amours de guerre

Les paroles de Youri se révélèrent aussi prophétiques que celles de Raspoutine. Plus, même, pour tout dire. On m'affecta en effet immédiatement à l'hôpital du palais Catherine (quelques mots de tante Lara à Anna Vyroubova suffirent). Quant aux *amours de guerre**, comme les appelait Youri, il y en eut, même si, malheureusement, je n'en étais pas l'acteur principal.

Le dieu Cupidon évoqué par mon ami survolait l'hôpital tout entier ou faisait du rase-mottes au-dessus des rangées de lits occupés par les convalescents, puis s'introduisait sans y être invité dans le bureau des infirmières. Mais avant d'aborder ce qui fut peut-être la seule facette agréable de la guerre, il me faut m'attarder sur ses aspects les plus tragiques et rendre compte, par exemple, de ce que nous voyions chaque jour. Travailler dans un hôpital aussi privilégié ne nous épargnait pas des scènes dantesques : garçons au visage défiguré par la mitraille ; jeunes corps brûlés jusqu'aux os, la chair à vif ; paysans mutilés arrivant chaque matin, entassés les uns sur les autres dans des camions, chargement effrayant et morbide. Je découvris alors que la souffrance est reconnaissable aux sons qu'elle produit et à son odeur. Elle s'accompagne du bourdonnement des mouches entrecoupé de hurlements d'hommes parfois à peine sortis de l'enfance, qu'il faut amputer au plus vite d'une jambe ou d'un bras, avec pour seule anesthésie une ou deux gorgées de vodka. Quant à l'odeur, je n'ai jamais pu l'oublier. Près d'un siècle plus tard, si je ferme les yeux, je sens encore la puanteur du désinfectant, du sang et de la chair putride. C'est là, dans ce débordement de douleur et de mort, que notre tsarine s'affairait avec diligence auprès des malades, en compagnie de ses deux filles aînées. Ensemble, elles tenaient les cornets à éther, participaient aux interventions les plus délicates, retiraient de la table d'opération les jambes ou les mains qui venaient d'être amputées. La tsarine était efficace, entièrement dévouée à sa cause, voire heureuse de pouvoir venir en aide à ces malheureux soldats, ne serait-ce que pour pleurer avec eux pendant qu'on leur sciait un pied ou qu'on leur vidait un œil. Elle priait aussi. Sans relâche, avec d'autant plus de ferveur que l'agonie était longue. Son journal et les lettres qu'elle envoyait jusqu'à deux fois par jour au tsar font état de l'histoire tragique de nombreux patients, dont elle mentionne chaque fois les noms et prénoms :

> *Ivan Sergueïévitch, dix-neuf ans à peine. C'est la première amputation conséquente à laquelle je procède, aidée de Tatiana : le bras gauche en entier, presque depuis l'épaule, deux doigts de l'autre main et la jambe droite. Olga se charge de passer le fil dans les aiguilles, il y a du sang partout. Que Dieu le bénisse et lui donne des forces.*

Menant une existence protégée et isolée, Tatiana n'avait jusqu'alors pas eu connaissance des aspects terrifiants de la réalité. Elle y fit face en infirmière expérimentée. J'ai du mal à imaginer les réactions d'une jeune fille qui se retrouvait soudain entourée d'hommes nus et blessés alors qu'elle n'avait jamais vu plus de peau que ne le tolérait l'ennuyeuse décence victorienne. Dès le premier jour, elle sut prouver qu'elle ne vacillait devant rien, pas même quand, au cours d'une opération précipitée (de celles où le chirurgien stérilisait ses instruments à la flamme), le sang tiède jaillissait d'une artère tranchée et lui giclait au visage. Elle ne comptait pas son temps et était toujours présente, pleine d'ardeur, le sourire aux lèvres. En revanche, Olga ne supportait pas toute cette souffrance. Ses mains tremblaient et, malgré ses efforts, elle était plus gênante qu'utile. Sa mère la relégua à des tâches subalternes, comme raser les blessés, nettoyer le matériel chirurgical ou passer le fil dans le chas des aiguilles. Mais très vite son aînée supplia qu'on lui assigne un autre type de travail, n'importe lequel mais loin du pavillon opératoire. L'univers d'Olga et de ses sœurs, ce monde « sous cloche » dont parlait sa grand-mère Minnie, éclata brusquement en mille morceaux. En lisant les journaux qu'achetaient les infirmières et en entendant certains commentaires, elle fut stupéfiée de découvrir les ragots qui circulaient à propos de son père et, surtout, de sa mère, qu'on traitait de *Niemka* (« Allemande ») pour rappeler qu'elle était née dans le pays que la Russie combattait, la mettant en parallèle avec Marie-Antoinette, l'*Autrichienne**. Alexandra et Raspoutine étaient exposés à la haine de leur peuple. On accusait la tsarine d'être une espionne, une putain, une traîtresse qui souhaitait la victoire de l'Allemagne plus que celle de notre pays. Olga eut connaissance d'une plaisanterie qu'on racontait alors et qui résumait à elle seule l'opinion générale : « Tu sais quoi ? demandait le tsarévitch à Anastasia. Je suis très embêté. Je ne sais pas pour quel camp je dois prendre parti dans cette guerre idiote. Quand les Russes perdent une bataille, papa a l'air mélancolique, mais quand les Allemands battent en retraite, maman pleure. »

La haine était palpable jusque dans les murs de l'hôpital, et Olga vit un jour un soldat qui non seulement refusait que la tsarine s'occupe de lui, mais crachait par terre en répétant « *Niemka*, maudite *Niemka* ».

Olga changea. D'une pâleur alarmante, elle perdit le sommeil. La tsarine, que sa fille n'informa jamais des raisons de son trouble, mit son état sur le compte de son manque de vocation pour le métier d'infirmière. « Certains sont faits pour cela, d'autres non, lui dit-elle. Il vaut mieux que tu aides à faire la comptabilité du dispensaire, Olienka, c'est un soutien tout aussi honorable que de s'occuper des blessés. »

À compter de ce moment, Olga Nikolaïevna espaça ses visites dans les dortoirs des malades, puis finit par ne plus s'y rendre du tout. Elle cessa de passer en revue les rangées de lits avec Tatiana et on ne la vit plus jamais bavarder avec un soldat, lui lire des lettres de sa famille ou soulager sa longue agonie en lui contant des légendes russes. Jusqu'alors, les grandes-duchesses avaient pour habitude de ne quitter les lieux qu'à l'heure du souper, rivalisant entre elles pour arracher le plus de sourires possibles aux blessés. Quand Olga s'exila dans les services administratifs, Tatiana écourta ses journées, et toutes deux regagnaient le palais, en compagnie d'Anna Vyroubova et d'Alexandra, vers cinq heures de l'après-midi.

Voilà pourquoi je fus extrêmement surpris d'entrevoir à une heure tardive une silhouette qui me semblait familière dans le couloir qui menait au dortoir. Elle se déplaçait en jetant des regards furtifs autour d'elle, comme pour s'assurer que nul ne la suivait. Cette dame était grande, souple, et le long pan de tissu à l'arrière de sa coiffe flottait dans son dos. Me dirigeant moi aussi vers le dortoir pour donner de l'eau aux malades, je décidai de ralentir le pas. Qui était-ce ? En principe, les gardes de nuit étaient assurées par des infirmières de la Croix-Rouge, qui avaient un uniforme différent de celui des Sœurs de la Miséricorde que portaient Alexandra, Tatiana, Olga, Anna Vyroubova et cinq ou six autres dames n'ayant pas la taille aussi fine que mon inconnue. « C'est elle », songeai-je tandis que mon cœur s'emballait. Je travaillais à l'hôpital depuis quelques semaines et avais croisé Tatiana à plusieurs reprises. Nous avions échangé quelques mots (« bonjour », « merci » et même « à bientôt »). Ce n'était pas grand-chose, je l'avoue, mais les amours platoniques s'alimentent de miettes. J'oserais même dire qu'elles préfèrent les reliefs aux mets plus conséquents, et les personnes qui les ont expérimentées n'iront pas me contredire.

La silhouette silencieuse venait de pénétrer dans le grand dortoir des soldats et progressait entre les lits. Plus loin, elle s'immobilisa devant le rideau qui séparait les convalescents des blessés graves. Je lui emboîtai le pas dans la salle à peine éclairée par quelques veilleuses, allumées pour faciliter la tâche aux infirmières en cas d'urgence. Afin de ne pas trahir ma présence, j'avançais en me plaquant aux fenêtres. La visiteuse écarta les deux pans du tissu blanc et disparut derrière eux, mais auparavant elle tourna légèrement le cou d'un geste si vif que je ne pus voir son visage caché par sa coiffe blanche amidonnée, rigide comme celle d'une nonne. « Dommage, il va falloir que j'entre dans la salle des blessés graves », songeai-je. J'attendis toutefois un instant avant de m'y résoudre : qui que soit cette femme, elle devait être sûre que nul ne la suivait. À proximité du rideau, je patientai sans bouger. Rien ne semblait perturber les bruits ambiants de l'hôpital plongé dans la pénombre. À ma gauche, un homme gémissait dans son sommeil. Un autre, à l'agonie, appelait sa mère. Certains avaient les yeux ouverts et me faisaient signe. « De l'eau, donnez-moi de l'eau, par pitié. »

Sachant que je ne pouvais exaucer le souhait des soldats opérés de fraîche date, je leur humectais les lèvres avec une gaze mouillée. Si je voulais découvrir l'identité de l'inconnue sans éveiller ses soupçons, le meilleur moyen consistait à poursuivre ma tâche, ce que je fis un moment jusqu'à ce que le silence règne à nouveau dans la salle. Je fis alors un, deux, trois pas en direction du rideau, dont j'osai enfin écarter les pans pour glisser un œil. Elle me tournait le dos, assise sur le lit d'un des trois soldats allongés là. Il avait l'air de dormir mais respirait difficilement, de manière irrégulière, comme un animal malade. Deux semaines passées dans un hôpital ne permettent pas d'acquérir des connaissances médicales approfondies, mais ce ronronnement ne semblait pas normal. Dans la salle des blessés graves comme dans celle des convalescents, il y avait très peu de lumière. Par chance, le lit du soldat que la femme observait avec tant d'intérêt était placé devant une fenêtre et la pleine lune éclairait son corps, un corps parfait, si parfait qu'il ne pouvait que susciter l'admiration. Un bandage dissimulait son bas-ventre, mais le reste du tronc paraissait sculpté dans l'albâtre, si blême que sa blancheur était forcément due à la souffrance ou à la fièvre. La lune me permit de distinguer des traits que tout garçon de mon âge rêve de posséder un jour : une mâchoire carrée, des pommettes hautes, une moustache si fine qu'elle donnait l'impression de dessiner sur ses lèvres un sourire perpétuel.

– Mitia, murmura alors l'inconnue, qui répéta les deux syllabes de ce prénom en s'attardant sur chacune, comme s'il lui coûtait de s'en détacher.

« Bien sûr ! Ça ne pouvait être que lui, Dimitri Malama ! » m'exclamai-je intérieurement. Son arrivée avait délié les langues à l'hôpital et dans les communs, où nous plaisantions et nous informions des nouvelles du jour. Le lieutenant Dimitri Malama, surnommé Mitia, était l'un des hommes les plus connus de Petrograd.

« Ah, tu aurais dû le voir avant qu'il ne soit blessé ! » me rappelais-je avoir entendu de la bouche d'une aide-soignante qui bavardait avec une de ses collègues.

Elles sortaient de la salle des blessés graves, chargées d'éponges et de linges qui avaient servi, je suppose, à faire la toilette du malade. La plus âgée, prénommée Daria, serrait comme une relique dans ses mains une compresse trempée de sang.

« Je n'ai jamais croisé d'homme aussi beau que lui ! Tu as vu son visage, ses épaules, ses jambes, Nelly ? Et sa taille ! Je suis sûre qu'il est encore plus grand que Nicolas Nikolaïevitch, notre commandant en chef. Et ses yeux verts et rieurs qui, lorsqu'ils te regardent, te donnent l'impression que tu es la seule à retenir son attention ? Que saint Isaac et la Vierge de Kazan fassent qu'il les rouvre bientôt...

– Qu'est-ce qu'il a, au juste ? l'avais-je interrompue en m'immisçant dans leur conversation.

– Une vilaine blessure à la jambe et une autre, très profonde, au ventre.

– C'est pour ça qu'il est inconscient ? Il n'aurait pas pris un coup sur la tête ? » était intervenue Nelly.

Mais Daria s'intéressait vraisemblablement moins à la pathologie qu'à la très noble science anatomique.

« Et cette poitrine ! avait-elle enchaîné. Tu as vu comme il tremblait quand j'ai passé l'éponge tiède sur sa peau ? Oh, par saint Siméon le Stylite, même cette grosse vache de Vyroubova invente toutes sortes de prétextes pour venir rôder par ici et tendre ses draps, lui appliquer un cataplasme sur le front, prendre sa température en soupirant à fendre l'âme !

– Tu me dis ça à moi… avait renchéri Nelly d'un air espiègle. Toutes ces petites péronnelles que la tsarine nous envoie pour nous casser les pieds alors qu'elles ne savent rien faire de leurs dix doigts seraient prêtes à faire l'impossible pour qu'il se réveille et pose ses yeux verts sur elles… »

Naturellement, la silhouette qui se tenait auprès de Dimitri Malama n'était pas l'amie grassouillette de la tsarine. Je me surpris à espérer qu'il s'agissait d'une de ces infirmières, une de ces péronnelles dont avait parlé Daria. « N'importe laquelle de ces femmes, sauf elle », me dis-je, parvenant presque à m'en persuader, car, après tout, il était impensable qu'une grande-duchesse puisse s'échapper de nuit du palais Alexandre, qui se trouvait à une demi-verste de là, pour aller admirer un officier dans le coma.

Un nuage passa devant la lune, plongeant dans la pénombre le blessé et sa visiteuse. Privé de la vue, il ne me restait plus qu'à dresser l'oreille.

– Mitia ! susurra-t-elle si doucement qu'il m'était impossible d'identifier sa voix.

La lune eut enfin la gentillesse de resurgir. Moins brillante qu'auparavant, elle me permettait quand même de voir que la silhouette me tournait toujours le dos et promenait à présent ses mains sur le corps du blessé en s'arrêtant çà et là. Je sentis tout à coup une odeur de musc et pensai que la visiteuse était peut-être venue sous prétexte d'appliquer un onguent médicinal sur le corps du jeune officier endormi, de manière à justifier sa présence au cas où on l'aurait découverte. Dans un premier temps, elle se montra pudique. Lente et hésitante, elle descendit le long du cou, s'arrêta un moment sur le thorax. Alors qu'elle s'apprêtait à poursuivre le massage sur le ventre, elle s'interrompit, sans doute gênée, et sa main remonta vers les côtes dans une caresse innocente. « Oserai-je ? N'oserai-je pas ? » semblait-elle se demander. Elle reprit confiance et s'aventura au creux des aisselles, où elle s'attarda. Lentement, très lentement, avec une assurance croissante, elle entama la descente. Je la vis toucher le plexus solaire puis, résolue, explorer la zone autour du nombril et gagner des régions inférieures. Toujours plus voluptueuse, toujours plus bas, elle rencontra deux obstacles : le bandage sur le ventre et les draps qui couvraient le reste du corps dénudé. La main solitaire et enduite de musc ignora le premier et, après une légère indécision, s'engouffra sous le drap. J'ignore combien de temps dura ce massage furtif, je sais juste qu'un moment plus tard la visiteuse redressa la tête comme un animal aux abois. Semblable à une colombe apeurée, elle tremblait de la tête aux pieds et sa main remonta à la surface. Pâle et blanche, elle s'immobilisa quelques secondes pour finir par se poser chastement sur la main droite du blessé.

À la manière d'une pénitente implorant le pardon pour Dieu sait quels péchés, elle se pencha et baisa les yeux clos de Dimitri Malama, frémissante, dans une attitude suppliante. Je ne vis rien de plus, car la lune choisit précisément cet instant pour se cacher derrière un nuage plus noir que le précédent.

Je n'avais plus qu'à attendre qu'elle ait terminé sa visite secrète, et j'espérais qu'elle ne tarderait pas, sans quoi la personne de garde dans les communs s'inquiéterait de mon absence, et mon escapade me coûterait cher. Plusieurs minutes s'écoulèrent, qui me parurent une éternité, puis l'inconnue se décida à repasser devant le rideau qui nous séparait. « Allons, viens, approche-toi, lui enjoignis-je mentalement. Et quand tu seras près de la porte, s'il te plaît, tourne la tête à droite. Rien qu'une seconde, je t'en prie, vers moi et la lampe du couloir. »

Elle parcourut un ou deux mètres. Ni sa coiffe de nonne ni sa tenue des Sœurs de la Miséricorde ne parvenaient à enlaidir un corps qui se déplaçait comme un chat dans la nuit. Le menton haut, elle marchait à petits pas résolus... Oui, c'était forcément elle. « Tatiana Nikolaïevna », pensai-je, me gardant bien évidemment de prononcer son nom à voix haute. Sa visite à un homme qui ne pouvait ni la voir ni l'entendre serait notre secret. Faute de mieux, je trouvais charmante l'idée de partager son incartade. En échange, je voulais simplement voir son visage et pouvoir croire un court instant que l'expression que j'imaginais s'adressait à moi et non au beau Malama. « Maintenant, Tatiana Nikolaïevna. Regarde sur ta droite, s'il te plaît. » Contre toute attente, la lune exauça mon vœu et brilla furtivement, assez longtemps pour que je décèle sur ses traits, comme je l'avais supposé, l'amour, le trouble, la folie. Contrairement à ce que je croyais, cette figure agréablement chavirée n'était pas celle de Tatiana Nikolaïevna, mais celle de sa sœur Olga.

Plongée dans ses pensées, elle passa sans me voir. Je crois même que nous aurions pu nous rentrer dedans qu'elle ne s'en serait pas aperçue. J'étais si heureux que ce soit elle et non ma Tatiana que j'évitai de la suivre du regard quand elle quitta les lieux pour s'évanouir dans la nuit.

Aimer et se taire

Mon excursion nocturne ne demeura pas impunie. Il se trouve toujours quelqu'un pour se faire reluire aux dépens des autres et, dans mon cas, le rapporteur portait comme par hasard le même prénom que le blessé au torse d'albâtre. Mais Mitia Efimovitch n'avait aucun des attributs de Mitia Malama. Long à la comprenette, il avait des troubles de la voix qui le faisaient parler de façon aiguë et nasillarde. C'était sans doute pour cette raison qu'il cherchait à s'exprimer par d'autres biais, et il en affectionnait un en particulier, d'une efficacité redoutable – annonciateur de ce qui, quelques années plus tard, serait la « vertu » soviétique par excellence –, qui n'était autre que la délation. Il lui suffit de dire à mon nouveau chef que ma distribution d'eau aux malades avait duré plus de trois quarts d'heure pour me prendre mon poste et m'envoyer au ravitaillement ou, ce qui revient au même, me condamner aux Ténèbres, le nom donné par les serviteurs aux caves du palais Catherine, devenues un entrepôt de vivres et un dépôt de cadavres. Dans ce voisinage très agréable, je classais et rangeais les victuailles qui nous arrivaient. Je devais séparer chaque livraison et, surtout, vérifier l'état des denrées, car, nous avions beau être dans un hôpital privilégié, la plupart des produits que nous recevions étaient à moitié pourris. C'était un travail lugubre et je n'avais pour toute compagnie que celle des rats qui se partageaient entre la morgue et la réserve encombrée de sacs de farine et de riz où ils venaient fourrer leur nez.

Un mois s'écoula. Désormais, je ne voyais l'hôpital que de loin, et de plus loin encore les infirmières, tant celles de la Croix-Rouge que celles des Sœurs de la Miséricorde. Elles mettaient beaucoup d'opiniâtreté dans l'exercice de leur métier, car si, au début de la guerre, la chance avait favorisé l'armée russe, des nouvelles désastreuses du front nous parvenaient depuis quelques semaines. Nous avions perdu des batailles importantes et le nombre de morts augmentait, de même que celui des blessés, transportés sur des charrettes ou des camions, fébriles ou fous de douleur, baignant dans leur sang ou leurs excréments. Il n'y avait pas assez de personnel pour s'occuper de tout le monde, et c'est sans doute pour cette raison que malgré le mouchardage de Dimitri Efimovitch, l'homme à la voix de soprano, on m'appela un matin, alors que j'émergeais des Ténèbres, en me demandant d'aider à lessiver les sols des salles d'opération après une affluence spectaculaire de blessés. C'était une rude occupation : moins parce qu'il fallait brosser à la main le sang coagulé qui maculait le sol que parce qu'on ne savait jamais ce qu'on allait découvrir. Moi qui avais été brièvement chargé de vider les poubelles du palais Alexandre, je connaissais ce qu'on appelle le Langage Secret des Détritus. Les ordures parlent et racontent beaucoup d'histoires. Celles du palais Alexandre évoquaient des repas abondants, quantité de bouteilles de vodka, la gourmandise et le gaspillage. En revanche, les poubelles de l'hôpital de la tsarine mettaient au jour une réalité bien différente. Il n'était pas rare de trouver parmi les pelures d'orange, les restes de chou et les excréments des bouts de doigts et même

– une fois et à ma grande stupéfaction – un œil d'une triste couleur turquoise.

Grâce à ma nouvelle et pénible affectation, je pus regagner notre hôpital de campagne et la salle des blessés, où je n'avais plus remis les pieds depuis la fameuse nuit qui m'avait envoyé en exil. Ma première réaction fut de m'informer de l'état de Mitia Malama et de demander s'il avait survécu à ses blessures. Je questionnai Daria qui, avec son amie Nelly, m'avait quelque temps plus tôt renseigné sur le beau Dimitri.

– S'il a survécu ? s'écria-t-elle en levant les yeux au ciel et en joignant les mains dans une attitude de prière. Tu devrais le voir, mon garçon. Il est aussi fort, aussi splendide qu'avant. Bien sûr, nous avons toutes contribué à sa guérison miraculeuse…

– Certaines plus que d'autres, précisai-je, tâchant d'adopter le ton complice et insidieux qui pousse à la confession.

– Ça oui ! s'esclaffa-t-elle. Certaines plus que d'autres, comme notre grande-duchesse préférée, par exemple. Cette sainte-nitouche en a surpris plus d'un…

– J'ai cru comprendre qu'on ne la voit pas souvent ici, répondis-je, sachant que la tsarine avait relégué depuis longtemps Olga dans les bureaux.

– Pas souvent ? Je ne sais pas ce qu'il te faut ! Dès que sa mère et la Vyroubova ont le dos tourné, elle se précipite dans la salle des convalescents et s'assoit pendant des heures près de son Mitia adoré. Ils sont censés jouer aux cartes ou à ce jeu que les riches appellent le « backgammon », mais, si tu veux mon avis, ils flirtent. Ils se fichent éperdument de faire jaser. Parfois, ils ferment les rideaux qui isolent les lits, alors qu'en principe ils doivent toujours rester ouverts, sauf pendant les soins médicaux. Ils se les dispensent eux-mêmes, les soins ! Je n'ose même pas imaginer ce qu'ils fabriquent ! ajouta-t-elle, les yeux brillants. Et ce n'est pas tout : maintenant, nous autres, qui faisons déjà le sale boulot, devons en plus nettoyer la bave d'Ortino, ce qui n'est pas rien. Une vraie cascade !

– Ortino ?

– Le bulldog que Mitia lui a offert pour son anniversaire. Comme tu le sais – et si tu n'es pas au courant, je vais te le dire –, ces petits chiens laissent des flots de bave partout où ils passent, c'est dégoûtant. Évidemment, elle ne le voit pas, même si elle dort avec. Elle doit s'imaginer que c'est Mitia Malava qu'elle enlace. Je ne vais pas la critiquer, je ferais pareil à sa place. Ah, si seulement j'étais grande-duchesse ! soupira Daria. Mais il ne fera jamais attention à moi, souffla-t-elle après une courte pause. Il ne sait même pas que j'existe. Pourtant, Nelly et moi le voyons tous les jours dans le plus simple appareil, quand nous faisons sa toilette. Ah, quel moment grandiose ! Ça doit être ça, le paradis : de grosses bulles de savon partout et le corps de Mitia rien que pour soi pour l'éternité !

– Ne t'inquiète pas, la rassurai-je. Cette idylle entre la grande-duchesse et Mitia Malava ne peut que mal se terminer, parce que la tsarine ne le laissera jamais épouser sa fille. Il te passerait plus facilement la bague au doigt, à toi…

– Ne crois pas ça. Tu sais ce que Nelly a entendu dire, l'autre jour ? Apparemment, pendant un soin, Anna Vyroubova disait à la tsarine qu'elle avait l'intention d'inviter Mitia Malama à prendre le thé chez elle avec Olga et Tatiana dès qu'il serait rétabli. Elle le trouve « tellement » charmant… « Oh, Aniouchka, tu as raison, a répondu la tsarine, j'écrivais hier la même chose au tsar. J'adore ce garçon. Pourquoi les princes d'Europe ne lui ressemblent-ils pas ? »

Je me réjouissais qu'Olga ait enfin oublié l'amertume que lui avait laissée son premier amour en convolant avec une autre, et son chagrin quand ses parents avaient découvert que son cousin Dimitri était un noceur. Cœur solitaire dont l'amour n'était jamais payé de retour, l'aînée des grandes-duchesses m'était sympathique. Je l'imaginais heureuse, et à son bonheur s'ajoutait la satisfaction d'avoir séduit l'homme après lequel toutes les femmes soupiraient. Les paroles de Youri sur les amours de guerre me revinrent à l'esprit et je songeai qu'il est vrai que, en contrepartie de ses horreurs, un conflit peut faire prospérer des idylles qui n'auraient jamais vu le jour en d'autres circonstances. « Je te souhaite bonne chance, Olga Nikolaïevna », me dis-je en me dirigeant vers la salle des convalescents où, d'après Daria, on avait transféré depuis peu un Mitia Malava débordant de santé.

Je n'avais pas franchi le seuil qu'un petit chien couleur cannelle se précipita littéralement sur moi. En deux bonds, il alla s'installer sur le lit du lieutenant Malama.

– Ortino ! s'exclama une voix dans mon dos. Tu sais que ce ne sont pas des manières ! Attends un peu que je t'attrape, espèce d'idiot !

Je me retournai, m'attendant à voir la maîtresse d'Ortino, ce qui était en effet le cas, mais la jeune fille que j'avais sous les yeux était Tatiana Nikolaïevna et non Olga. Plus radieuse et plus belle que jamais, elle passa gaiement près de moi – sans me voir, bien entendu – et rejoignit son ami.

C'est ainsi que j'appris l'histoire d'amour dont se régalait tout Petrograd. Mitia Malama et la grande-duchesse Tatiana se rencontraient sans se cacher, avec pour complice un léger rideau de batiste. La solidarité qui m'unissait à Olga me dissuada de divulguer à quiconque – pas même à Youri – la scène à laquelle j'avais assisté un mois auparavant, par une nuit de pleine lune. Elle restera notre secret. En revanche, je ne renonçai pas à m'informer de tout ce qui s'était passé depuis cette visite nocturne. On me raconta que, pendant que j'étais relégué dans les caves du palais, Mitia, que les filles du tsar connaissaient bien avant que la guerre n'éclate, avait passé des semaines inconscient. On disait qu'il était sorti du coma grâce aux bons soins de Tatiana. Pendant sa convalescence, ne pouvant réintégrer l'armée, il avait été nommé écuyer du régiment qui montait la garde à Tsarskoïe Selo. Olga s'acquittait de son ennuyeux travail bureaucratique et n'avait en principe plus jamais remis les pieds dans la salle des blessés. Avait-elle toutefois continué ses visites et prodigué d'autres caresses à son bien-aimé à l'insu de tous ? Olga et Tatiana étaient-elles déjà éprises de Mitia avant la guerre ? Ces sœurs si unies s'étaient-elles confié leurs penchants mutuels pour le même homme ? Se pouvait-il que le cœur de la plus froide et la plus consciente de son rang de grande-duchesse ait finalement battu pour quelqu'un ? Parmi toutes ces interrogations, il en est une, la plus importante de toutes, dont j'aurais bien aimé avoir la réponse : laquelle des deux jeunes filles aimait Dimitri Malama ?

Ortino et le sourire qu'esquissa Mitia en voyant Tatiana s'avancer vers lui expliquaient tout, et je m'éloignai en silence, la gorge stupidement, irrémédiablement, nouée.

Quand on leva ma punition, je pus de nouveau parcourir l'hôpital avec une plus grande liberté qu'avant de purger ma peine dans les Ténèbres. Il me fut donc facile de m'approcher des bureaux, ou plutôt des dépendances où travaillait Olga Nikolaïevna. Nous étions en décembre et dans la forêt qui s'étendait non loin de là poussaient à profusion du gui et du houx, deux belles surprises que nous réserve l'hiver lorsqu'on sait les trouver, alors que le reste de la nature sommeille. J'allai en cueillir dans une clairière, puis, une branche de chaque cachée dans le dos, je frappai à sa porte. Les serviteurs n'ayant le droit d'entrer en contact avec les membres de la famille impériale que si ces derniers s'adressaient à eux en premier, je gagnai sa table sans piper mot et déposai mes présents près du registre sur lequel elle était en train d'écrire. Elle ne leva les yeux qu'un court instant, mais j'y vis tout son amour déçu.

Dans la soirée, j'allai trouver Daria, que je considérais à présent d'un œil nouveau. Elle avait cinq ans de plus que moi, des cheveux blond cuivré, des pommettes hautes qui m'aidèrent à retrouver sur son corps les vestiges lointains d'un autre corps aimé.

Nouveau miracle de Raspoutine

– C'est elle, c'est elle ! Elle est mourante, par saint Nicolas et saint Simon, allez prévenir la tsarine, *izviniti pojaluysta*, laissez-nous passer !

Le 2 janvier 1915, notre hôpital de campagne accueillit sa seule patiente féminine, une moribonde qui avait une grosse hémorragie et les jambes en charpie.

Ce jour-là, Anna Vyroubova était sortie vers quatre heures de l'après-midi de l'hôpital du palais Catherine pour prendre le train et rendre visite à ses parents à Petrograd, après avoir passé des mois épuisants à travailler jusqu'à l'aube. Le convoi n'avait parcouru que quelques verstes lorsqu'un bruit assourdissant la fit tressaillir, suivi d'une collision. Sa tête fut projetée contre le porte-bagage alors que ses jambes étaient coincées dans les tuyaux du chauffage. Le wagon se brisa en deux et elle ressentit une douleur insoutenable à la nuque lorsque ses os furent broyés. « Celle-ci, laissez-la, elle est plus morte que vive », eut-elle le temps d'entendre avant de perdre connaissance.

Quelqu'un finit par avoir pitié de ce corps déchiqueté, car, après qu'elle eut passé des heures étendue dans la neige à côté de cinq ou six cadavres, on lui découvrit un souffle de vie et on la transporta dans notre hôpital. Contre l'avis de Mme Gedroiz, l'infirmière en chef – qui n'avait aucune sympathie pour Anna Vyroubova parce que, selon elle, cette femme exerçait une influence néfaste sur la tsarine –, on lui prépara une chambre au rez-de-chaussée de la bâtisse, à l'écart des autres blessés, afin de lui dispenser les premiers soins. Si elle était encore vivante le lendemain, ce qui semblait improbable, on la transférerait dans un hôpital civil.

Avec le recul, je me réjouis de cette décision qui m'a permis d'assister à une des guérisons miraculeuses de Raspoutine dont on parlait tant. Dès qu'elle fut informée de l'accident, la tsarine téléphona au starets, qui se trouvait chez lui, à Petrograd. Victime d'un attentat quelques mois auparavant, il était encore convalescent, mais accourut au plus vite au palais malgré une tempête de neige qui l'obligea à faire en trois heures un trajet n'excédant pas trente minutes en temps normal.

Je m'étonnai de le voir si changé. Il venait certes de passer plusieurs mois en Sibérie en attendant de se remettre des coups de couteau qui avaient failli lui coûter la vie. Le bruit courait que, depuis qu'il s'était posé en ennemi de la guerre, son ascendant sur la famille impériale avait considérablement décru. En tout cas, je le trouvai métamorphosé. Il était pâle, plus maigre que jamais, et son célèbre regard magnétique paraissait troublé par la douleur ou la fièvre.

– Tu parles, c'est plutôt à cause de toute la vodka qu'il avale, susurra Daria, que j'avais rejointe devant la porte de l'hôpital pour ne pas rater l'arrivée de Raspoutine. On dit qu'il passe ses nuits dans des bouges tziganes et qu'il boit jusqu'au petit matin. Ensuite, il cuve, et l'après-midi il espionne pour les Allemands. Joli programme.

Sans prêter attention à ses paroles, j'observai le starets qui passa non loin de nous. Il ne nous accorda pas le moindre regard et se dirigea vers la chambre de

Vyroubova. Je décelai cependant dans ses yeux une lueur étrange que je ne lui avais pas remarquée lorsque j'avais fait sa connaissance, dans le salon de Marie-Antoinette, et qu'on ne pouvait mettre sur le compte ni de la vodka ni de ses nuits blanches. « Il a peur, songeai-je. Il est effrayé. Pourquoi ? » Même s'il ne venait plus aussi fréquemment au palais, Grigori Efimovitch avait à l'évidence toujours beaucoup de pouvoir. À l'époque, j'étais trop jeune pour savoir que plus on a d'autorité, plus on redoute de la perdre, aussi ne m'attardai-je guère sur cet éclat singulier, que j'attribuai comme Daria aux beuveries du starets. Je n'eus de toute façon guère le temps d'y réfléchir davantage, car tout l'hôpital était en effervescence. On venait d'annoncer que le tsar en personne allait bientôt arriver pour voir Anna Vyroubova. Un apprenti *voyeur** dans mon genre n'ayant aucune envie de manquer un face-à-face entre Raspoutine et Nicolas II, je cherchai l'endroit idéal pour assister à la scène et décidai qu'il valait mieux sortir du palais et m'approcher de la fenêtre de la grande blessée. Avec un peu de chance, les températures glaciales dissuaderaient d'autres curieux de faire de même, nous laissant seuls, Daria et moi, dans cette loge improvisée. Je me trompais et constatai que plusieurs personnes – infirmiers, domestiques et même deux ou trois soldats au repos – avaient eu cette idée. Je me consolai en me disant que l'aubaine valait bien deux ou trois coups de coude et que la chaleur humaine aide à supporter le froid.

– Chuuut, murmura Daria. Voilà le tsar ! Il arrive !

Je tâchai tant bien que mal de distinguer quelque chose dans la chambre de Vyroubova avant que Nicolas II y pénètre. C'était une petite pièce nue meublée d'un lit métallique et, au-dessus, d'une icône de Notre-Dame de Kazan. Le corps méconnaissable de la meilleure amie de la tsarine faisait peine à voir. Son visage enflé était grotesque ; déjà globuleux en temps normal, ses yeux formaient deux lignes violettes barrant un amas de chair flasque ; son menton et son nez étaient tuméfiés au point de se rejoindre, et en voyant sa bouche bleuie et enfoncée je songeai qu'elle avait probablement perdu toutes ses dents. La tête bandée, les jambes et le bras gauche plâtrés, elle respirait avec difficulté. Assise à sa droite, notre tsarine priait en soutenant avec une infinie délicatesse cinq doigts boudinés qui émergeaient du plâtre. À sa gauche, Grigori Efimovitch Raspoutine se balançait d'avant en arrière, faisant osciller son ombre au rythme des litanies susurrées par Alexandra.

Tout à coup, il se redressa comme un animal qui vient de flairer quelque chose et riva ses yeux sur la porte. Une dizaine de secondes plus tard, des murmures annonçaient l'entrée du tsar dans la pièce.

À compter de cet instant, j'eus l'impression d'être le spectateur d'une pièce de théâtre parfaitement montée. Dès qu'il entendit les pas décidés du tsar résonner dans le couloir, Raspoutine tourna le dos à la porte avec une précision d'horloger et, mine de rien, s'agenouilla rapidement, baissa la tête et joignit les mains pour dire une oraison. Il attendit que Nicolas l'ait rejoint, puis, sans un regard pour lui, prit la main droite de la moribonde.

– Aniouchka, Aniouchka, réveille-toi, enjoignit-il à la blessée. Aniouchka, au nom de Dieu, je t'ordonne d'ouvrir les yeux.

Le corps disloqué ne réagissait pas. Il continua de lui parler d'une voix douce et profonde, semblable à celle d'un ventriloque.

– Je sais que tu m'entends, Aniouchka. Je suis ici pour t'aider. *Batiouchka* va arriver d'un moment à l'autre et *matiouchka* Alexandra est déjà avec toi, elle ne cesse de pleurer et de prier pour toi. Tu dois m'obéir. Tu peux le faire, tu peux tout faire parce que je te le demande.

Cette incantation persuasive dura cinq bonnes minutes. Le tsar commençait à s'impatienter. Du revers de la main, il passait et repassait ses doigts dans sa barbe, comme chaque fois qu'il était mal à l'aise. Quant à nous autres, sous la fenêtre, le froid nous transperçait les os et je crus que ma cervelle allait geler.

– Vous voyez ? lança un homme qui se tenait près de moi. Je vous l'avais bien dit. Ce Raspoutine n'est qu'un charlatan. Je te parie qu'après ce numéro le tsar va l'envoyer en Sibérie, dans un champ de *kapusta*. Remarquez, ça lui fera le plus grand bien, de planter des choux, à ce moujik de malheur.

– Tais-toi, l'interrompit une infirmière. Il va t'entendre. C'est un saint et rien ne lui échappe.

– En tout cas, il ne s'est pas rendu compte que le tsar en avait par-dessus la tête, de lui, ni que la tsarine se passe à présent volontiers de ses services ! s'impatienta un autre homme. Le tsarévitch se porte comme un charme. Il n'a fait qu'une seule rechute depuis le mois de mai et n'a plus besoin de ses miracles. Les puissants sont ainsi : ils se servent de toi quand ça les arrange, ensuite ils te flanquent dehors à coups de pied aux fesses. Voilà encore un de ces marchands de vent qui tombe en disgrâce ! Ce n'est pas moi qui m'apitoierai sur son sort…

– Ne dis pas de bêtises ! La tsarine l'adore, elle est amoureuse de lui, tout le monde est au courant. Maintenant, elle fait semblant de rien parce que Sa Majesté est là, mais attends un peu que Nicolas s'en aille. Tu paries qu'elle se prosternera devant Raspoutine ? Une impératrice à genoux devant un mendiant. Ça, c'est un spectacle digne d'être vu !

– Je ne sais pas si je vais pouvoir attendre longtemps encore, ma tête est frigorifiée, dit le premier type. Il faut combien de temps pour qu'un miracle s'accomplisse ? ajouta-t-il en tambourinant insolemment des doigts contre la vitre.

Raspoutine tourna la tête et s'aperçut de notre présence. J'ignore si nous l'influençâmes dans notre rôle d'observateurs indiscrets ou si ce fut le fruit du hasard, qui s'était bien souvent mis de son côté, mais, à cet instant précis, le miracle eut lieu.

C'est du moins ainsi qu'on rapporta les faits par la suite. Celle que tout le monde donnait pour morte ouvrit les yeux durant quelques secondes à peine, assez pour que, de là où nous étions, nous puissions voir ses paupières se soulever, d'abord hésitantes, puis avec davantage de vigueur, semblables aux battements d'ailes d'un papillon sombre et maladroit.

– Seigneur ! Tu as vu ça, Nicky ? Anna vit ! Elle vit ! Que Dieu soit à jamais loué ! s'écria la tsarine en tombant à genoux devant le starets.

Dans un mouvement uniforme, à croire que nous nous étions tous conciliés, nous plaquâmes l'oreille contre la vitre au cas où la moribonde crierait. Aucun son cependant ne sortit de sa bouche, ou alors nul ne fut capable d'en déchiffrer le sens.

Nous entendîmes en revanche les paroles de Raspoutine. Il venait de se lever et paraissait plus grand que jamais. Dans ses yeux luisait un éclat nouveau que je ne sais comment définir. J'y surpris toutefois une lueur triomphale – oui, c'était bien cela : il se sentait à la fois victorieux et soulagé, mais je suis incapable de dire s'il se réjouissait du sort d'Anna ou du sien.

– Tu vas vivre, Aniouchka, murmura-t-il en traçant lentement le signe de croix sur son corps.

Il attendit quelques minutes, les yeux clos, les mains sur les épaules d'Anna Vyroubova, comme s'il voulait lui insuffler plus de vie, lui propager son ressort, son énergie.

C'est alors qu'elle ouvrit de nouveau les yeux.

Après cette scène que nous observions tous dans un silence sépulcral, le starets s'adressa à la blessée, mais, curieusement, il regardait le tsar.

– Tu vivras, *golobouchka*, ma chérie, mais tu ne pourras plus marcher comme avant. Tu auras toute ta vie des béquilles.

Ensuite, comme si le combat qu'il menait contre le corps à l'agonie d'Anna Vyroubova avait pompé ses forces au point de l'épuiser, Grigori Efimovitch fit trois pas hésitants vers Nicolas II et s'effondra dans ses bras.

Je n'ai pas assisté à l'épilogue de cette résurrection, car, quand le starets s'évanouit, les gardes impériaux qui attendaient que Sa Majesté sorte de la chambre s'aperçurent de notre présence et nous dispersèrent sans ménagement. Il me fallut donc patienter quelques jours avant de prendre connaissance des conséquences du « miracle » – la tsarine employait ce mot – dont nous avions tous été témoins. Serguei, un cocher, nous apprit à Daria et à moi, ainsi qu'à plusieurs autres personnes qui s'étaient rassemblées pour l'écouter, que le tsar et son épouse avaient été fortement impressionnés par les pouvoirs de Raspoutine. Leur étonnement fut encore plus grand le lendemain, quand Anna Vyroubova s'éveilla en disant que le starets l'avait arrachée au dernier moment aux griffes de la mort.

– Elle raconte qu'elle a marché le long d'un tunnel éclairé d'une lumière aveuglante et que, bizarrement, elle était très heureuse, puis elle a senti sur son épaule une main douce l'invitant fermement à rebrousser chemin, poursuivit Serguei. Elle a obéi et entendu le starets lui dire : « Reviens parmi nous, Anna, reviens, tu dois vivre. » C'est tout, je ne peux pas vous en dire plus. Le lendemain, je me suis présenté chez lui avec un…

– Tu es allé chez Raspoutine ? nous écriâmes-nous en chœur, Daria et moi, stupéfaits.

– … avec une énorme brassée de fleurs, enchaîna notre informateur en dessinant dans le vide un cercle gigantesque. Il y avait avec un mot de la tsarine qui devait être très flatteur, parce que vous n'imaginez pas la tête qu'il faisait en le lisant. Mais, plus que la sienne, vous auriez dû voir la mienne, de tête ! s'esclaffa Serguei. Derrière Raspoutine, vous ne savez pas qui j'ai vu ? Elle portait une tunique rouge qui cachait à peine ses formes.

Serguei nous révéla le nom d'une comtesse admirée pour sa beauté, mais plus encore pour sa conduite irréprochable.

– Dis-moi, lui demandai-je, désireux de le recentrer sur ce qui nous intéressait, Raspoutine n'était pas malade ? Nous l'avons vu de nos propres yeux s'évanouir dans les bras du tsar.

– Et moi, je l'ai vu de mes propres yeux recouvrer très vite la santé après quelques gorgées de vodka, pouffa l'autre.

– Moi, je pense plutôt que ce qui lui a fait du bien, c'est de tomber dans les pommes sur Sa Majesté. Quel culot ! s'exclama Daria.

– D'accord, mais il a quand même ressuscité Vyroubova, précisai-je. Tout le monde a assisté au miracle.

Nous nous lançâmes ensuite dans ce genre de discussion stérile et incontournable qui avait cours dès qu'on parlait du starets. Quelle était sa véritable nature ? Celle d'un charlatan ou d'un visionnaire ? S'agissait-il d'un espion cherchant à faire signer au tsar la paix avec les

Allemands ou d'un patriote soucieux d'empêcher la mort d'autres innocents ? Était-il un ange ou un démon ?

La controverse est encore d'actualité près d'un siècle après sa mort, et les raisons abondent pour pencher d'un côté comme de l'autre. Tout ce que je peux dire afin que chacun se forme une opinion, c'est que, une semaine après la guérison spectaculaire d'Anna Vyroubova, Raspoutine était de nouveau omniprésent au palais.

Niemka !

> Au début de la guerre, des raisons politiques m'empêchèrent de suivre mon inclination naturelle à aller au front. […] Maintenant, mon devoir et mon désir me confortent dans l'idée qu'il est nécessaire que je le fasse.
>
> Lettre du tsar à Nicolas Nikolaïevitch, 1915

Plusieurs mois s'écoulèrent et le printemps 1915 apporta des nouvelles du front de plus en plus catastrophiques. Nous n'étions pas en guerre depuis six mois qu'on comptait déjà un million quatre cent mille morts et près de un million de blessés. Les défaites se multipliaient, terribles, et la haine des Allemands s'intensifia au point de prendre des proportions grotesques. On interdit par exemple de jouer Beethoven ou Brahms sur le territoire national, et faire une tarte aux pommes ou cuisiner tout autre plat d'origine germanique était considéré comme une trahison. Ce contexte attisait aussi la haine contre la tsarine. On ne se contentait plus de la traiter avec mépris de « *Niemka* » et de la ridiculiser dans des pasquins obscènes. Mi-avril, une foule se rassembla sur la place Rouge, à Moscou, pour exiger qu'on cloître une bonne fois pour toutes l'« Allemande » dans un couvent, qu'on pende Raspoutine à un réverbère et que le tsar abdique. La seule nouvelle positive de cette période était la rémission du tsarévitch, qui n'avait plus eu de crise depuis longtemps. L'amélioration de son état – que la tsarine attribuait évidemment à la présence permanente du starets au palais – était si spectaculaire que Nicolas décida de l'emmener au front. « Pour qu'il s'habitue à la vie militaire, Sunny, insista-t-il, parvenant à imposer sa volonté à sa femme, ce qui arrivait de moins en moins souvent. Il faut qu'il connaisse de près ceux qui deviendront un jour ses généraux. »

Les « généraux ». Voilà bien le mot qui préoccupait grandement Alexandra. Comme toujours, Alix souhaitait le bien de sa famille et, selon elle, la personne qui avait le plus besoin de son soutien en cette période était le tsar. Complètement rétablie, Anna Vyroubova avait quant à elle repris avec le brio et l'indéfectible dévouement qui la caractérisaient une de ses activités préférées que, en plus de son rôle de messagère entre Raspoutine et la tsarine, elle considérait comme un devoir sacro-saint, à savoir jouer les trompettes de l'Apocalypse ou, ce qui revient au même, colporter les rumeurs et rapporter tout ce qu'on racontait dans les salons. Plus les potins étaient négatifs, plus elle s'en gargarisait. Alix avait eu vent par ce biais de murmures inquiétants mettant en cause la loyauté d'un haut dignitaire de l'armée envers le tsar. Il s'agissait ni plus ni moins du grand-duc Nicolas Nikolaïevitch, commandant en chef de toutes les armées, que la tsarine n'avait en vérité jamais apprécié. Elle ne lui avait pas pardonné son ultimatum théâtral de 1905, lorsqu'il avait menacé de se brûler la cervelle si Nicolas II ne signait pas le manifeste permettant l'élection de la Douma. En outre, Alix était convaincue de connaître l'instigatrice de ces intrigues à l'origine des manifestations outrancières à son encontre. Pour elle, il ne faisait aucun doute que la grande prêtresse de ce sinistre sabbat n'était autre qu'Anastasia de Monténégro, la femme du grand-duc, l'un des deux Périls Noirs, qui – ironie du sort – avait avec sa sœur Militza introduit Raspoutine à la Cour.

La tsarine s'imaginait aussi qu'à chaque nouveau revers de l'armée russe, et avec l'arrivée toujours croissante de blessés et de cadavres à Petrograd, le peuple respectait de moins en moins le tsar et tournait tous ses espoirs vers le grand-duc. Quant aux pasquins, ils redoublaient de cruauté. L'un d'eux, extrêmement populaire, exploitait les quinze centimètres de différence entre Nicolas Nikolaïevitch et le tsar. Il représentait un grand-duc gigantesque et martial essayant de neutraliser à lui seul l'armée allemande tandis que, dans un coin, un tsar minuscule tremblait de peur, caché derrière la barbe de Raspoutine.

Inquiète pour son mari, qui passait alors les troupes en revue, la tsarine lui écrivit : « Je n'aime pas ton oncle Nicolacha. Ne suis pas ses conseils. Ils ne sont pas bons et ne le seront jamais. Tout le monde est scandalisé de savoir que tes ministres s'adressent à lui comme s'il était le tsar. Oh, mon Nicky, les choses ne sont pas telles qu'elles devraient l'être, et notre Ami partage mon point de vue. »

« Notre Ami » déplaisait à Nicolas Nikolaïevitch. Quelque temps auparavant, il avait tenté de s'attirer ses bonnes grâces en s'offrant à aller bénir les troupes sur le front. « Viens et je te ferai pendre par les pieds », lui avait rétorqué le grand-duc dans un câble. Malgré tout, Raspoutine – à qui on pouvait reprocher beaucoup de choses, mais certes pas de manquer de bon sens – pensait qu'il était un excellent commandant en chef. Assurément meilleur que le tsar. Il se garda de le dire à la tsarine, mais chercha sans succès en de multiples occasions à tempérer l'animosité d'Alix à l'encontre de l'oncle Nicolacha. De nouvelles défaites produisirent d'autres ondes concentriques à la surface de l'étang de nos vies. Le 5 août, les Allemands entrèrent dans Varsovie. Comme le raconte Anna Vyroubova dans ses mémoires, l'empereur vint en personne annoncer la triste nouvelle à la tsarine, qui prenait le thé avec son amie. Il était amaigri et tremblait : « Ça ne peut pas continuer ainsi, dit-il, affligé et humilié. Être loin de mes soldats me déprime. J'ai l'impression que tout ici, à Tsarskoïe Selo, me vide de mon énergie et limite ma volonté. »

Le premier maillon de la longue chaîne d'erreurs qui allait finir par précipiter la chute de Nicolas II venait d'apparaître : au mépris des conseils de tous (ses ministres, Raspoutine et Alexandra), le tsar décida à compter de ce moment d'assumer le commandement de ses troupes et d'installer son quartier général le plus près possible du front.

On le prévint que c'était insensé, qu'avec le chef de l'État à cinq mille kilomètres de la capitale le pays serait plongé dans le chaos.

– C'est un suicide, Votre Majesté, lui dit Ivan Goremykine, son Premier ministre.

Celui-ci était un individu obtus nommé sur les conseils de Raspoutine et dont le principal mérite consistait à ne jamais dire de mal de ce dernier, pourtant, même lui se rendait compte de l'aberration que le tsar s'apprêtait à commettre.

– Imaginez, poursuivit-il, le danger que représente une décision comme celle-ci. Nos armées battent en retraite, vous n'auriez pas pu choisir pire moment pour en prendre la tête. Si la guerre suit le cours actuel, si nous continuons d'aller de débâcle en débâcle, il n'y aura plus ni généraux ni commandant en chef sur qui rejeter la faute. Vous seul serez responsable de toutes les erreurs militaires, de tous les problèmes politiques, de tous les échecs. Il faut toujours avoir un parapet devant soi, Votre Majesté, une petite barrière en prévision de ce qui pourrait arriver.

Nicolas II ignora ces recommandations d'un va-et-vient impatient de la main, puis alluma sa énième cigarette de la journée. Bien entendu, la Russie allait gagner la guerre, il en était sûr et certain, et ceux qui pensaient le contraire n'étaient que des traîtres.

Résolu, le tsar envoya un télégramme à Nicolas Nikolaïevitch, dans lequel il le remerciait des services qu'il avait rendus à son pays et le destituait de sa fonction de commandant en chef des armées. Deux jours plus tard, il partait pour le front, heureux comme un cadet.

Naturellement, ceux qui applaudirent le plus cette décision furent les Allemands, qui virent un grand militaire relevé de son poste. Mais au palais Alexandre on se réjouissait tout autant, surtout dans le *salon mauve** où Alix passait ses journées à broder et à veiller sur les siens. Nicky s'était enfin débarrassé de l'ombre gênante de l'oncle Nicolacha !

*

À l'automne 1915, Alexandra Feodorovna fêta ses vingt et un ans sur le trône de Russie. Jusqu'alors, elle ne s'était guère passionnée pour les affaires de l'État, et s'il lui était arrivé d'envoyer Raspoutine s'entretenir avec tel ou tel ministre, c'était uniquement pour savoir s'il avait l'« approbation de Dieu » et était par conséquent fidèle à son mari. Mais son attitude à l'égard du pouvoir changea du tout au tout lorsque Nicolas prit la tête de l'armée. Selon une vieille tradition russe, « quand le tsar s'absente, son épouse doit gouverner à sa place ». Qu'Alix la respecte n'avait donc rien d'étonnant, ce précepte constituant l'essence même de l'autocratie, et d'autres impératrices l'avaient suivi avant elle. La timidité maladive de la tsarine la poussait à se montrer distante et à ne se fier à personne, mais l'amour qu'elle portait à son mari et à sa famille l'emportait sur son effacement. Voilà pourquoi, lorsque les circonstances la mirent en position de régner, elle découvrit que non seulement elle en était capable, mais qu'elle aimait commander. Une fois les affaires intérieures entre les mains d'Alexandra, Nicolas II trouva tout naturel d'écouter ses suggestions, car il lui faisait aveuglément confiance. Elle lui conseilla par exemple de nommer ou de démettre certains ministres, de se passer de tel conseiller ou assistant... et ainsi commença ce que tout le monde, en Russie comme ailleurs, considéra comme une valse ou un défilé d'hommes politiques plus ineptes les uns que les autres.

En septembre 1916, Nicolas, ravi, écrivit à sa femme : « Quel dommage, mon amour, que tu n'aies pas voulu occuper cette fonction plus tôt. Tu nous rends un grand service, à la patrie et à moi. »

Dans l'exercice du pouvoir consistant à nommer ou relever des ministres et des conseillers, Alix comptait sur une aide divine directe, car si Dieu était présent en Raspoutine et vice versa, comment se tromper ?

« Notre Ami dit que Dieu miséricordieux se trouve en la personne de Khvostov, qui fera un excellent ministre », écrivit-elle au tsar, après quoi non seulement elle nomma Khvostov à l'Intérieur, mais suivit les conseils de ce monsieur clairvoyant et déclara les séances de la Douma fermées, ce qui souleva une nouvelle et virulente vague de protestations dans la totalité du pays. Quant au Premier ministre et protégé de Raspoutine, Goremykine, le fait d'avoir eu un éclair de lucidité en s'opposant à ce que le tsar commande aux troupes ne faisait pas de lui un homme compétent. Bien au contraire, ses décisions étaient de plus en plus absurdes et erronées. Le starets, qui s'était rendu compte de sa nullité évidente, proposa à Alix de le remplacer par Boris Stürmer. En faisant ce choix, il se trompait lourdement, car Stürmer était un nom allemand et le peuple interpréta la nomination de cet individu comme une contrainte imposée par la *Niemka* sous l'influence de son starets, que tous tenaient pour le pire des espions. Alix et Raspoutine décidèrent alors de destituer le ministre de l'Intérieur fraîchement nommé et lui trouvèrent un remplaçant « approuvé par Dieu » en la personne d'Alexandre Protopopov, aussi inutile que les précédents.

En seize mois, le pays connut quatre Premiers ministres, cinq ministres de l'Intérieur, quatre de l'Agriculture et trois de la Guerre.

Alors que les morts se comptaient par millions et que le tsar était tenu pour seul responsable de cette boucherie, la tsarine et son « Ami » s'appliquaient à forger un nouveau et lourd maillon destiné à venir s'accrocher à la longue chaîne d'erreurs de la famille Romanov. Une onde concentrique de plus sur l'étang de leur malheur, l'avant-dernière.

*

C'est alors que dans le malaise général, au milieu de la valse d'hommes politiques, des voix de plus en plus nombreuses qui réclamaient qu'on tire une balle dans la tête du starets afin qu'il ferme à jamais ses yeux aussi énigmatiques que nocifs, loin du tsar qui se trouvait à des milliers de kilomètres de Petrograd, le tsarévitch Alexis, qui n'avait eu aucune crise depuis de longs mois, se mit à saigner…

Montevideo, 1er juin 1994

– Merci, mademoiselle, comme c'est gentil d'être venue si vite !... Oui, je vais bien maintenant, oui, oui, j'ai juste eu très peur. Et puis deux infirmiers très efficaces se sont occupés de tout. Ils ont changé les draps, les couvertures, et ils ont tout nettoyé. Regardez, on ne voit plus une goutte de sang. Ça s'est passé très vite. Je me suis réveillé, je ne savais même pas quelle heure il était, il faisait à peine jour. J'ai senti quelque chose d'humide entre mes jambes et j'ai allumé la lumière. Il y avait du sang partout, vous n'imaginez pas ! Oh, je sais ce que j'ai, je ne le sais que trop, mais que voulez-vous que je vous dise ? Je ne m'y attendais pas. Quand on est vieux, on pense qu'on va s'éteindre à petit feu, comme une bougie, sans faire de bruit. Évidemment, le docteur m'a rassuré et m'a dit que tout était sous contrôle, qu'il n'y avait aucune raison pour que ça recommence. « Une hémorragie gastrique », a-t-il diagnostiqué. Enfin, c'est fini et c'est pour ça que je vous ai fait appeler, j'avais besoin de vous voir. À un âge aussi avancé que le mien, on ne sait jamais. Comme c'est gentil d'être venue si vite ! Vous avez un peu de temps ?... Bon, je ne vais pas tourner autour du pot : j'aimerais que vous me rendiez service. Je sais qu'on se connaît à peine et... Non, ne vous inquiétez pas, j'imagine que dans le cadre de votre travail, à l'hôpital, on doit vous solliciter pour toutes sortes de bizarreries, n'est-ce pas ? Vous allez voir que ma requête n'a rien de compliqué.

Écoutez, j'aimerais, s'il m'arrivait quelque chose... j'adore cet euphémisme, il est si miséricordieux... s'il m'arrivait quelque chose avant que j'aie terminé ce que je suis en train d'écrire, j'aimerais que vous vous en occupiez. Je parle des feuilles rangées dans cette vieille pochette, vous voyez ? J'aimerais aussi que vous les lisiez... Non, ma chère, pas maintenant, à ma mort, pas avant. Ne vous inquiétez pas, vous vous en apercevrez immédiatement. Mais dites, puisque vous êtes là et que je vais beaucoup mieux, pourquoi ne pas en profiter pour reprendre où nous en étions restés l'autre jour ? Vous voyez, je n'ai pas l'impression d'avoir été très gentil, la dernière fois qu'on a discuté. Vous vouliez savoir comment je suis arrivé dans cette partie du monde et je vous ai parlé de tout autre chose en vous disant qu'il n'était pas question que j'aborde ce qui s'était passé avant 1918. Vous savez à quoi correspond cette période ? Non, bien sûr, vous êtes si jeune. Dans l'histoire mondiale, il y a pourtant un avant et un après ces quatre petits chiffres. Vous avez entendu parler de la révolution russe, je suppose. Comment et pourquoi elle a éclaté, vous le découvrirez en lisant mon récit, mais, parfois, il est intéressant de se demander sur quoi tout cela a débouché. C'est le grand avantage de la vieillesse. On peut assister au dénouement de ce qu'on a vécu. Oui, le recul est la seule façon de juger les faits à leur juste valeur, et seul le temps peut nous en donner. Vous voulez que je vous raconte ce qui est arrivé dans mon pays quand les révolutionnaires ont triomphé après être enfin parvenus à renverser Nicolas II ? « Le rêve de la raison engendre des monstres. » Vous connaissez probablement cette phrase. Goya l'a notée dans ses *Caprices*, voyez-vous. D'aucuns disent que ce peintre, francophile, l'aurait écrite en constatant que l'explosion tant attendue de la Révolution française s'était conclue deux ou trois ans plus tard par la Terreur de Robespierre, une époque où le sang des guillotinés bouchait les caniveaux des rues de Paris. Vous devez vous demander ce que des événements aussi anciens ont à voir avec moi. Eh bien, ma chère, Révolution française et révolution russe sont étonnamment symétriques, si bien que, chez nous aussi, le rêve de la raison a engendré des monstres. Figurez-vous que, après les quinze millions de morts du premier conflit mondial, d'autres millions ont suivi pendant la guerre civile, après la chute du tsar, et que quelques années après le triomphe de la révolution huit millions de gens ont péri dans les purges politiques…

Et vous savez comment tout cela a commencé ? Eh bien, comme presque toujours, par la meilleure des intentions, celle de délivrer le pays d'un tsar incapable de régner et de combattre de terribles et anciennes inégalités pour instaurer un État moderne. Si vous voulez, je peux vous dire comment tout cela a commencé : Kerenski et Lénine, rappelez-vous ces deux noms. L'Histoire aime les coïncidences et les symétries, or figurez-vous que, dans un pays aussi immense que la Russie, les deux hommes qui ont précipité la chute de Nicolas II sont nés à quelques centaines de mètres l'un de l'autre, dans la ville de Simbirsk. Le père du premier a d'ailleurs été le professeur du second. En 1916, quand Nicolas II est parti au front et que la tsarine et Raspoutine gouvernaient à sa place, Kerenski représentait à la Douma le Troudoviki, un parti de travailleurs aux tendances modérées, et Lénine… eh bien, à ce moment-là, Lénine n'était même pas en Russie. Naturellement, vous connaissez Lénine alors que le nom de Kerenski ne vous évoque rien, n'est-ce pas ? Pourtant, au début, c'était ce dernier qui comptait. Par la suite, Lénine a fait couler beaucoup d'encre et les manuels d'histoire ne consacrent que quelques lignes à Kerenski. Vous voulez que je vous raconte ce qui s'est passé quand le tsar est tombé ? Vous aimeriez savoir comment le rêve de la raison a engendré des monstres ?... Non ? Ça ne vous intéresse pas ? C'est pourtant un des épisodes les plus captivants du XXe siècle... Oui, oui, je comprends, c'est une réaction assez courante. Dès que je me mets à parler de la révolution russe, les gens m'interrogent sur la manière dont vivait le tsar et sur la mort de la famille impériale. Moi, je trouve tout aussi important, si ce n'est plus, de savoir quel type de société voulaient instaurer ceux qui l'ont renversé. Pour bien évaluer un événement, il faut en connaître tous les aspects, vous ne pensez pas ? Le projet des révolutionnaires était simple : Kerenski voulait mettre en place un gouvernement démocratique, avec une Douma élue par le peuple, comme dans n'importe quel État moderne. Il voulait introduire des réformes libérales, la liberté de la presse, supprimer l'ancien corps de police, corrompu jusqu'à la moelle, et le remplacer par une milice populaire, ce genre de choses. Il croyait aussi aux soviets, ces assemblées d'ouvriers, de soldats ou de paysans qui se réunissaient en comités pour prendre des décisions. Enfin, pour Kerenski, il était essentiel de faire de gros efforts et de gagner la guerre contre les Allemands, alors quand il a pris le pouvoir après l'abdication de Nicolas II, en mars 1917, il a ordonné l'envoi de nouvelles troupes sur le front.

Lénine était un fervent marxiste. Il considérait le tsarisme comme une structure gangrenée qu'il fallait anéantir de manière radicale et remplacer par un gouvernement du peuple et pour le peuple. Son principal avantage, qui l'a conduit à remporter la partie contre Kerenski et à devenir le plus grand symbole de la révolution, était de vouloir sortir au plus vite de la Première Guerre mondiale. Il n'a pas hésité à pactiser avec les Allemands pour apporter la paix à une population lasse de cette boucherie. Comme je vous l'ai dit, Lénine se trouvait en exil lorsque le tsar a été renversé, mais il est revenu immédiatement à Petrograd. Savez-vous comment, ma chère ? C'est là encore un des pieds de nez de l'Histoire. Les Allemands ont mis à sa disposition un train blindé lui permettant de regagner rapidement la Russie, contre sa promesse de signer l'armistice avec eux. Vous imaginez un peu la situation ? Quelques années avant que n'éclate la révolution, tout le monde tenait l'empereur et sa femme pour des agents à la solde de l'Allemagne, alors que le complice de ce pays n'était autre que le père du communisme soviétique. Vous ne trouvez pas que, parfois, la vie nous joue de drôles de tours ? Excusez-moi, vous devez penser que je suis un vieux gaga qui raconte des histoires décousues et vous décrit ce qui s'est passé après la révolution sans avoir pris le temps de vous dire comment et quand le tsar a été détrôné. Avant d'avoir ce petit incident gastrique, j'étais justement en train de coucher par écrit ce qui est survenu pendant les mois qui ont précédé l'abdication : appelons ça le début de la fin. C'est un épisode captivant et très éloquent. Vous le verrez quand vous le lirez, dans bien peu de temps, je le crains.

S'il vous plaît, ma chère, promettez-moi qu'à ma mort vous vous chargerez de ma longue confession. Je peux compter sur vous ? Vous me rendrez ce service ? S'il vous plaît, María, dites-moi oui…

Un triste retour à la maison

Au cours des mois qui suivirent le départ de Nicolas II à la tête des troupes russes, le sang coula non seulement sur les champs de bataille, mais également plus près, dans la famille impériale et aussi dans la mienne. La première « tache écarlate », comme l'aurait dit tante Nina, se présenta sous la forme d'un rhume inoffensif, alors que le tsarévitch passait les soldats en revue en compagnie de son père. Au début, personne ne s'alarma, car Alexis était en bonne santé depuis presque un an, si bien que ses parents en étaient venus à croire que son hémophilie était sinon guérie, du moins en sommeil. La rupture d'un petit vaisseau nasal, fréquente en cas de refroidissement, suffit cependant à provoquer une hémorragie que les médecins ne purent arrêter.

– C'était à prévoir, Votre Majesté, dit au tsar le docteur Botkine, qui accompagnait l'enfant dans tous ses déplacements. Je vous conseille de renvoyer immédiatement le tsarévitch à Tsarskoïe Selo. Ici, je ne peux vous promettre aucune amélioration.

Le médecin prononça ces mots à son corps défendant : regagner Petrograd équivalait à reconnaître l'inutilité de ses soins et à se voir très vite supplanté par Raspoutine, qui tenterait une fois encore une de ses guérisons miraculeuses, auxquelles Botkine ne croyait pas, ou qu'à moitié. Comme beaucoup de médecins de son époque, il était informé des nouvelles études réalisées en Europe sur l'hypnose, ses puissants pouvoirs curatifs ou palliatifs. Même le docteur Freud avait écrit des articles à ce propos. Botkine les avait lus avec intérêt sans être convaincu pour autant. S'il se doutait que l'hypnose était l'explication la plus logique des dons de Raspoutine, il restait insensible à la supercherie. Il savait que ce procédé plongeait les patients dans un état de passivité bénéfique aux personnes atteintes d'hémophilie, qui, ainsi détendues, saignaient moins du fait du ralentissement de leur circulation. Mais, à l'époque, la science considérait ce type de pratiques d'un assez mauvais œil, surtout quand elles étaient mises en œuvre par un charlatan digne de s'exhiber dans une fête foraine, ou un bonimenteur aguerri, même si, parfois, le son de la flûte venait crédibiliser ses histoires.

Botkine n'avait aucune sympathie pour Raspoutine. Il n'ignorait pas que ramener le tsarévitch au palais Alexandre permettrait à cet individu d'asseoir davantage son influence. Pourtant, il n'avait guère le choix, et s'obstiner à rester sur le front ne servirait à rien. La tsarine téléphonait toutes les demi-heures pour leur ordonner de rentrer. En outre, il risquait de perdre son poste. Qu'arriverait-il si Alexis mourait, si, en plus des désastres de la guerre, la Russie perdait son héritier parce qu'on avait retardé son retour ? Le docteur Botkine s'empressa donc de faire ses valises.

Une heure plus tard, ils étaient tous deux à bord du train impérial, s'apprêtant à entreprendre un voyage d'autant plus long qu'il se ferait à dix kilomètres à l'heure, afin d'éviter tout choc ou toute autre mésaventure à l'enfant.

Pendant que le tsarévitch s'acheminait vers le palais Alexandre et que tout le monde attendait l'arrivée du petit malade, je reçus une lettre de tante Nina.

Mon garçon, commençait-elle en choisissant une formule d'appel bien différente de celles, pleines d'humour, qu'elle employait habituellement pour me mettre en garde.

Depuis le début de la guerre, tu n'as pas pu venir nous voir. Les temps difficiles sont ainsi, ils nous éloignent de ceux que nous aimons le plus. En outre, je suppose qu'à présent que tu travailles à l'hôpital les permissions se font plus rares. Quoi qu'il en soit, tu dois revenir aussi vite que possible. Ta mère se meurt.

La nouvelle était si inattendue que je crus avoir mal compris et dus relire le paragraphe. Mon Dieu ! Que s'était-il donc passé ? Cela faisait deux ans que je ne l'avais pas vue, en effet, mais les lettres que maman m'envoyait chaque semaine étaient émaillées de réflexions joyeuses et du détail des projets qu'elle envisageait pour nos retrouvailles. Elle n'avait pas encore quarante-cinq ans, il y avait sûrement une erreur… Mais, non, il n'y en avait pas.

Depuis quelques mois, poursuivait Nina, *la phtisie la ronge peu à peu, bien qu'elle ait préféré ne pas t'en parler. « À quoi bon ? m'a-t-elle dit, c'est un mal incurable. »*

Au début, je me berçais d'illusions. Grâce à ses amis influents, oncle Gricha nous a procuré une préparation supposément miraculeuse. Évidemment, elle a refusé de l'avaler – tu sais combien elle déteste ce qu'elle appelle les « supercheries ». Mais tous les jours je mélangeais cette potion à sa nourriture au cas où ça aurait marché. Ça n'a pas été le cas et elle vit ses derniers instants. Je vais te révéler un secret, Lionechka. Tu te souviens quand tu as eu la scarlatine ? Un soir, Gricha et Lara Aleksandrovna sont venus à la maison et, tous les trois, nous avons pratiqué... disons, un jeu pour savoir ce que l'avenir nous réservait. On m'a répondu « sang » et deux chiffres, le 14 et le 18.

Longtemps j'ai pensé que ça se rapportait à quelque chose d'agréable concernant une personne que j'avais connue. Maintenant, je me rends compte que je me suis trompée. Je suppose que le 14 est la date du début de cette guerre affreuse. Quant au mot « sang », comment aurais-je pu savoir qu'il se rapportait non seulement aux soldats tombés au combat, mais aussi à ma propre sœur ?

Tu vois, Léonid, les prophéties nous induisent parfois en erreur, et j'ignore toujours à quoi correspond l'autre chiffre, ce 18 indiqué par le ouija. L'année à laquelle ce conflit prendra fin ? Si seulement...

Excuse-moi. Je ne devrais pas te raconter ce genre de choses, ta mère se mettrait en colère contre moi si elle le savait, mais j'ai besoin de me confier à quelqu'un et tu n'es plus un enfant. Ta mère est une personne très spéciale, nous ne nous ressemblons en rien. Pour commencer, elle s'est opposée à ce que je t'informe de son état, et à présent elle agonise et veut t'épargner la souffrance de voir ce qu'elle est devenue. Je lutte depuis des mois sans savoir quelle conduite adopter. Vaut-il mieux se conformer à son souhait ou t'annoncer une nouvelle que tout fils a le droit de connaître ? Elle s'éteint irrémédiablement et j'espère que ce courrier n'arrivera pas trop tard. Si tel était le cas, sache que toute sa vie durant, et jusqu'à la fin, tu auras été son seul amour, sa seule raison de respirer. Il t'appartient de décider de ce que tu vas faire. C'est à toi de choisir de venir la voir ou, au contraire, de respecter sa volonté. En cela, je ne te suis d'aucun secours, mais, si tu viens, rappelle-toi que nous sommes en guerre et qu'il te sera difficile d'obtenir une permission. La seule possibilité est peut-être de trouver un prétexte pour aller à Petrograd, je ne sais pas, faire en sorte qu'on te charge d'une commission, d'une démarche à effectuer... Pour y parvenir, ta meilleure alliée sera toujours Lara Aleksandrovna. Je sais qu'elle a mauvais caractère, mais son cœur est bon et je suis sûre qu'elle aura une idée pour te permettre de quitter le palais. Elle est informée de la maladie de ta mère, et si elle ne t'en a pas parlé jusqu'à maintenant, c'est que, contrairement à moi, elle préfère se taire, comme le désire Sonia.

Prends bien soin de toi, mon garçon. Les temps sont durs, mais je suis convaincue que, si tu te résous à venir, tu sauras te débrouiller.

Que Dieu te bénisse, Léonid, qu'Il te donne un peu de chance. C'est sans doute la seule chose à laquelle nous pouvons aspirer en cette période incertaine.

– Non, non. C'est impossible. Tu veux quitter le palais au moment le plus critique. Dans les rues, les gens tuent pour un quignon de pain, il y a des barricades partout et la peur rôde. Au cas où tu ne le saurais pas, cher petit, toi et moi sommes dans le camp des exploiteurs, ceux qui, aux yeux du peuple, ont mis le pays dans cette terrible situation. Je suis désolée, mais il va m'être difficile de t'aider...

Lara Aleksandrovna était le genre de femme à dire plusieurs fois « non » avant de céder. Elle me l'avait déjà démontré lorsque j'étais venu la trouver pour demander à être affecté aux cuisines du palais. Mais là, elle semblait plus butée que jamais.

– Il n'en est pas question. Je n'ai pas du tout envie d'aller dire des sornettes à Mme Vyroubova pour qu'elle me laisse aller à Petrograd, et surtout pas que j'ai besoin d'un gringalet comme toi pour me servir d'escorte. C'est non, non et non !

Elle campa un long moment sur ses positions.

– En plus, il faudrait que j'abandonne Madame pendant trois jours, alors qu'elle marche avec des béquilles et ne peut rien faire par elle-même ? Lui proposer d'apporter un petit cadeau à Raspoutine, qui est alité, avec un rhume ? Et quitter mon travail à l'hôpital ? C'est non, non, mille fois non !

Puis elle finit par me signifier son accord, nuancé de quelques dénégations supplémentaires.

– Sache que je désapprouve le comportement de Nina, qui n'a pas respecté la volonté de ta mère. Je ne trouve pas ça bien du tout, ça ne se fait pas, ajouta-t-elle en agitant de bas en haut un index menaçant à quelques centimètres de mon nez.

Heureusement, je commençais à comprendre que sa façon d'être généreuse consistait à faire étalage d'une certaine rudesse.

– Bon, parfait, nous irons, concéda-t-elle enfin. Avant tout, il faut que tu te procures des vêtements chauds pour le trajet. Je ne supporterais pas que tu attrapes une pneumonie. Il fait moins trente, dehors. Suis-je assez claire ?

– Oui, murmurai-je, sentant qu'après avoir atteint mon objectif il valait mieux cantonner mes réponses à de dociles monosyllabes.

– Bien sûr, je compte dire la vérité à Mme Vyroubova. Tu ne voudrais quand même pas que je lui mente, n'est-ce pas ? Je vais lui raconter que j'aimerais faire mes adieux à une amie très malade et que, si elle le souhaite, je peux profiter du voyage pour porter un petit quelque chose de sa part au père Grigori. Elle lui envoie des cadeaux dès qu'elle le peut, elle est si attentionnée... Je lui dirai aussi que tu es le fils de mon amie malade et que tu travailles avec nous, à l'hôpital. Je suis sûre qu'elle s'adressera à qui de droit pour qu'il te donne l'autorisation de m'accompagner. Les gens peuvent penser ce qu'ils veulent, Madame est quelqu'un de bien. Tu as probablement entendu des horreurs sur son compte...

Je fus tenté de lui rapporter certains commentaires surpris çà et là concernant l'amie intime de la tsarine : on ne la trouvait pas méchante, mais bête à manger du foin – or, d'après Youri, un sot est cent fois plus dangereux qu'un fielleux. Beaucoup la considéraient comme la maîtresse de Raspoutine, et ne parlons pas des bruits qui couraient à propos de ses liens d'amitié avec Alix. Mais je sus tenir ma langue, n'ayant aucune envie de contrarier ma bienfaitrice, et me contentai de lâcher un monosyllabe, en l'occurrence un « non ».

– Quand j'aurai expliqué à Madame ce qui nous arrive, poursuivit tante Lara, elle nous donnera la permission de rester à Petrograd non pas un jour, mais toute la fin de la semaine. Aujourd'hui, on est mercredi, n'est-ce pas ? C'est parfait, parfait. Si on part demain, très tôt, tu pourras passer trois jours auprès de ta mère. Mais avant de rentrer à Tsarskoïe Selo tu devras m'accompagner chez Raspoutine. Je n'ai pas l'intention de proférer le moindre mensonge. Tu as compris, mon bonhomme ?

*

Ce jeudi-là, il faisait un temps radieux, ce qui, à l'approche de Noël, ne pouvait augurer que d'une chose : un froid de gueux. Tous les Russes savent qu'à cette période de l'année plus le ciel est dégagé, plus les températures sont basses. Voilà sans doute pourquoi, en sortant de l'hôpital, sur le chemin de la gare, Lara Aleksandrovna inspecta ma tenue comme un sergent passant un soldat en revue.

– Enfonce plus ta chapka sur ta tête, Léonid ! Montre-moi ces gants… Tu es sûr qu'il ne t'en faut pas une autre paire, en laine, à mettre dessous ? Passe bien ton écharpe autour de ton nez !… Très bien, mon garçon, voilà qui me plaît !

Tante Nina m'ayant déjà démontré l'excès de zèle déployé par les femmes célibataires lorsqu'elles ont un enfant sous leur aile, je la laissai m'emmitoufler de telle sorte que lorsqu'elle eut fini j'étais trois fois plus gros qu'auparavant. Toutes ces fourrures me firent sourire, ce dont j'avais grand besoin, car mon humeur n'était pas à la joie. Qu'allais-je découvrir en arrivant chez moi ? Si maman était morte ? Si elle était encore en vie et refusait de me voir ? Après tout, tante Nina et Lara Aleksandrovna lui avaient désobéi.

Un petit espoir se fraya soudain un chemin parmi ces idées noires. Si, en allant voir Raspoutine, je lui demandais de venir examiner maman ? Pourrait-il la guérir ? Lara Aleksandrovna m'avait dit que le starets était souffrant, qu'il avait un rhume ou une indisposition de ce genre. Que se passait-il quand un guérisseur tombait vraiment malade ? Pouvait-il se soigner comme il soignait les autres ? Et puisque j'en étais à aborder des questions délicates : quelqu'un capable de prédire l'avenir d'autrui peut-il aussi prédire le sien ?

J'en étais là dans mes réflexions lorsque le train parcourut le dernier tronçon avant d'arriver à Petrograd, et je laissai mon regard se perdre à travers la vitre. Comme la ville avait changé depuis ma dernière visite ! Il ne restait plus rien de la Saint-Pétersbourg enneigée et animée, aux artères encombrées de traîneaux et d'automobiles, aux trottoirs où se pressaient des passants vaquant à leurs occupations. Beaucoup de magasins avaient mis la clé sous la porte et je ne vis guère de véhicules dans les rues. J'aperçus quelques charrettes tirées par des mules et plusieurs brouettes pleines à ras bord, poussées par des hommes aux pieds enveloppés de chiffons, faute de posséder une paire de bottes. Près d'un terrain vague, deux chiens se disputaient ce qui, de loin, avait l'apparence d'une poupée désarticulée. À cet instant, le train ralentit, ce qui me permit de les observer de plus près et de découvrir que les cabots s'arrachaient en réalité un bras coupé à hauteur du coude, sur lequel je distinguai quelques lambeaux de dentelle crasseuse. « Dieu du ciel ! » pensai-je en m'écartant de la fenêtre, pas assez vite cependant pour ne pas remarquer la présence de deux corbeaux venus se poster derrière les chiens, dans l'attente de pouvoir se repaître de ce festin.

Quelques minutes plus tard, le convoi entra en gare et un nuage de vapeur blanc me libéra de ces visions cauchemardesques. Il se dissipa pour laisser apparaître la grande horloge. Il était onze heures du matin. Quelles autres scènes allait me réserver le chemin qu'il me restait à parcourir ? Le trajet en tramway jusqu'à notre lointain quartier dans l'est de la ville me fournirait-il d'autres preuves que nous étions en guerre ? « Dans une demi-heure, je serai avec maman, calculai-je en fermant les yeux pour m'épargner le spectacle de la souffrance d'autrui et me concentrer sur la mienne. Un quart d'heure de tramway jusqu'à Nevsky Prospect, cinq minutes jusqu'à la cathédrale Saint-Isaac, après quoi nous n'aurons plus que quelques pâtés de maisons à parcourir. » Je comptai, comme dans mon enfance, les minutes qui restaient ou priai saint Nicolas et, surtout, saint Isaac, que ma mère et Nina invoquaient avec une ferveur accrue. « Bon père Isaac, je t'en supplie, fais que j'arrive à temps pour la voir et parler avec elle, ne serait-ce qu'une seule fois... » Je ne cessai mes implorations que lorsque tante Lara s'immobilisa devant notre porte.

Je ne cherchai pas à vérifier si, à l'image de la ville, mon quartier avait changé. Je n'avais qu'une envie : me précipiter dans l'escalier comme l'enfant que j'étais encore et en gravir les marches quatre à quatre, monter un étage après l'autre jusqu'à notre palier, le souffle court, les yeux baignés de larmes. « Saint Isaac, fais qu'elle soit vivante, fais qu'elle veuille me voir, au nom de Dieu, fais qu'elle ne meure pas… »

*

Les rideaux tirés, la chambre de maman était plongée dans la pénombre. Je m'y faufilai sans un mot après avoir posé un baiser rapide sur la joue de Nina, qui me serra dans ses bras en silence. La pièce n'étant éclairée que par une lampe à huile, je ne distinguai au départ qu'une silhouette décharnée dans laquelle j'eus peine à reconnaître ma mère. Comment la retrouver dans ce corps qui avait la peau sur les os, dans ce visage sillonné de rides et chétif ? Une odeur que j'avais appris à identifier à l'hôpital, mélange de désinfectant et de sueur, émanait d'elle. D'instinct, je reculai de deux pas et constatai que sa poitrine se soulevait péniblement au rythme d'une respiration sifflante. Tout à coup, une quinte de toux l'ébranla et l'obligea à soulever les paupières. Sous le voile qui les troublait, je vis alors les magnifiques yeux verts de ma mère, et il me sembla même qu'elle sentait ma présence.

Tante Nina s'approcha et posa une main sur mon épaule.

– Elle te voit comme dans un rêve, Léonid. S'il te plaît, ne brise pas le charme.

Je suivis les conseils de ma tante, ravalai mes larmes, pris la main de ma mère et me forçai à rire en lui racontant que j'étais très heureux à Tsarskoïe Selo et que j'avais progressé dans mon travail. Je lui promis que, quand nous aurions gagné la guerre, ce qui ne saurait tarder, je viendrais lui rendre visite.

– ... Probablement en mars, au plus tard en avril, maman, quand la neige aura fondu, tu peux compter sur moi. J'aimerais aussi que tu connaisses mon ami Youri, il a envie de te voir, et avec tante Nina nous irons nous promener près du palais Alexandre. Là-bas, tout le monde se souvient de toi et a envie que tu reviennes, une des femmes de chambre de la tsarine me l'a encore dit hier. Anna Vyroubova a elle aussi demandé de tes nouvelles et voudrait que tu viennes...

J'ignore où j'étais allé chercher ces énormes mensonges, des élucubrations fébriles et pleines d'espoir. Je n'agissais ainsi que pour la satisfaction de voir trembler un sourire sur ses lèvres ou luire un éclat enfantin dans ses yeux qui n'aspiraient plus qu'à rêver.

Plusieurs minutes s'écoulèrent et je continuai à lui parler avec une éloquence dictée par le chagrin, un brio imposé par la détresse, jusqu'à ce que tante Nina pose de nouveau une main sur mon épaule.

– Il ne faut pas trop la fatiguer. Elle doit se reposer, c'est important, me dit-elle.

Je la laissai – que pouvais-je faire d'autre ? Mais auparavant je me penchai sur elle pour l'embrasser. Lorsque mes lèvres effleurèrent sa joue, j'eus l'impression plus que la certitude que sa bouche cherchait à se rapprocher pour murmurer quelques mots.

– Allons, Lionechka, insista ma tante. Elle ne nous voit pas, ne nous entend pas, le médecin me l'a dit. Ce ne sont que des spasmes, je t'assure.

Je me refusais à la croire. Je pensais que ces lèvres frémissantes se tendaient vers mon oreille pour y susurrer une confession ou une prière.

– Cela fait des jours qu'elle ne voit plus, qu'elle ne reconnaît plus personne.

Mais j'étais persuadé du contraire, sa bouche me le signifiait. Avec difficulté, elle s'arrondit, caressante, sur ma peau, et forma avec difficulté deux syllabes :

– Vi-vante, souffla-t-elle.

Je fus incapable de refouler mes larmes et de retenir le cri qui montait dans ma gorge.

– Détrompe-toi, Léonid. Moi aussi, j'ai cru bien souvent au miracle, mais il n'y a rien d'autre à faire que de la laisser dormir, s'obstinait tante Nina en tâchant de m'arracher avec tendresse à sa sœur.

Elle y était presque parvenue, et je me dégageais et posais pour la première fois de ma vie mes lèvres contre celles de ma mère pour lui donner un long baiser désespéré lorsqu'un liquide humide et visqueux, un caillot de sang noir, s'interposa entre nous.

Une visite chez Raspoutine

Deux jours passèrent sans que l'état de ma mère évolue en bien, ni, fort heureusement, en mal. Le samedi, il ne nous restait plus qu'un jour, à Lara Aleksandrovna et à moi, avant de reprendre notre travail.

– Et nous n'avons toujours pas fait la commission pour laquelle nous sommes théoriquement venus ici, dit tante Lara pendant que nous prenions notre petit déjeuner. Je suppose que tu n'as pas oublié, Lionechka, que nous devons aller voir le père Grigori, ajouta-t-elle en se resservant une grande tasse de thé qui ressemblait à de l'eau vaguement teintée.

Aujourd'hui encore, je me demande pourquoi elle tenait tant à ce que je l'accompagne chez le starets. Peut-être tout simplement parce que cette visite chez Raspoutine nous avait servi d'alibi pour nous absenter trois longs jours du palais et que tante Lara était de ces femmes qui ne s'écartent jamais du plan prévu. Je n'avais pourtant aucune envie de lui complaire, préférant passer le plus de temps possible auprès de maman, dans le triste espoir qu'elle rouvre les yeux et me sourie en me prenant pour un rêve, ce qui lui permettrait au moins de s'évader de la cruelle prison de la phtisie.

Mais quand Lara Aleksandrovna avait quelque chose en tête, il était difficile de la faire changer d'avis. Elle insista jusqu'à ce que tante Nina intervienne, se rangeant de son côté.

– N'en parlons plus, c'est elle qui a raison, mon garçon. Un bon bol d'air te sera bénéfique. Regarde, tu es resté au chevet de ta mère pendant quarante-huit heures. En plus, il y a une autre raison pour que tu te dégourdisses les jambes : ce soir, j'attends de la visite. Je dois cuisiner, faire le ménage et je ne sais quoi d'autre encore. Ah oui ! Il faut aussi que je frotte l'argenterie. Alors il vaut mieux que je ne t'aie pas dans les pattes, Lionechka.

Compte tenu des circonstances, je songeai que le visiteur de tante Nina ne pouvait être que notre vieux médecin de famille, le docteur Serejov. J'étais tellement sûr de mon fait qu'il ne me vint même pas à l'esprit de l'interroger à ce sujet. En outre, depuis quelques instants, tante Nina m'observait d'une manière qui ne m'était pas inconnue. À l'évidence, elle n'allait pas tarder à entrer en éruption.

– Allez, allez, prépare-toi. J'ai beaucoup à faire. Et couvre-toi bien, parce qu'il suffit de regarder les glaçons qui pendent de la fenêtre pour s'imaginer que les ours polaires ont débarqué à Petrograd.

*

Moins de dix minutes plus tard, Lara Aleksandrovna et moi nous dirigions vers la rue Gorokhovoï, où habitait Raspoutine. Tante Lara avait pris le cadeau d'Anna Vyroubova pour le starets. Quant à moi, j'étais triste à l'idée de devoir perdre le temps précieux que j'aurais pu passer au chevet de ma mère dans une visite de bienséance.

On a beaucoup spéculé sur la vie quotidienne de celui qui fut l'homme le plus puissant de Russie. D'aucuns disent que des heures durant il s'entretenait avec les dames qui frappaient à sa porte pour lui demander une faveur ou une guérison, des femmes de tous âges, mariées ou célibataires, qu'il satisfaisait ou non – c'était selon – avant de les mettre dans son lit recouvert d'une peau de renard gris offerte par Anna Vyroubova. D'autres affirment que dans ce petit appartement de la classe moyenne aisée, près de la Fontanka, les fêtes duraient parfois jusqu'à neuf heures du matin, que la vodka y coulait à flots et qu'il n'était pas rare d'y voir circuler de l'opium et des jeunes filles mineures. On racontait aussi que c'était là que se trouvait le véritable centre du pouvoir, là que se prenaient les décisions importantes : on y nommait ou démettait des ministres à tout-va, on y préparait également des infusions que Raspoutine remettait à la tsarine et que celle-ci faisait boire au tsar. Ses défenseurs, comme Anna Vyroubova, estimaient que sa réputation d'espion à la solde de l'Allemagne et de noceur dépravé n'étaient qu'inventions destinées à lui nuire et très faciles à démentir, car le starets était surveillé en permanence par l'Okhrana. Certains pensaient que la police secrète de l'Empire le protégeait d'éventuels attentats, d'autres qu'elle ne lâchait pas Raspoutine d'une semelle pour tenir le tsar informé de sa conduite scandaleuse. Mais quand donc Nicolas II allait-il prendre les mesures qui s'imposaient à l'encontre de ce moujik de malheur ?

À l'époque, je n'avais aucun moyen de savoir lesquelles de ces rumeurs étaient vraies ou fausses. Tout ce que je peux dire, c'est que, à mesure que nous nous rapprochions de la rue Gorokhovoï, je fus témoin de curieux phénomènes qui me firent en partie oublier mon chagrin. Avant de tourner le coin de la rue, je vis cinq ou six automobiles garées à la queue leu leu, plus luxueuses les unes que les autres. Comme pour défier les températures glacées, leur moteur tournait.

– Ce n'est pas l'automobile de la comtesse W. ? demandai-je en apercevant une énorme Packard que j'avais souvent remarquée au palais Alexandre lorsque j'étais *water-baby*.

Lara Aleksandrovna cessa de marcher comme un soldat prussien traînant son barda – moi – derrière lui et posa un doigt sur ses lèvres froncées.

– Entendons-nous bien, mon garçon. Tant que je n'aurai pas remis son cadeau au père Grigori, toi et moi, nous ne ferons plus qu'un. Tu es donc aveugle à partir de maintenant.

– Aveugle, tante Lara ?

– Et sourd, et aussi muet comme une carpe. C'est clair ? Comme le sont tous les bons serviteurs.

Ce n'était pas la première fois que j'entendais cette devise. Tante Nina la répétait à qui mieux mieux. Mais à en juger par l'inclination des domestiques à étaler – pour ne pas dire « disséquer » – la vie privée d'autrui, elle n'était pas souvent mise en pratique. Comme j'avais appris à le faire depuis quelque temps avec tante Lara, je préférai acquiescer et lui obéir à moitié, et m'apprêtai donc à être muet, mais les yeux bien ouverts et l'oreille en alerte.

J'eus droit à un spectacle intéressant qui expliquait dans une certaine mesure ce qui se passait alors en Russie.

Dans la cour de l'immeuble où vivait Raspoutine, malgré les températures très négatives, s'était formée une longue file d'individus de tous âges et de toutes conditions. Si les plus fortunés patientaient dans leur automobile pour ne pas se mêler à la plèbe, les gens postés dans la cour étaient plus pittoresques et, bien entendu, plus pathétiques : une quadragénaire aux cheveux teints en rouge vermillon ne parvenait pas à dissimuler la cicatrice qui lui barrait le visage ; un vieillard à la moustache en guidon de vélo accompagnait une fillette d'aspect maladif ; une paysanne d'une maigreur extrême serrait contre sa taille deux poules vivantes qui battaient des ailes ; un soldat de mon âge gardait difficilement l'équilibre sur ses béquilles, sans doute parce qu'il ne s'était pas encore habitué à la perte de sa jambe droite… Nous passâmes devant eux en prononçant un « bonjour » qui tenait lieu de sauf-conduit, et je m'étonnai qu'aucun d'entre eux n'ose protester. « Ils connaissent probablement tante Lara », songeai-je, persuadé que tout adepte de Raspoutine savait qui était la femme de chambre de sa bienfaitrice, Anna Vyroubova.

Le père Grigori vivait au troisième étage de cet immeuble sans prétention, qui se distinguait surtout par un répertoire d'odeurs assez désagréables. En traversant le rez-de-chaussée, nous fûmes assaillis par la puanteur du cuir mal tanné ; le premier étage empestait le désinfectant ; au deuxième, quelqu'un avait à l'évidence oublié un fromage rance dans un coin, qu'un chat avait dû arroser d'urine ; et quand nous atteignîmes enfin le troisième, le fumet impossible à confondre du chou bouilli, nettement plus plaisant que les émanations des étages inférieurs, nous monta aux narines. Tante Lara sonna et, en attendant qu'on vienne nous ouvrir, elle me recoiffa en me passant une main imprégnée de salive – je le crains – dans les cheveux, comme si j'étais un enfant de cinq ans s'apprêtant à assister à un entretien d'une importance capitale.

– Ce ne sera pas long. Avec Raspoutine, ça ne tarde jamais trop. Tu as vu le monde qu'il y a dans la cour… m'expliqua-t-elle en pointant un doigt vers la cage d'escalier. Nous ne resterons que le temps de lui remettre le présent de Madame, guère plus. Tu es plus beau quand tu fermes ton clapet, Léonid, inutile de revenir là-dessus.

Moi qui comptais supplier le starets de venir voir ma mère, je me contentai de hocher la tête. Je n'aurais de toute manière guère eu le temps d'avouer mes intentions à tante Lara, car la porte s'ouvrit devant la silhouette d'une grande jeune femme à la beauté ingrate, dont les yeux rappelaient ceux du starets.

– Maria Grigorevna ! s'exclama tante Lara en lui donnant trois baisers sonores dans la plus pure tradition russe. Voici mon neveu Léonid. Dis bonjour, Léonid.

Je tendis poliment la main, mais Maria m'embrassa trois fois et esquissa sur mon front un petit signe de croix.

– Charmant garçon, dit-elle en dardant sur moi les mêmes yeux ardents que ceux qui faisaient la célébrité de son père. Viens par ici, Léonid. Tu veux un verre de *kvas* ? Et toi, Lara, je te sers un thé ? Papa est occupé, nous allons l'attendre au salon, je ne crois pas qu'il en ait pour longtemps.

Nous pénétrâmes dans ce qui ressemblait à une minuscule *garde-robe**. Tout dans cet appartement me parut petit et modeste. La pièce que Maria avait qualifiée de « salon » ne comportait qu'une fenêtre étroite. Deux croûtes ornaient les murs et, au fond, une lampe votive éclairait une icône grossière de saint Nicolas. À côté d'un miroir en étain, je remarquai une brassée de glaïeuls sans doute offerte par une admiratrice, un exotisme luxueux en cette saison. Le mobilier se composait d'un fauteuil, de deux chaises et de deux petites tables en bois brut sur lesquelles étaient posés un samovar et deux assiettes de fruits et de noix.

– Désolée de ne pas pouvoir vous proposer de petits gâteaux ou d'autres gourmandises, s'excusa Maria Grigorevna. Je sais que c'est la coutume, à Petrograd, mais papa déteste les friandises.

Cherchant peut-être à compenser ce manque d'hospitalité, elle s'empressa de me servir un énorme verre rempli d'un *kvas* noir et mousseux.

J'ai toujours détesté cette boisson russe et populaire à base de pain fermenté et de malt noir comme du goudron, mais je fus bien obligé de la remercier avant d'aller m'asseoir sur la chaise la plus proche, près de la seule porte du salon, à travers laquelle nous parvenaient des accords de guitare. Tante Lara et Maria parlèrent entre autres choses du rhume du starets, qui s'était manifestement remis, de la guerre, de la santé du tsarévitch, des activités de l'impératrice dans son hôpital de campagne. Très vite, je me désintéressai de leur conversation, intrigué par ces accords entrecoupés de rires masculins, l'un guttural, l'autre plus aigu. Je dressai l'oreille, essayant en vain de comprendre quelques mots, ne parvenant qu'à saisir le ton de la discussion, à la fois complice et charmeur. Raspoutine était-il en train de flirter ? Je l'ignorais, mais les rires laissaient présager une scène non dénuée de galanterie.

Nous attendîmes longtemps, assez pour que je me force à boire le verre de *kvas* – « Oui, Maria Grigorevna, il est délicieux, merci. » « Un fruit, mon garçon ? » « Avec plaisir, merci infiniment... » La ponctualité n'a jamais été une vertu très russe, mais je ne pouvais m'empêcher de plaindre les pauvres malheureux qui patientaient dehors. Je songeai que l'homme qui distrayait le starets dans la pièce voisine devait être une personnalité de haut rang, peut-être un ministre venu régler une affaire urgente – mais quel ministre prend ses décisions en s'accompagnant à la guitare ?

Alors que je craignais de devoir accepter un deuxième verre de cet horrible *kvas*, la porte s'entrouvrit pour laisser apparaître non pas la silhouette du père Grigori, que je connaissais bien, mais une autre, plus délicate, vêtue d'un manteau gris perle, d'un pantalon sombre et de guêtres d'une blancheur immaculée. « Je parie que cet homme ne s'est jamais aventuré en ville sans sa Rolls ou sa Packard », me dis-je. Concentré sur les mollets du visiteur, je ne levai pas immédiatement la tête pour observer son visage. Quand je le fis, je m'aperçus qu'il s'agissait d'un jeune homme d'une trentaine d'années aux cheveux noirs et raides et aux yeux clairs. Il était d'une beauté fracassante, un peu féminine. Ses pommettes hautes, son nez parfait et son menton insolent composaient un ensemble hors du commun. Derrière lui, le maître des lieux esquissait un sourire qui s'évanouit lorsqu'il découvrit Lara Aleksandrovna.

Le starets semblait plus propre que les dernières fois que je l'avais vu. Il portait une longue soutane noire sur laquelle pendait non pas la croix de bois que je lui connaissais mais une autre, visiblement en or massif. Il avait la barbe plus courte que d'habitude et les cheveux moins gras, mais répandait toujours cette odeur de rance que j'avais remarquée lors de notre première rencontre, agrémentée d'une touche de patchouli. Il ne pouvait savoir que je l'avais épié lorsqu'il avait ressuscité Anna Vyroubova, mais se rappelait parfaitement le jour où il m'avait surpris dans un endroit où je n'avais pas ma place.

– Ah, mais c'est le jeune Léonid ! Quelle surprise ! s'exclama-t-il avant de saluer tante Lara, affichant de nouveau le sourire qu'il avait perdu en l'apercevant. Et voici ma grande amie, Lara Aleksandrovna ! Quel bon vent t'amène par ici ?

Il étreignit tante Lara et lui lança un de ses célèbres regards énigmatiques en lui racontant, ironique et amusé, la manière dont nous avions fait connaissance devant les horloges du salon de Marie-Antoinette.

– Ce jour-là, notre chère Anna Vyroubova était également présente, précisa-t-il, ce qui parut rassurer tante Lara, dont l'œillade assassine bien moins magnétique que celles de Raspoutine mais lourde de menaces me laissait entendre qu'il me faudrait par la suite lui expliquer cette amitié exceptionnelle.

En revanche, le bellâtre aux guêtres ne sembla pas nous voir, à croire que nous n'existions pas. Il nous tourna le dos pour enfiler ses gants en chevreau, concentré sur chacun de ses doigts, comme si cette opération était des plus captivantes.

– Je t'ai dit tout à l'heure que nous serions en petit comité, dit-il au starets quand il eut terminé. (Je reconnus dans cette voix fluette les rires flûtés que j'avais entendus quelques instants auparavant.) Irina a vraiment envie de te connaître, expliqua-t-il en accentuant les « r » à la manière de mon oncle Gricha, qu'il mentionna du reste juste après, me faisant sursauter. Gricha, mon valet de pied, qui est un homme de confiance, t'appellera sur le coup de sept heures pour te confirmer que tout est prêt. Nous passerons te chercher vers onze heures.

L'heure me parut très tardive pour une invitation. Bien sûr, je me gardai de tout commentaire, d'autant que mon attention s'était déportée à l'intérieur de la chambre que les deux hommes venaient de quitter et qui, comme je le supposais, était celle du starets. Par la porte entrebâillée, je distinguai un lit turc et, dessus, les deux éléments décoratifs les plus luxueux de l'appartement : une peau de renard gris en désordre sur les draps et, négligemment posée dessus, une guitare en bois blond. Le reste du mobilier était modeste : une chaise en osier, une petite table de travail et un guéridon. Mais, comme pour démentir cette austérité, de chaque côté de la fenêtre je vis aussi deux tableaux de grandes dimensions, l'un de la tsarine, l'autre du tsar, éclairés comme des icônes par des lampes votives.

Je me tournai ensuite vers tante Lara, qui avait rougi en voyant le jeune homme aux guêtres blanches, et plus encore en l'entendant discuter avec le starets après avoir passé ses gants de manière si ampoulée. J'ignore si ses joues avaient rosi de colère ou de honte, sans doute les deux. Quoi qu'il en soit, personne ne remarqua son trouble, tous les regards étant concentrés sur le jeune noble aux gestes languides. Raspoutine l'observait, à la fois plein d'orgueil et d'excitation enfantine, comme s'il s'apprêtait à commettre une espièglerie. Sa fille, en revanche, le considérait tout à fait différemment. Je trouvai étonnant de voir des yeux si semblables exprimer des émotions si opposées. Ceux du starets pétillaient, ceux de sa fille reflétaient la méfiance. Je doute que leur hôte ait été en mesure d'apprécier ces disparités. Il continuait à pérorer en marquant bien ses « r », faisant miroiter à Raspoutine une soirée captivante et des gens fascinants.

– ... Rien que des admirateurs, Grigori, mais Irina aimerait que tu lui consacres une petite heure pour discuter avec toi. Je vais finir par être jaloux...

Raspoutine riait. Il ne s'interrompit qu'une seule fois, pour donner un coup de coude appuyé à son hôte en répétant ce qui était à l'évidence une plaisanterie qu'eux seuls comprenaient et dont je ne saisis que deux mots : « Irina » et « *balalaïka* ». Pendant ce temps, le visage des deux femmes qui assistaient à la scène mérite que je m'y attarde. Tante Lara était plutôt sarcastique, mais comment définir les traits de Maria Grigorevna ? J'ai eu près de quatre-vingts ans pour y réfléchir, et je crois que les termes les plus justes seraient qu'ils étaient « altérés », comme sous le coup d'une « prémonition ». Oui, avec le recul, il me semble que la fille de Raspoutine pressentait que cette soirée dont son père et le jeune noble parlaient si gaiement ne lui réserverait rien de bon, et elle essayait de prévenir le starets.

– Parfait, père Grigori, conclut l'homme aux guêtres, ne s'adressant qu'à ce dernier, manifestement frappé de la cécité génétique des maîtres à l'égard des serviteurs, des êtres invisibles à leurs yeux. Après-demain sera un grand jour. Tiens-toi prêt, je serai ponctuel. Ce n'est pas une de mes qualités, mais… *noblesse oblige** ! s'esclaffa-t-il en étreignant longuement le starets.

Naturellement, il ne prit congé ni de Lara ni de moi, et s'apprêtait à quitter les lieux sans adresser non plus la parole à Maria Grigorevna lorsqu'il dut prendre conscience que son attitude était cavalière. Il fit demi-tour et revint sur ses pas, le sourire aux lèvres. Il ne lui dit rien, mais la regarda longuement et lui baisa la main de la façon la plus aristocratique qui soit.

« Comme il s'y prend bien ! » songeai-je. En exerçant le métier de *water-baby*, j'avais eu l'occasion d'apprendre le code des salutations nobles et leur signification secrète. S'il s'était laissé aller à lui donner une accolade, Maria aurait pu interpréter ce geste comme un excès de confiance ou, pire, une hypocrisie. Lui serrer la main aurait été tout aussi maladroit. Les moujiks comme le starets et sa fille étaient très sensibles à la froideur et au mépris. Un baise-main convenait en revanche à merveille. Qui a dit que les grandes dames aiment qu'on les courtise comme des paysannes et que les paysannes apprécient d'être traitées en grandes dames ?

– Au revoir, Machenka, dit le jeune homme en se fendant d'un sourire si chaleureux qu'il aurait pu faire fondre plusieurs verstes de steppe sibérienne. Prenez bien soin de notre cher père Grigori, que Dieu le bénisse.

Il partit, laissant flotter derrière lui les effluves d'un parfum alors très en vogue, un mélange d'ambre et d'épices turques appelé *Oriental Bouquet**.

*

Nous nous retrouvâmes tous les quatre et notre visite ne se prolongea guère. Lara Aleksandrovna remit au starets le présent d'Anna Vyroubova, un livre de prières, et s'enquit de sa santé. Raspoutine lui répondit qu'il ne s'était pas senti aussi bien depuis des années. Quant à moi, passant outre aux instructions de tante Lara, j'oubliai que j'étais sourd, aveugle et muet, et profitai qu'elle disait au revoir à Maria Grigorevna pour demander à Raspoutine de venir voir ma mère.

– Elle est très malade, monsieur, alors si vous pouviez... ne serait-ce qu'une minute. Je vous en supplie, je ferai tout ce que vous voudrez.

– Léonid ! s'écria tante Lara en me fusillant de son regard de général prussien. Fais-moi le plaisir de ne pas embêter le père Grigori. Je t'ai déjà dit cent fois que...

– Ne t'inquiète pas pour ça, Lara ! la coupa le starets en partant d'un grand éclat de rire. Léonid et moi sommes de vieux amis et il ne me dérange pas du tout. Tu sais, mon garçon, m'expliqua-t-il en m'entraînant vers la porte, pour l'instant je ne peux pas exaucer ton souhait. Il me faut recevoir tous ces gens qui attendent dehors depuis des heures. Mais je vais prier pour ta mère comme si c'était la mienne. En plus, j'ai quelque chose pour toi.

– Pour moi, monsieur ?

– Et aussi pour elle. Regarde.

Il tira de sa soutane un petit diptyque avec d'un côté l'image de la Vierge de Kazan et, de l'autre, l'effigie de saint Isaac. Après l'avoir bénie, il me fit tendre la main et y déposa l'objet en prononçant des paroles inintelligibles.

Il se tourna ensuite vers Lara Aleksandrovna, qui avait observé la scène en silence, et la raccompagna, non sans lui avoir demandé auparavant, d'un ton aussi aimable que destiné à la calmer, si tout allait bien à Tsarskoïe Selo.

Rien n'aurait pu faire davantage plaisir à tante Lara, qui ne tarit pas d'éloges sur les grandes-duchesses, lesquelles s'acquittaient parfaitement de leurs activités à l'hôpital de campagne. Elle mentionna aussi toutes les vies qu'elles et la tsarine avaient sauvées, en femmes courageuses qu'elles étaient. Le starets hochait la tête mais paraissait absent, les yeux rivés sur un crucifix en métal accroché dans le vestibule. En le regardant de plus près, je m'aperçus que l'objet de son attention était en réalité un fragment de miroir placé sur la gauche, au-dessus du porte-manteau, dans lequel il s'amusait à contempler son reflet. Sans écouter ce qu'on lui disait, il se recoiffa et, cherchant un angle plus favorable, pencha la tête d'un côté puis de l'autre, comme un chat faisant sa toilette avant de partir à l'assaut d'une petite souris.

J'aurais gardé cette image du starets s'il ne s'était pas produit un fait inattendu avant que nous partions. Tante Lara avait déjà pris congé et devisait aimablement avec sa fille, qui était sortie sur le palier pour appeler le prochain et heureux visiteur, me laissant seul avec Raspoutine.

– J'étais ravi de te voir, jeune Léonid, déclara-t-il en me retenant par le bras.

– Oui, monsieur. Pour moi aussi ce fut un plaisir.

Je pensais multiplier les formules de politesse et le remercier pour le diptyque et les prières qu'il m'avait promises, mais il passa devant moi et me bloqua le passage. Non loin de nous, j'entendais tante Lara donner à Maria les trois baisers de rigueur lorsque Raspoutine se pencha sur moi. Je crus qu'il allait m'embrasser, mais, au lieu de se poser sur mes joues, ses lèvres s'immobilisèrent un peu plus haut, au niveau d'une de mes oreilles. Je sentis sa barbe me chatouiller, puis son haleine tiède.

– Tu me dois un service, mon garçon. Tu n'as pas oublié, n'est-ce pas ?

– Bien sûr que non, monsieur, répondis-je en brandissant avec maladresse le diptyque qu'il venait de m'offrir.

Les poils de sa barbe s'insinuaient dans mon oreille comme des asticots. Tout à coup, l'idée stupide qu'il allait tirer la langue me traversa l'esprit.

– Je vous jure que je n'oublierai jamais non plus que vous avez promis de prier pour ma mère, murmurai-je en me raidissant, mais sans que ma voix tremble.

– Oh, ça, tu peux l'oublier si tu en as envie, répliqua-t-il. Je ne me suis jamais fait payer pour mes prières. Je te parle de la fois où je t'ai porté secours, dans le salon de Marie-Antoinette. Ce jour-là, Léonid, tu m'as fais une promesse, rappelle-toi… Or toute promesse doit être tenue.

– Oui, monsieur, bien sûr, monsieur. Qu'attendez-vous de moi ? Dites-le-moi et je le ferai.

Il se redressa, me dominant à nouveau de sa haute taille.

– Non. Il n'est pas nécessaire que je t'apporte des précisions. Quand le moment sera venu, tu sauras quoi faire. Même si beaucoup d'années ont passé, Léonid, même si un siècle s'est écoulé.

Il m'étreignit, me submergeant dans le bain de toutes ses odeurs corporelles que le patchouli ne parvenait pas à masquer.

Je ne le revis jamais plus.

L'homme à la jambe de bois

– Je vais te l'expliquer une fois, pas deux, mon garçon. Je n'ai à rendre de comptes à personne, surtout pas à un morveux dans ton genre. Mais bon, je ne veux pas que tu te fasses de fausses idées, alors sache que ce n'est pas le docteur Serejov qui va venir dans un moment. C'est une visite imprévue, une personne qui se trouve à Petrograd pour affaires, tu comprends ? Il est au courant pour ta mère et veut lui dire au revoir. Dans ces circonstances, je doute qu'il reste plus d'une demi-heure. Il a appris que tu étais là et souhaite te connaître. Je me demande bien pourquoi, mais C est ainsi fait. Il est totalement imprévisible et a parfois de drôles d'idées…

Il était cinq heures de l'après-midi et j'allais passer ma dernière nuit à Petrograd avant de regagner l'hôpital. Lara Aleksandrovna, qui avait prévu de rester dans le quartier, chez une de ses sœurs, m'avait annoncé qu'elle viendrait me chercher le lendemain à neuf heures précises. Je venais de montrer le cadeau de Raspoutine à tante Nina qui, dans un premier temps, m'avait écouté avec attention, puis avait perdu le fil de mon récit et m'accablait de recommandations.

– Écoute-moi bien : quand il arrivera, tu salueras C bien poliment, tu répondras aux questions qu'il te posera pour la forme, j'imagine, puis tu iras dans la chambre de ta mère pour que nous puissions bavarder tous les deux. C'est compris, Lionechka ?

Elle n'avait pas besoin d'insister davantage. Je préférais cent fois passer mes dernières heures à la maison à veiller sur le sommeil de maman, à lui éponger le front et à lui parler, même si elle ne pouvait pas m'entendre. Que m'importait le visiteur inattendu de ma tante ? Si la situation avait été différente, l'idée d'étudier le fameux Mister C m'aurait peut-être amusé. « Mister Ci », disait ma mère avec humour, prononçant à l'anglaise l'initiale de son nom.

Tout en aidant Nina à redonner un peu de bouffant aux coussins trop plats et effilochés de notre vieux canapé – « Frappe-les encore un peu, Léonid… voilà, comme ça. Le rouge aussi. Applique-toi bien, mon garçon » –, je me rappelle avoir songé que les invocations et les prières de ma tante pour que ce gentleman vienne la voir avaient fini par porter leurs fruits – je veux parler des bougies votives placées devant ou derrière le portrait de cet officier de marine avec un monocle et une canne qui trônait sur sa table de chevet. L'espace d'un instant, je pris plaisir à évoquer les fois où j'avais vu les yeux de ma tante pétiller à la réception d'une enveloppe frappée du cachet de la poste anglaise et revêtue d'une petite écriture à l'encre verte. Ces souvenirs firent immanquablement resurgir l'image de ma mère, jeune et belle, pleine de vie, se moquant gentiment de Nina. « Tiens, aujourd'hui, Mister Ci est puni et regarde le mur. Qu'a-t-il encore fait ? » s'écriait-elle, puis, honteuse de son effronterie, elle s'approchait de sa sœur et la prenait par la taille. « Ne t'inquiète pas, Nina, je suis sûre que tu recevras bientôt de bonnes nouvelles. Tu veux que je lui écrive quelques lignes ? »

Je pensais qu'elles avaient dû faire la connaissance de Mister C quand elles étaient encore au service de la famille impériale, probablement lors d'un séjour de la tsarine à la cour de Londres. Le mystérieux soupirant de tante Nina était peut-être le capitaine du bateau sur lequel elles avaient embarqué.

– Dépêche-toi, m'ordonna tante Nina en me tirant de ma rêverie. Il faut encore aller chercher dans la cuisine les *zakouski* que j'ai préparés. Nous allons disposer les assiettes ici, sur cette petite table, devant le canapé. Qu'il n'aille pas croire que l'hospitalité russe a baissé. Elle reste la même, même en temps de guerre et de misère !

Elle se signa et je vis scintiller dans ses yeux deux grosses larmes rondes, mais cela ne dura qu'une seconde, car elle s'empressa d'aller de la cuisine au salon et du salon au vestibule, très affairée.

– Ce cendrier ne brille pas assez. Viens et frotte. Et cette chaise au pied cassé ? Mets-la dans la cuisine, elle n'a rien à faire ici. Allons, Léonid ! Et en revenant, apporte le gâteau aux pommes et la bouteille de vodka. Tout sauf le samovar, ça je m'en occupe. Mon Dieu ! Il est déjà cinq heures et demie !

Un quart d'heure plus tard très exactement, le heurtoir bien astiqué de notre porte résonnait : deux coups forts et un plus léger, comme un code secret.

Selon sa bonne habitude, Nina bouillonnait. Elle courait de-ci, de-là, comme un poulet à la tête tranchée. (« Je suis bien ? Et mon fard à joues, ça va ? Et mes boucles d'oreilles ? Mais qu'ai-je fait de mon mouchoir ? Ouh, j'ai failli garder mon tablier, par saint Siméon de Verkhotourié ! »). Elle fit un dernier voyage d'inspection dans la cuisine avant de se précipiter dans le vestibule et, après s'être pincé plusieurs fois les joues et lissé les cheveux, elle ouvrit la porte, un sourire évanescent aux lèvres.

De notre invité, je ne distinguai tout d'abord que deux bottines noires bien cirées, puis deux jambes de pantalon impeccables et, un peu plus haut (mais pas trop, cet homme étant plutôt de petite taille), un gigantesque bouquet de roses pourpres. Quand il le déposa dans les bras de tante Nina en s'exclamant : « *My darling Nina, you look absolutely gorgeous !* », je constatai qu'il portait non pas son uniforme de la Marine, comme sur la photographie, mais un manteau bleu foncé avec un col d'astrakan et un complet gris. Pour le reste, il était identique au cliché que possédait ma tante : mâchoire carrée, cheveux poivre et sel coupés en brosse, un monocle sur l'œil gauche et une canne en bois à pommeau en forme de tête de chien.

Après avoir embrassé Nina, il s'informa de l'état de maman. C'était un homme affable, du moins eus-je cette impression en constatant qu'il écoutait Nina avec attention. Il semblait aussi très respectueux, car, quand elle lui déconseilla de voir la malade, il déclara qu'il comprenait et que son plus cher désir était de se mettre à la disposition de sa « *dearest Nina* » et de lui procurer tout ce dont elle aurait besoin. Quand il se tourna vers moi, son expression changea. Il m'est difficile de la définir, car il avait toujours le sourire aux lèvres et avait gardé son air affable, mais il semblait plus crispé. Sans doute était-ce dû au reflet de son monocle, qui me faisait l'effet d'un réflecteur minuscule, mais puissant, semblable aux lampes qu'utilisent les médecins pour examiner le fond de l'œil de leurs patients.

– Voici donc le jeune Léonid. On m'a dit que tu travaillais au palais Alexandre, c'est vrai ?

Je lui répondis que, en effet, j'avais été *water-baby*, mais qu'à présent j'aidais à l'hôpital de la tsarine.

Il se débarrassa de son élégant manteau, nous passâmes au salon et il insista aimablement et avec fermeté pour s'installer non sur le canapé, mais dans un fauteuil à oreilles, près de la fenêtre, ce qui obligea ma tante à modifier son organisation et à disposer ses petits plats sur une autre table. Je ne l'avais jamais vue aussi empressée. Venant de qui que ce soit d'autre, elle n'aurait pas cédé et l'aurait obligé à changer de place, mais, s'agissant de Mister C, elle semblait prête à lui passer tous ses caprices. Elle faisait d'incessants allers-retours dans la cuisine et se chargea elle-même de déménager les soucoupes remplies de fruits secs et de petits-fours près de son hôte, refusant mon aide. Mister C en profita pour me poser d'autres questions concernant mon travail de *water-baby*. Il me demanda si les conduits étaient pourvus de grilles d'aération, si je voyais souvent le couple impérial et les grandes-duchesses, ce que je pensais de *Monsieur** Gilliard, d'Anna Vyroubova et de Raspoutine et ce que les Romanov disaient de ce dernier.

Chez un autre individu, j'aurais trouvé cette curiosité déplacée, mais, en dehors de son monocle menaçant, Mister C était fort courtois et ses questions paraissaient motivées par l'intérêt réel qu'il me portait. Il m'adressait des commentaires tantôt aimables, tantôt spirituels, ou les deux à la fois, et me traitait avec une déférence dont les adultes usent rarement avec les enfants. De fil en aiguille, tante Nina ayant encore disparu dans la cuisine pour y chercher un autre plateau de zakouski, je me surpris à lui raconter comment Youri et moi nous étions introduits dans le royaume d'OTMA, m'étendis sur ma rencontre avec Raspoutine, qui m'avait découvert furetant dans le salon de Marie-Antoinette, et me laissai aller à lui confier d'autres sottises de ce genre. Quand ma tante revint s'asseoir auprès de nous après avoir déplacé le samovar et qu'elle lui eut servi une tasse de thé, son monocle fulgurant se tourna enfin vers elle.

– Et toi, ma chère Nina, comment vas-tu ? Permets-moi de te dire que tu es splendide, ce que je trouve absolument extraordinaire, car le malheur n'embellit que les personnes exceptionnelles.

Tout en continuant de la complimenter, Mister C se leva et, malgré les dérangements que sa décision de s'asseoir dans le fauteuil à oreilles avait occasionnés, il rejoignit Nina sur le canapé. Ce n'est qu'alors que je remarquai que sa jambe droite avait la rigidité du bois.

– *Yes, my darling*, tu es plus belle que jamais, enchaîna-t-il, ponctuant ce commentaire d'un baisemain si délicat que ses lèvres effleurèrent à peine les phalanges de Nina.

Je ne m'étais pas aperçu de ce détail auparavant, car lorsqu'il discutait avec moi, dans le fauteuil à oreilles, il avait tendu élégamment la jambe en question. Pour se mettre debout, il avait dû s'appuyer lourdement sur sa canne à pommeau d'argent, mais je n'y avais guère prêté attention, concentré sur l'évolution de la palette de couleurs qui affleurait sur le visage de ma tante à mesure qu'il lui parlait. Le rouge pivoine provoqué par son baisemain se changea en rose bonbon à la flatterie suivante – « *darling Nina* » –, puis elle blêmit en l'entendant lui confier qu'avant de quitter Londres, persuadé qu'un malheur avait frappé sa « *dearest friend* », il s'était empressé de la contacter dès son arrivée à Petrograd. Nina redevint écarlate quand il lui fit promettre de s'occuper uniquement de sa sœur sans se soucier des détails matériels, dont il se chargerait.

– Comme toujours, précisa-t-il avec un sourire enchanteur qui me charma tout autant que Nina.

Pourquoi cet homme semblait-il si adorable ? Ce n'est pas facile à expliquer, mais la langue anglaise possède un adjectif qui s'appliquait merveilleusement à sa personne. Mister C était *suave* – qui se prononce « souav ». Malgré tous les enseignements de Youri et de longues heures de *water-baby* passées à observer la vie d'autrui, je ne connaissais pas encore ce mot que j'appris par la suite et qui convient à merveille pour décrire les manières du soupirant de ma tante. Je suppose que l'origine du terme est latine, mais sa signification dans la langue de Shakespeare est différente du sens qu'il revêt dans la nôtre. « *Suave* » ne veut pas dire « doux », mais désigne un savant mélange de sophistication et d'onctuosité, un côté mielleux et raffiné. S'il fallait mettre ce terme en images, je penserais à un serpent venimeux sinuant lentement sur une étoffe satinée.

Mais retournons au salon de notre humble appartement, en ce lointain après-midi de décembre où Mister C se répandait en amabilités tout en engloutissant les petits-fours préparés par Nina, qui s'en réjouissait. Il avait l'air détendu quand il tira de la poche supérieure de sa veste une tabatière métallique, puis une pipe qu'il alluma après avoir accompli un rituel complexe avec cette espèce de couteau dont j'ignore le nom et que les fumeurs utilisent pour la curer et la bourrer. On dirait un couteau suisse pourvu de divers accessoires : une petite cuillère, un piston et un long poinçon.

– … Mon seul regret, *darling*, c'est que nos retrouvailles tant attendues aient lieu dans d'aussi tristes circonstances.

Mister C s'exprimait en jouant avec son couteau, qu'il ouvrait et refermait pour mieux le rouvrir l'instant d'après. Parmi les trois ustensiles, il choisit le poinçon, dont il martela la tabatière en métal qui reposait sur sa cuisse droite. « S'il continue, il va se faire mal et hurler de douleur », pouffai-je intérieurement en observant les mouvements du dangereux poinçon sur son pantalon.

– Et je ne parle pas seulement de la maladie de notre pauvre Sonia, mais de l'état du pays. En arrivant ici, j'ai eu une impression désolante. Qu'en penses-tu, *dearest* ?

Ta vision des choses m'intéresse plus que jamais. Que se passe-t-il donc en Russie ?

Il venait d'aborder le sujet de conversation préféré de Nina : la situation désastreuse du pays, les pénuries qu'enduraient les Russes depuis le début de la guerre, la faim, le ras-le-bol du régime politique, la haine de la tsarine et de son starets, la valse des ministres, tous plus incapables les uns que les autres.

En plus de toutes les qualités que j'ai déjà mentionnées, cet homme avait un don des plus agréables : il savait écouter. Ma tante et lui étaient tellement absorbés par leur conversation que le moment me parut idéal pour me taire une bonne fois pour toutes et m'éclipser par la porte la plus proche, celle du couloir. Je me levais, prêt à disparaître, quand tante Nina s'écria :

– Qu'est-ce que tu fais, Léonid ? Tu comptais filer à l'anglaise ? Que tu veuilles rester au chevet de ta mère n'est pas une excuse pour être malpoli. Où sont passées tes bonnes manières, tu peux me le dire ? Le samovar fume comme une cheminée… Emporte-le dans la cuisine et ouvre bien la fenêtre, mais, avant, propose une autre tasse de thé à Mister Cumming. Avec du lait, n'est-ce pas, Mansfield ?

Mansfield Cumming… Ce fut la seule et unique occasion où j'entendis prononcer le nom de cet homme. J'étais surpris, car, jusqu'alors, ma tante s'était bien gardée de le nommer. Mister Cumming n'avait visiblement pas apprécié l'indiscrétion. Il tapota de plus belle sa tabatière et, derrière son monocle, lança un regard fulminant à Nina. Cette gêne fut aussitôt oubliée, car à ce moment précis je mis comme qui dirait les pieds dans le plat. En prenant le samovar, je trébuchai sur la canne de Mister Cumming, posée contre l'accoudoir du canapé, et perdis l'équilibre, manquant de m'effondrer sur ma tante, le samovar dans les bras, ce qu'elle ne m'aurait pas pardonné. Heureusement, grâce à une contorsion que Nijinski en personne aurait applaudie, je parvins à me ressaisir, envoyant promener la canne de Mister C, qui s'immobilisa sous le fauteuil à oreilles après avoir décrit plusieurs arabesques.

– *The bloody boy*, murmura Cumming dans mon dos.

Les noms d'oiseaux étant ce qu'on apprend en premier dans une langue étrangère, je n'eus aucune peine à saisir le sens de ses charmantes paroles.

Bien entendu, dès que j'eus repris la position verticale, je me confondis en excuses, mais, à ma grande surprise – il ne s'était pas écoulé vingt secondes –, je ne décelai aucune trace de contrariété sur le visage de l'Anglais. Il souriait comme si de rien n'était.

– Bravo, mon garçon ! Tu viens de nous offrir un joli numéro de contorsionniste ! Ne t'inquiète pas et va voir ta mère, je vais récupérer ma canne.

– Certainement pas ! Je vais vous la chercher tout de suite, répliquai-je.

– Non, j'y vais, insista-t-il alors que je m'étais déjà rué vers le fauteuil.

La tâche était malaisée. Les pieds étaient si courts que mon bras passait tout juste et n'était pas assez long.

– Je t'ai dit que j'y allais ! s'écria l'Anglais.

Prenant ses protestations pour une marque de politesse, je poursuivis mes recherches et contournai le meuble, derrière lequel je distinguais la tête de chien en argent. Quand je tirai dessus, le pommeau se sépara de la canne, laissant à découvert une longue lame en acier bien affûtée. N'ayant jamais rien vu de tel, j'en profitai pour l'observer de plus près. La lame était fine et sombre, gravée de trois lettres dorées : « S.I.S. »

L'idée ne me vint pas à l'esprit de me faire expliquer ces initiales. Sans piper mot, je réintroduisis la lame dans son fourreau de bois et émergeai de derrière le meuble.

– La voici, monsieur.

Au lieu de me remercier, il me foudroya du regard à travers son monocle.

– *Curiosity killed the cat, my boy*, souffla-t-il en se fendant d'un sourire des plus *suave*. La curiosité est un vilain défaut.

Mon expérience avec Mister Cumming et les objets contondants ne s'arrêta pas là. Quelques minutes plus tard, alors que nous avions tous trois regagné nos sièges, il recommença à picoter sa tabatière avec son poinçon en discutant d'une voix douce de choses et d'autres, jusqu'à ce qu'il vise mal et que la pointe affilée de l'outil se plante dans sa cuisse.

« Sapristi ! » m'exclamai-je intérieurement en ouvrant des yeux comme des soucoupes. Je me tournai vers ma tante pour m'assurer qu'elle avait bien vu la même chose que moi, mais elle venait de se pencher pour prendre un petit-four. Quand elle se cala de nouveau dans le canapé, le couteau à pipe de Mister C avait repris sa place au-dessus de la tabatière.

Quant à notre hôte, rien ne put altérer son sourire *suave*.

Maintenant ou jamais

Le 28 décembre 1916 au matin, je devais regagner Tsarskoïe Selo et reprendre le travail. Le soleil brillait et il faisait aussi froid que lorsque nous étions partis à Petrograd. Lara Aleksandrovna passa me prendre à neuf heures précises et procéda à la même inspection de ma tenue que quatre jours plus tôt.

– Le bonnet, parfait ; le cache-nez, impeccable. Mais ces gants, mon garçon ! Tu n'en as pas de plus chauds ? Il fait moins douze degrés !

Je me laissai faire, l'écoutant d'une oreille distraite, comme avec tante Nina pendant notre dernier petit déjeuner. Je m'étais contenté de boire mon thé en silence et de manger une tranche de pain noir. Mon seul souvenir était le reflet de mon visage, au fond de la tasse, défiguré par les frissons du liquide sombre et par la tristesse. J'avais passé la nuit à veiller ma mère. Je redoutais que sa poitrine, fragile comme celle d'un petit oiseau luttant pour soulever les draps, ne finisse par s'avouer vaincue. Je n'arrivais pas à en détourner les yeux, attaché à une superstition qui m'incitait à croire que, si je le faisais, je précipiterais son dernier souffle. Sur la table de nuit, le réveil en étain rythmait sa respiration, que cette nuit-là aucune quinte de toux n'était venue perturber, alors que la veille et l'avant-veille elles lui perforaient les poumons.

Ses seuls signes de vie étaient un sifflement et les caillots de sang qui, par instants, franchissaient la barrière de ses lèvres bleuies. Je l'essuyais avec un mouchoir qui me servait aussi à sécher mes larmes.

Je ne me rappelle pas quand je pris congé de tante Nina, j'ai oublié le trajet que nous parcourûmes, Lara Aleksandrovna et moi, pour atteindre la gare. Je n'ai aucun souvenir de l'instant où notre train s'ébranla et où nous vîmes ensuite défiler les quartiers de Petrograd couverts d'un suaire de neige sale. Je sais juste que lorsque la locomotive prit de la vitesse et laissa les maisons derrière elle je me levai de mon siège et, sans rien dire à tante Lara, je gagnai les voitures de tête. J'ignorais où je me dirigeais. Arrivé au bout du couloir, je me retrouvai devant la porte, celle par laquelle nous étions montés. Elle semblait si facile à ouvrir… Je regardai à travers la vitre, dans la moitié supérieure. Je vis les dernières constructions misérables de la ville céder la place aux premiers bouleaux, qui se pressaient en sens inverse, résolu à m'éloigner de chez moi, de l'endroit où je voulais et devais être. Faire marche arrière était si simple. Je n'avais qu'à actionner la poignée, fermer fort les yeux et sauter.

À présent défilaient sous mes yeux de vieilles datchas abandonnées qui annonçaient que, bientôt, le train pourrait en toute liberté rouler à la vitesse maximale jusqu'à Tsarskoïe Selo, et il me serait alors impossible de m'évader. Je regardai les traverses, puis le fossé qui longeait les rails. Je bénis cette matinée de décembre aussi ensoleillée que glaciale, car avec un peu de chance l'amas de neige amortirait ma chute et je m'en sortirais indemne. Je devais me décider, il n'y avait pas une seconde à perdre. C'était maintenant ou jamais.

Maintenant.

La mort

– Mon Dieu, Lionechka, mais qu'as-tu fait ? Au pire moment ! Comment as-tu pu ? Tu sais pourtant qu'on a vraiment besoin de ton salaire ! Moi qui n'arrive déjà pas à payer le médecin, je me demande avec quoi je vais enterrer ma pauvre Sonia quand elle ne sera plus de ce monde ! Qu'allons-nous devenir ? s'écria tante Nina en me voyant réapparaître, le pantalon déchiré et le visage couvert d'égratignures. Regarde, tu aurais pu te tuer ! Par saint Isaac et saint Siméon de Verkhotourié, je suis plus démunie que jamais…

Je songeai un instant à lui rappeler tout ce que Mister Cumming lui avait promis moins de vingt-quatre heures plus tôt : elle pouvait compter sur lui, elle était sa « *darling Nina* », elle n'avait à se soucier de rien. Mais un simple coup d'œil au cadre contenant sa photographie m'en dissuada. Il était de nouveau tourné vers le mur, puni pour je ne sais quel péché. Comme venait de l'affirmer ma tante, nous n'avions plus rien à faire que de souhaiter à maman une mort prompte et la plus douce possible, qui survienne sans douleur dans son sommeil agité.

Ce triste vœu fut exaucé. Deux heures plus tard, elle expirait et ma tante et moi nous étreignîmes, oubliant tout le reste.

Il fallait à présent parer au plus pressé. Revêtir maman de sa plus belle robe de velours, l'entourer de fleurs, prévenir les quelques personnes qu'elle avait connues et aimées de son vivant, faire appel au répertoire complexe de rites que prévoit notre religion pour les derniers adieux, des pratiques dont je n'avais jamais entendu parler jusqu'alors. Ma famille étant jeune et peu étendue, je n'avais jamais porté le deuil. Angoissé et surpris, je découvris comment on prend congé d'un mort dans la tradition russe.

– Toi et moi devons organiser une petite fête, Léonid. Il va falloir mettre la main à la pâte.

– Une fête, tante Nina ? Mais je n'ai pas du tout envie de voir du monde, protestai-je.

– La *panikhida*, ça s'appelle la *panikhida*, et je ne veux plus entendre un mot de ta part, ajouta-t-elle.

À en juger par son expression, elle n'allait pas tarder à entrer dans un de ses fréquents états d'ébullition. Après s'être engouffrée dans la cuisine pour voir ce qui était encore mangeable parmi les reliefs de la collation préparée en l'honneur de Mister C, elle se mit à dresser une longue liste de courses, des victuailles selon elle *indispensables* à notre petite fête.

– ... une douzaine d'œufs pour les gâteaux et une bonne vingtaine de harengs saurs, de la viande pour les *piroshki*, un peu de poulet, des os pour donner du goût au bouillon, du pain, des noix, des fruits confits, du thé, du café, de la vodka – au moins trois bouteilles – et des fleurs, autant que mes moyens me le permettront. Tu notes, mon garçon ?

Je n'avais pas le choix, mais j'ignorais où nous allions trouver tout cela et avec quel argent Nina paierait ses provisions pour une fête dont je ne voyais pas la nécessité.

– « Pourquoi ? Pourquoi ? » me singea-t-elle. Parce que, Léonid. Le propre des traditions, c'est précisément de se conformer sans broncher à ce qu'on ne comprend pas. Mais puisque tu insistes, je te dirai que c'est quelque chose qui a trait au froid et à l'éloignement. Quand on organise des obsèques, on fait venir des gens de loin et, dans ce pays où il gèle à pierre fendre, être hospitalier est la moindre des politesses. Bon, maintenant, assez bavardé, il faut que j'aille préparer ta mère, la faire belle. Je te garantis qu'elle le sera, mon petit bonhomme... La mort nous honore d'une ultime gentillesse, elle efface les traces des souffrances de ceux qui nous quittent pour les rendre tels qu'ils étaient à l'époque la plus agréable de leur vie.

Il est pénible de devoir préparer des *piroshki*, des fruits confits et des petits gâteaux à la crème quand on a le cœur meurtri. Plus encore lorsque la ville est en guerre et que trouver des victuailles relève presque de l'impossible. Mais, outre les rituels orthodoxes réservés aux morts, j'appris ce jour-là un autre mot : *chiorni rinok*, qui désigne le marché noir, une réalité aussi mystérieuse que foisonnante, et j'allais me rendre compte qu'on y achetait et vendait toutes sortes de choses.

– Il ne faut pas regarder à la dépense, elle le mérite, dit Nina en détachant de son chemisier un camée qu'elle portait toujours. Tu verras qu'avec ça et une autre petite chose à laquelle je viens de penser, nous allons nous débrouiller comme des chefs, ajouta-t-elle en soupesant le bijou entre ses doigts. Donne-moi cette liste et ne sors sous aucun prétexte, je serai vite rentrée.

Je ne sus jamais où elle était allée. Elle revint au bout de deux heures, transie, rapportant presque tout ce que j'avais noté sur le papier. Ce n'est que lorsqu'elle eut retiré son manteau et son vieux bonnet en fourrure que je me rendis compte qu'en plus du camée il lui manquait autre chose.

– Tes cheveux, tante Nina ! Qu'as-tu fait de tes cheveux ?

On avait coupé ses longues tresses ambrées, pareilles à celles de maman. Tondue à ras, elle ressemblait à présent à un elfe aux grands yeux effrayés. En revanche, elle avait encore toute sa voix.

– Je peux savoir ce que tu regardes comme ça, mon garçon ? Je te l'ai dit tout à l'heure, elle le mérite.

*

Quatre ou cinq heures plus tard commencèrent à défiler dans l'appartement les personnes qui souhaitaient faire leurs adieux à maman. De ma vie je n'avais vu autant de monde dans notre salon : voisins venus présenter leurs respects, clientes de maman et de Nina, certains de leurs amis aussi, que je n'avais jamais croisés. Parmi cette cinquantaine d'individus, je reconnus une tête, celle d'oncle Gricha, qui me salua d'une accolade et posa sur ma joue les trois baisers de rigueur.

– Courage, Liev, me dit-il, usant d'un surnom qu'il était le seul à utiliser. Je suppose que ton travail à l'hôpital t'a permis de découvrir que la ligne qui sépare ce monde de l'autre est très fine.

Après avoir prononcé ces mots, il me prit par le bras et m'éloigna de la dizaine d'invités qui disaient des prières à voix basse.

– Allons, mon petit ! me lança-t-il en m'entraînant vers la table dressée par nos soins. Bois un verre de vodka avec ton vieil oncle Gricha. La nuit est froide et de longues heures de veille t'attendent. Cul sec, sans réfléchir !... Ah, voilà qui me plaît !

J'ignore combien de verres nous éclusâmes, oncle Gricha et moi, mais aussi tous les autres convives. La vodka coulait à flots au milieu des oraisons funèbres dont elle semblait intensifier la ferveur. Alors que les invités n'avaient à l'évidence aucune intention de se retirer, sur le coup de dix heures Gricha nous annonça qu'il devait partir.

– Ce soir, le prince a des invités, expliqua-t-il à Nina. Je reviendrai demain, tôt dans la matinée, pour t'aider avant les obsèques.

– Je croyais le vieux Youssoupov en Crimée, dit-elle, retrouvant momentanément – sans doute sous l'effet de la vodka – sa curiosité mondaine.

Tante Nina avait toujours été fière que son frère travaille pour la famille la plus fortunée du pays. Le nom des Youssoupov était sur toutes les lèvres, que ce soit pour vanter leur richesse ou parce que leurs scandales défrayaient la chronique.

– En effet, il est en Crimée avec la princesse Zénaïde, lui confirma Gricha. Ils sont partis la semaine dernière. C'est le jeune Félix qui a des invités. Son père m'a demandé de le surveiller de près et de le suivre comme son ombre, précisa mon oncle en esquissant un sourire compréhensif.

– Il en a bien besoin. Tu sais ce que disent les âmes peu charitables : il est bien dommage que la mort ait emporté l'aîné des Youssoupov et non le cadet. Pauvre Nikolaï Feliksovitch. Il était jeune et n'a pas eu de chance...

Je me rappelai alors une vieille histoire que Youri m'avait racontée pour nous distraire au fil des longues heures que nous passions dans les conduits impériaux, une ancienne malédiction qui frappait les maîtres de mon oncle. D'origine tartare, les Youssoupov étaient au départ musulmans. Dans la seconde moitié du XVIIe siècle, l'un d'eux, Dimitri, avait jugé bon d'abjurer sa foi pour se convertir à l'orthodoxie. Il avait confié à ses amis que, le lendemain, le prophète Mahomet lui était apparu en rêve et avait maudit son lignage, lui promettant que chaque génération ne compterait qu'un seul héritier et que les autres enfants mâles mourraient avant d'avoir vingt-six ans. La prophétie s'était réalisée pendant cinq générations. Les princes actuels, qui avaient vu trépasser deux de leurs quatre enfants en très bas âge, pensaient avoir conjuré le mauvais sort. Leur fils aîné, Nikolaï, était un jeune homme sérieux menant une existence rangée, contrairement à son frère Félix, qui avait très tôt défrayé la chronique. Nul ne se serait imaginé que l'héritier des Youssoupov serait mêlé à une confuse affaire de jupons et que, deux jours avant de fêter son vingt-sixième anniversaire, il serait tué en duel par le mari offensé de sa maîtresse. Depuis, rien n'avait plus jamais été pareil dans la famille. Les parents avaient mis des années à surmonter cette perte tandis que Félix, désormais fils unique, cultivait ses nombreuses passions avec un appétit insatiable, mettant chaque jour en pratique l'expression *Carpe diem*. Il buvait et fumait de l'opium avec d'autres « sauvages » dans son genre, issus de familles aussi distinguées que la sienne, dilapidait l'argent dans des caprices absurdes et prenait plaisir à se travestir pour séduire de jeunes marins et organiser des soirées avec des petits tziganes qui n'avaient pas encore quinze ans. Il n'avait renoncé à ces fréquentations qu'à compter du jour où il avait fait la connaissance d'un « être spécial », grâce auquel il avait oublié – du moins en apparence – ses penchants habituels.

L'être en question était la fille de Xenia Alexandrovna, la sœur du tsar et une des plus jolies femmes d'Europe. L'entourage du jeune prince, le sachant peu attiré par le beau sexe, avait été très surpris que celui-ci déclare sa flamme à Irina. Le tsar et la tsarine s'étaient dès le début opposés à cette union – d'après Youri, Félix leur en avait toujours tenu grief –, mais la forte personnalité de la jeune fille avait fait fléchir le tsar, son oncle et parrain. Il se peut également que l'argent tout-puissant de Félix ait joué un rôle dans cette acceptation. Toujours est-il que le couple avait fini par convoler et eu une fille, prénommée comme sa mère.

– Oui, ma chère, poursuivit Gricha en ignorant le commentaire négatif de sa sœur sur les Youssoupov. Les parents de Félix sont partis quelques jours en Crimée avec les deux Irina, mère et fille. Quant à la fête du jeune Félix, je ne crois pas qu'elle soit très fastueuse. Il y aura tout au plus cinq ou six amis. Il m'a demandé de préparer une petite salle qui se trouve au sous-sol du palais, d'y mettre un canapé, deux fauteuils, une vieille peau d'ours en guise de tapis... Je ne pense pas non plus que ça dure jusqu'à l'aube. Je serai donc de retour ici à sept heures pour t'aider, Nina. Encore qu'avec le jeune Félix on ne sait jamais, il est tellement imprévisible...

J'observai mon oncle et fus heureux de voir se dessiner sur ses lèvres un autre sourire compréhensif. À l'évidence, il aimait bien ce noceur de Félix, qu'il avait probablement fait sauter sur ses genoux quand il était petit, puisqu'il avait passé sa vie au service des Youssoupov. Leur sang coulait-il dans ses veines ? À l'époque, Youri m'avait déjà livré toutes sortes de détails sur les valets sans naissance et les valets de sang, aussi m'appliquai-je à étudier mon oncle pour déterminer si ses mains ou ses yeux – des parties du corps très révélatrices, selon Youri – trahissaient ses origines. Identiques à ceux de maman et de tante Nina, les seconds n'avaient rien de remarquable. Ses mains, en revanche, ne ressemblaient guère à celles de ses sœurs. Longues et osseuses, elles se distinguaient par leurs gestes gracieux. Pour les décrire fidèlement, je dirais qu'elles donnaient l'impression d'avoir manié un fleuret ou un éventail pendant des siècles.

– Bon, Léonid ! s'écria tante Nina en me tirant de mes réflexions. On peut savoir ce que tu fais planté là, à me regarder d'un air bête ? Ton oncle est pressé, tu n'as pas entendu ? Va chercher son manteau et sa chapka, dépêche-toi !

Notre petite garde-robe était pleine à ras bord de manteaux, bonnets et chapeaux, mais je n'eus aucun mal à identifier l'épaisse pelisse et la chapka en renard roux de Gricha. À vrai dire, je les aurais reconnues entre mille, d'une part parce qu'elles étaient voyantes et luxueuses, mais surtout parce qu'il les portait le fameux soir où lui, tante Nina et Lara Aleksandrovna avaient convoqué les esprits.

– Merci, mon petit. À demain, sept heures ! me dit-il avant de partir.

Je ne pus m'empêcher de consulter la pendule et de compter les heures qui me séparaient de cet instant. Une longue et triste nuit de veille m'attendait auprès de gens que, hormis quelques voisins, je connaissais à peine.

Je retournai au salon. Deux femmes s'apprêtaient à entrer dans la chambre de maman pour y dire des prières. Je décidai de me joindre à elles. Je constatai que tante Nina avait raison : un véritable miracle s'était opéré sur le corps de ma mère. La mort avait détendu ses traits, lui restituant une partie de sa beauté. Elle paraissait dormir, bercée par les murmures des oraisons et le tic-tac du réveil, qui indiquait dix heures et quart.

Une longue nuit m'attendait.

Trois étrangers sur un pont

Je découvris que, pendant les veillées funèbres, les prières servent tout autant à réconforter ceux qui souffrent de la perte d'un proche qu'à les consoler en leur donnant l'impression de se livrer à une activité utile, ne serait-ce qu'en remuant les lèvres. Après m'être consacré un long moment aux litanies et aux oraisons, j'allai me poster devant la pendule du salon et la regardai fixement dans l'espoir de précipiter son imperturbable tic-tac. Deux heures sonnèrent, puis trois, après quoi les aiguilles s'attardèrent, aussi lentes qu'un purgatoire, jusqu'à quatre heures. Il me fallut attendre une éternité avant qu'il soit cinq heures, puis cinq heures et demie, sans que la moindre lueur laisse présager un jour nouveau. Quand l'aube se lèverait-elle ? Les nuits de décembre étant les plus longues de l'année, il me faudrait patienter encore longtemps. Je décidai alors de sortir. Quitter cette ambiance pesante où les prières se mêlaient à la douleur, à la fumée des cierges et aux fleurs déjà fanées me ferait le plus grand bien. J'aurais aimé avertir tante Nina, mais elle dormait, la tête en appui sur les barreaux du lit où gisait maman. Leur visage l'un contre l'autre, elles étaient telles que je les avais souvent vues lorsqu'elles se reposaient après une dure journée de travail. Je baisai leur front avant d'aller chercher mon manteau.

Je suis sûr que, cette fois, Lara Aleksandrovna aurait approuvé ma tenue, une pelisse en mouton retourné bien boutonnée, une écharpe, des gants de grosse laine et une chapka enfoncée jusqu'aux oreilles. Au petit matin, les températures glaciales de Petrograd n'invitaient guère à la promenade. Pourtant, j'avais besoin de prendre l'air. Ce n'était peut-être qu'un mirage, mais alors que je marchais en direction de la Neva j'eus l'impression de voir des lueurs au loin, annonciatrices de l'aube, là où le fleuve divise notre ville en deux.

À ce stade de mon récit, il me semble devoir rappeler certaines particularités de Saint-Pétersbourg, alors capitale de l'Empire russe. Dire par exemple qu'on l'a surnommée la « Venise du Nord » parce que son fondateur, Pierre Ier, n'appréciait pas les rues pavées. Marin avant tout, il leur préférait la Neva et ses affluents, la Moïka et la Fontanka, qui constituent ses deux boulevards principaux. Quarante-quatre îles reliées par un entrelacs de canaux au-dessus desquels règnent trois cent quarante-deux ponts complètent le tableau spectaculaire de cette cité qui paraît émerger des eaux. Dostoïevski la considérait comme la ville des empereurs et des conspirateurs, sans doute parce que chacun de ses larges canaux comporte de nombreux recoins et détours menaçants. Sous les ponts se cachent d'étroits passages, des grottes, des anfractuosités et des trous où les rats et autres bestioles élisent domicile. La guerre avait accentué leur aspect lugubre, et on ignorait ce qu'on risquait de trouver dans certains passages. Je ne fus donc guère surpris, à peine sorti de chez moi, de voir le cadavre d'un cheval au milieu de la rue. Personne ne s'était donné la peine de le retirer ou au moins de le dégager pour ne pas gêner la circulation. Enflé, rigide, son corps émergeait de la neige sale, semblable à un monument à la désolation. Je le contournai en songeant que c'était une chance que nous soyons en décembre, sans quoi cette triste dépouille mordillée par les chiens et les rats aurait été le festin des mouches et des vers. Je poursuivis ma route sans regarder derrière moi. L'avancée inquiétante des Allemands avait fait affluer dans la ville des milliers de paysans fuyant les combats pour se réfugier là où ils pouvaient. Affligés, affamés, ils se pressaient sous les ponts, aux abords des églises, sous les arcades des galeries marchandes et même sous les porches des immeubles, cherchant un abri pour la nuit. D'autres erraient dans la ville comme des ombres, attentifs à tout. Mais la vie valait si peu à l'époque que, bien souvent, au lieu de mettre la main sur un quignon de pain, c'était la mort qu'ils trouvaient, égorgés puis dépouillés des quelques biens qu'ils avaient sur eux.

En tournant à droite pour m'engager dans une des rues parallèles à la Neva, je retrouvai en Petrograd la Saint-Pétersbourg que j'aimais. Le long des berges, les triples lampadaires en fer forgé aux armoiries de l'Empire, qui étaient la fierté de la ville, brillaient de mille feux, rendant tout moins menaçant. Je pris plaisir à me promener à cet endroit. L'air glacé et libérateur gonflait mes poumons et j'avais l'impression d'être le maître de ces artères désertes qui ne semblaient s'offrir qu'à ma vue. Non loin de là, l'horloge d'un clocher sonna et je songeai que cette sensation magique d'exclusivité allait bientôt disparaître. Dans très peu de temps, les boulangers, toujours levés à l'aube, ou les vendeurs des marchés commenceraient à travailler et le mirage de l'ancienne Saint-Pétersbourg cesserait de n'appartenir qu'à moi.

Je continuai vers l'est, suivant la clarté diffuse que j'avais aperçue à l'horizon, sans me rendre compte que, peu à peu, je m'éloignais des quartiers éclairés pour m'aventurer dans un secteur moins fréquenté et plus obscur. Je longeais toujours la berge de la Neva ; une lune tardive avait pris la relève des réverbères impériaux et se reflétait dans les eaux à demi gelées du fleuve.

Un rat de la taille d'un chat passa devant moi, signe indubitable que je pénétrais dans une zone d'ombre. Je cherchai à l'éviter et c'est alors que je vis une automobile noire s'arrêter près d'un des ponts. Elle stationnait sur l'autre rive, et cette partie du fleuve dessinant à cet endroit comme une faucille, on ne distinguait guère ce qui se passait de l'autre côté.

Trois individus descendirent du véhicule noir et restèrent immobiles pendant quelques secondes. Ils regardèrent ensuite autour d'eux, pour s'assurer qu'ils étaient seuls, puis sortirent du coffre ce qui me sembla être un lourd ballot. Je reculai et trouvai refuge sous un pont, uniquement soucieux de ne pas buter à nouveau sur ce rat pour avoir été trop curieux.

La lune éclairait à présent leurs silhouettes, me permettant de distinguer certains détails, en particulier une chapka rousse et voyante coiffée par le plus grand des trois hommes. J'étudiai les deux autres, qui avaient l'air bien bâtis et portaient des capotes militaires, une tenue qui m'en apprenait bien peu sur eux, car, en ces temps de guerre, beaucoup d'hommes revêtaient ce type de manteau. Presque tous les sujets en âge de servir la patrie en possédaient un, qui leur servait même lorsqu'ils n'étaient pas sur le front. J'échafaudai une possible théorie concernant l'identité des trois larrons. On entendait beaucoup parler de contrebandiers et de distillateurs clandestins de vodka qui cachaient leur marchandise dans le fleuve après l'avoir glissée dans des sacs imperméables. « C'est sûrement ça », pensai-je en m'amusant à observer leurs mouvements. Pour des professionnels du délit, il n'avaient pas l'air très habiles : quand l'un d'eux désignait la gauche, les deux autres allaient à droite. À cause de leur manque de coordination, ils mirent longtemps à traîner leur charge jusqu'au milieu du pont. Ils échangèrent ensuite quelques mots précipités dont le sens m'échappa, le vent soufflant en sens contraire. Avec difficulté, ils hissèrent le ballot sur la balustrade. Je constatai qu'il s'agissait d'un sac long et vaguement cylindrique qui devait peser son poids, car ils s'y reprirent à trois fois avant de le faire tomber dans le fleuve, qui, à en juger par le bruit de plongeon que j'entendis, n'était à cet endroit pas gelé. Après avoir accompli cette tâche, ils regagnèrent leur automobile. « Une nuit parfaite pour les conspirateurs », pensai-je en songeant à Dostoïevski. En effet, le froid qui régnait sur la ville se chargeait de ne rendre visible aucune partie de leur anatomie, hormis leurs yeux et leur nez. En outre, les lumières du pont n'étaient pas assez puissantes pour me permettre d'apprécier d'autres détails que la couleur grise de leur capote et la chapka rousse. « Comme celle d'oncle Gricha », me dis-je, m'empressant de chasser cette idée absurde de mon esprit. Mon oncle devait probablement profiter de ses dernières heures de sommeil avant que la sonnerie du réveil ne lui signifie qu'il était temps de se lever et de retourner chez ses sœurs.

Moi aussi, je devais rentrer. La ligne d'horizon s'était teintée d'un éclat pâle, mais il ne faisait pas encore jour. Je tournai de nouveau la tête vers la berge opposée. Les trois hommes s'apprêtaient à quitter les lieux. Je me demandai si, lorsqu'ils reculeraient, la lumière d'un réverbère viendrait à mon secours et me révélerait certains de leurs traits. Je plissai les yeux et dressai l'oreille, tendis la tête derrière la colonne qui me cachait et me trouvai nez à nez avec l'énorme rat, qui avait escaladé la rambarde la plus proche et me toisait d'égal à égal.

Maudite bestiole.

Sur le chemin du cimetière

– Gricha ! On dirait que tu as dormi tout habillé ou que tu ne t'es pas couché. Et cette tête ! Je parie qu'ils ne t'ont pas laissé fermer l'œil de la nuit et que le jeune Youssoupov est toujours en train de faire la fête. Quelle crapule !

Tel fut l'accueil que tante Nina réserva à son frère quand il apparut enfin. Malgré ses promesses de la veille, il arriva au moment où le pope Dimitri disait les dernières bénédictions avant que nous nous rendions au cimetière. Plus que son manque de ponctualité, c'était l'allure déplorable de Gricha qui dérangeait Nina.

– Tu es trop bon, pour ne pas dire trop c..., Gricha. Je peux savoir jusqu'à quelle heure Félix et ses petits camarades ont joué de la *balalaïka* ?

Gricha ne semblait pas de bonne humeur.

– Bon, Nina, oublions ça. Je n'ai pas l'intention de discuter avec toi de ce qui se passe chez nous, tu le sais parfaitement. En plus, je suis venu ici pour écouter les sermons du père Dimitri, pas les tiens.

Ces mots coupèrent court aux reproches, mais Nina avait raison. Gricha ne s'était pas rasé et portait la même chemise que la veille, ce qui ne ressemblait pas à cet homme d'ordinaire si soucieux de son allure.

– Ohhhh ! Ce que je ne donnerais pas pour voir une de ces fêtes de riches, ne serait-ce que par le trou de la serrure… entendis-je soupirer à ma gauche.

Il s'agissait de Gala Cheropieva, notre voisine de palier, une veuve d'une quarantaine d'années aux cheveux d'un roux agressif. Ce n'était pas là sa particularité la plus remarquable. « Je dors toujours un œil ouvert et l'autre fermé », se plaisait-elle à dire dans le quartier. Pour ma part, je prenais au pied de la lettre cette phrase qui l'avait rendue populaire, non seulement parce que ses yeux étaient grands, ovoïdes et peinturlurés comme des œufs de Pâques, mais parce que l'un regardait Minsk tandis que l'autre était tourné vers Vladivostok.

– Quand je dirai à ma nièce que j'ai rencontré un Youssoupov, elle ne me croira pas ! ajouta-t-elle en poussant un nouveau soupir.

Entre domestiques, il était habituel de s'appeler par le nom de ses maîtres, ce qui n'empêcha pas Gricha de lui lancer un regard glacial.

Elle ne cilla pas et profita de ce que le père Dimitri s'était approché de mon oncle et lui expliquait certains détails de la cérémonie funèbre pour continuer à pérorer en s'adressant à moi.

– Dieu sait que je n'aime pas parler de ces choses-là devant le corps d'un défunt, déclara-t-elle en se signant avec une grande dévotion. D'ailleurs, tu as vu comme je suis restée sage, cette nuit, pendant que je veillais ta pauvre *matiouchka*… Mais je suppose que tu connais le proverbe, Léonid : « Laissez les morts enterrer leurs… »

Elle s'apprêtait à ajouter « morts », mais je la plantai là. Je n'aimais pas cette femme, sans doute parce qu'elle avait toujours déplu à ma mère. En revanche, tante Nina l'appréciait. « Si tu veux t'informer de ce qui se passe dans le quartier ou n'importe où à Petrograd, demande à Gala, disait-elle. Elle en sait plus que la *Gazeta Vedomosti.* »

Je craignais qu'après la mort de maman Gala Cheropieva ne devienne plus présente, un de ses yeux strabiques posé sur notre appartement et l'autre chez elle. Mais j'aurais bien le temps de me soucier de cela plus tard. Pour l'heure, je devais de toute urgence me préparer à de faire mes adieux à ma mère et aider tante Nina.

La tradition russe veut que celui qui se dirige vers sa dernière demeure le fasse à cercueil ouvert, traverse les rues et les places, offert à la vue de tous, porté par des proches, en principe des hommes. Avec le soutien d'autres femmes, tante Nina avait installé maman dans une bière en sapin couverte d'une belle étoffe blanche. Elle et moi y avions ensuite disposé des fleurs et j'y glissai le diptyque que Raspoutine m'avait donné pour elle. Il ne lui avait pas servi à grand-chose de son vivant, mais la réconforterait peut-être lors de son passage dans l'au-delà. Une fois les préparatifs terminés, nous l'embrassâmes et deux voisins nous prêtèrent main-forte dans la triste tâche qui consistait à la porter jusqu'au cimetière.

Le cortège se mit en route. La matinée était froide et ensoleillée, comme les jours précédents, et, sur notre passage, les gens se signaient ou retiraient respectueusement leur chapeau. C'est du moins ce qu'ils firent lorsque nous arpentâmes les deux premiers pâtés de maisons. Au troisième, je remarquai que plus personne ne faisait attention à nous. On nous tournait le dos, des petits groupes se formaient et échangeaient des impressions, d'abord à voix basse, puis le ton monta, bouleversé. « Une autre triste nouvelle du front », me dis-je en continuant de marcher vers le cimetière.

Après les obsèques et les prières pénibles et interminables, nous quittâmes enfin cet endroit sinistre. C'est alors que nous apprîmes la rumeur qui circulait dans tout Petrograd.

– Raspoutine a disparu !

– Sans laisser de traces !

– Personne ne sait ce qui a bien pu lui arriver…

– Tais-toi et écoute ! s'écria un homme près de moi. Je vis à deux rues de chez lui et je sais tout. Sa fille dit qu'hier soir, vers onze heures et demie, un jeune homme de la meilleure société de Saint-Pétersbourg est passé prendre le starets en automobile et qu'on ne l'a pas revu depuis.

Sans cesser de marcher avec le cortège, Gala Cheropieva avait profité de l'occasion pour collecter des informations et elle fut la première à nommer le jeune homme en question.

– Et ce n'est pas n'importe qui ! Il s'agit de Félix Youssoupov en personne, rien de moins ! C'est lui ! Lui qui est venu le chercher, ajouta-t-elle en accentuant bien le « i », imitant en cela la façon de parler des gens fortunés. Ils sont allés au palais de la Moïka. Il paraît qu'ils sont partis en riant et en chantant.

Voyant que ce nom n'évoquait rien à une personne de l'assistance, Gala Cheropieva se fit un plaisir d'éclairer son auditeur.

– Oui, mon ami. Il s'agit du palais le plus luxueux et le plus extravagant de Petrograd. Il a été construit par le vieux Youssoupov, et le jeune Félix, qui a épousé la nièce préférée du tsar, y habite en attendant d'avoir sa propre demeure. Hier, maman et papa n'étaient pas là. Irina et le bébé non plus…

Vous comprenez ? Je me demande ce que manigancent ce gamin pourri gâté et le père Grigori. Rien de bon, évidemment. Et où est le starets ? demanda-t-elle en lançant à Gricha un regard à la fois inquisiteur et triomphal.

Je me tournai vers mon oncle pour voir sa réaction, persuadé qu'il allait remettre cette perruche à sa place.

– Ne dites pas de bêtises, madame. Les ignorants sont ridicules quand ils parlent de choses qu'ils ne connaissent pas.

Il se contenta de répliquer ces mots et je fus surpris de l'entendre les prononcer d'une voix douce, sans contrariété ni agacement, un sourire aristocratique – quoique un peu fatigué – aux lèvres.

Montevideo, 20 juin 1994

– Très bien, très bien, María, vous avez gagné. Ne m'en dites pas plus, vous avez entièrement raison. *Mea culpa*, je fais acte de contrition et propose aussi de faire pénitence. Vous autres, les catholiques, vous employez cette expression, n'est-ce pas ? Je suis tout à fait d'accord avec vous. On ne peut pas demander à quelqu'un de vous rendre service sans rien lui donner en échange. J'accepte donc : si je meurs avant d'avoir terminé cette longue confession, vous vous en chargerez en suivant les instructions que je vous aurai laissées. Quant à moi, pour vous rétribuer de cette immense faveur, je m'engage à vous révéler un peu du contenu de mon dossier. Marché conclu ! Quel chapitre de cette période vous intéresse ? Non, ne répondez pas, je sais : la mort de Nicolas Alexandrovitch et de sa famille à Ekaterinbourg impressionne et fascine tout le monde. Parfait, je vais très vite exaucer votre souhait, mais il faut auparavant que je vous parle de la mort qui a préludé à celle des Romanov. Avez-vous déjà remarqué les ondes qui se dessinent à la surface d'un étang lorsqu'on y jette une pierre, même très petite ? Certains événements historiques produisent des effets similaires, des ondes en principe infimes s'élargissent à mesure qu'elles se multiplient, concentriques, à l'infini. C'est ce que m'a enseigné il y a des années un personnage singulier. Si je vous dis

« Raspoutine », à quoi pensez-vous en premier ?... Non, s'il vous plaît, ne me répondez pas comme on me l'a dit un jour que ce nom vous fait songer à une chanson pop très célèbre dans les années 1970 ! « *Ra Ra Rasputine, lover of the Russian Queen...* » Mon Dieu, mon Dieu ! *Sic transit gloria mundi*, quelle ignorance ! Mais je suppose que c'est inévitable, vous êtes si jeune... Enfin, prenez une chaise, je vous en prie, l'histoire n'est pas longue, mais elle mérite d'être racontée en détail. Elle contient un peu de tout : luxe, folie, luxure et, surtout, de la logique, une grande logique. Voici donc l'histoire de la mort de Grigori Efimovitch Raspoutine. Avant, permettez-moi de vous présenter ses acteurs principaux ou, comme on dit au théâtre, ses *dramatis personae*.

Le premier entre tous est l'homme que, à l'époque, on déteste le plus en Russie, le tsar de l'ombre. Malgré ce que dénonçaient les pasquins et qui a été repris dans la chanson idiote de Boney M., il n'a jamais été le *lover of the Russian Queen*, l'« amant de la reine russe ». Non, tout d'abord parce que Alexandra et lui entretenaient un autre type de relation, ensuite parce que nous n'avions pas de reine, mais une tsarine. En revanche, nous avions un pays sur le point de s'effondrer, avec un tsar à des milliers de kilomètres de Petrograd et une armée en complète débandade. Nous avions aussi une population lasse de lutter pour des prunes et menacée par la faim, la ruine et une situation politique hautement inflammable, une Douma divisée en nombreuses factions contradictoires. Telle était donc la situation en Russie, où tout le monde s'accordait sur un point : en finir avec Grigori Efimovitch Raspoutine, la tête visible du désastre. Pour y parvenir, on trama cinq ou six conspirations parmi lesquelles seule celle ourdie par le prince Félix Youssoupov fut couronnée de succès. C'est là, ma chère, qu'entre en scène le deuxième acteur principal de notre tragicomédie, un jeune homme de vingt-neuf ans qui détestait tellement les armes qu'il n'avait jamais manié un lance-pierres de sa vie. Il est vrai qu'en ce temps-là il revêtait un uniforme bizarre et plutôt bien coupé parce que c'était un acte patriotique. Mais ses bottes *made in Great Britain* n'avaient jamais pris la boue dans une tranchée. Pour que vous vous fassiez une idée du genre de personne dont nous parlons, je vous dirais que Félix Youssoupov n'aimait rien tant qu'être admiré, jalousé, idolâtré, et lorsque ce n'était pas possible – ou précisément pour y parvenir – il adorait être « celui par qui le scandale arrive », comme on dit. Il aimait l'opium, les déguisements provocants, les fêtes effrénées... mais également les traditions, les icônes et les vieilles légendes. En réalité, ce jeune homme était un mélange très russe : provocateur indolent et fervent partisan des fondements de la religion, il ne jurait que par notre aristocratie millénaire, à laquelle il était fier d'appartenir, méprisant les gens de mon espèce. « Drôle de conspirateur ! » penserez-vous, ma chère. Un assassin dilettante, un criminel aux penchants *très osés**... Mais attendez, attendez un peu, et vous verrez que ses complices ne nuisent pas au tableau. Vladimir Pourichkevitch avait la cinquantaine et était membre de la Douma, dont il représentait la tendance la plus à droite. Il se disait tsariste convaincu, défendait l'autocratie et l'austère orthodoxie religieuse. Le 2 décembre 1916, il prononça à la Chambre un discours vibrant pour dénoncer la « Force obscure » (surnom donné à Raspoutine par ses ennemis) qui minait l'institution tsariste et le pays, et exiger son élimination. Le lendemain, il reçut la visite de Youssoupov, qui lui annonça qu'il était prêt à tuer le starets et avait besoin de son aide. Pourichkevitch la lui apporta volontiers et trois autres conspirateurs se joignirent au complot :

Soukhotine, un obscur officier inconnu ; Lazovert, un médecin militaire ; et, enfin, le compagnon de bordée le plus assidu de Youssoupov, le grand-duc Dimitri Pavlovitch, cousin germain de Nicolas II, qu'il appelait « oncle Nicky » du fait de leur grande différence d'âge. Ses relations avec le tsar étaient si étroites qu'on avait envisagé un moment son mariage avec la grande-duchesse Olga. Mais l'amitié « excessive » – quand ils l'évoquaient, les gens accentuaient en général cet adjectif d'un air lourd de sous-entendus – de Dimitri et Youssoupov fit échouer ce projet. Vous me suivez, María ?... Parfait. Maintenant que tous nos acteurs sont sur les planches, je vais vous décrire la scène du crime.

Après plusieurs réunions pleines de ferveur patriotique, les conjurés décidèrent que leur crime aurait lieu dans la cave du palais de la Moïka, qui appartenait aux parents de Félix et avait été rénové après les noces du jeune homme avec Irina.

Dans le nouvel aménagement, les parents de Félix s'étaient réservé les étages supérieurs. Les jeunes mariés et leur petite fille d'un an s'installèrent au rez-de-chaussée (si grand qu'il comprenait une salle de théâtre et même un bain turc). La cave servait à entreposer de vieux objets. Les conspirateurs projetaient d'attirer le starets dans ce lieu où nul ne verrait ni n'entendrait rien, pas même les domestiques, dont les chambres se trouvaient sous les combles. Youssoupov arrêta la date, le 29 décembre, avec le plus grand soin. Elle convenait parfaitement à son emploi du temps, aussi chargé que celui de Dimitri, car pendant que nous autres, les pauvres, endurions toutes sortes de pénuries, les riches continuaient de danser et de festoyer. Il y a toujours eu deux mondes, vous savez, deux façons très différentes de vivre la tragédie. Alors que la guerre faisait rage, la vie sociale de Petrograd était plus joyeuse que jamais, et Félix et Dimitri y occupaient une place de choix. Annuler des rendez-vous mondains sans avancer de raison valable aurait semblé suspect. En outre, les parents de Félix se trouvaient alors en Crimée avec Irina et le bébé. La voie était donc libre, et seuls les serviteurs auraient pu constituer des témoins gênants, mais Félix sut écarter cet obstacle en demandant à son fidèle et loyal Gricha, un valet né dans la maison qu'il considérait comme un père, d'organiser un « petit dîner sympathique à la cave ». Habitué aux rendez-vous galants de son maître, Gricha ne se le fit pas dire deux fois et s'occupa du *souper**. Parmi les quelques pièces peu fréquentées du sous-sol, il choisit une salle assez peu accueillante, basse de plafond, aux murs de pierre grise et au sol de granite. Quand il y eut disposé quatre ou cinq meubles – deux chaises et deux tables recouvertes de tapisseries brodées, un petit secrétaire incrusté d'ébène –, ce cadre plutôt hostile changea d'aspect. Pour apporter une touche chaleureuse, Gricha posa une belle croix en cristal de roche sur le secrétaire, un tapis persan et une magnifique peau d'ours polaire par terre. Félix avait l'intention de convier Raspoutine à un thé tardif accompagné de petits gâteaux contenant une dose de cyanure qui aurait pu tuer un cheval. Il ordonna à Gricha – qui ignorait les intentions criminelles de son maître, du moins au début – de poser sur la peau d'ours une table ronde devant laquelle Raspoutine s'installerait pour prendre sa dernière tasse de thé, de même que les bouteilles de vin que Félix alla choisir dans le cellier voisin. Les conspirateurs avaient trouvé pour le tsar de l'ombre un appât à sa mesure.

Youssoupov savait que Raspoutine adorait les jolies femmes, aussi lui proposa-t-il de rencontrer la plus belle de toutes, la sienne, Irina, qui souhaitait selon lui s'entretenir avec le starets. Vaniteux, Raspoutine fut ravi de l'intérêt qu'on lui portait. Ils arrêtèrent la date du 29 décembre et Félix lui annonça qu'il passerait le chercher à onze heures. Raspoutine ne se doutait de rien.

Vous voyez, ma chère, comme la vie tient à peu de chose et combien l'être humain est étrange. Un homme tel que Raspoutine, qui avait passé son existence à faire des prophéties et à prédire l'avenir, ne trouva pas étrange qu'on l'invite à prendre le thé dans une cave à onze heures et demie du soir. Pourtant, en ce mois de décembre glacial, alors qu'une neige sale et gelée s'amoncelait dans les rues de Petrograd, il avait de sérieuses raisons de craindre pour son existence. Pourichkevitch, dont la discrétion n'était pas la qualité première, avait fait à la Douma des allusions indirectes à la conjuration et conseillé à ses collègues d'être vigilants, car il risquait bientôt d'arriver « quelque chose » à Raspoutine. Ces rumeurs étaient revenues aux oreilles du starets, toujours soucieux de ce qu'on disait de lui dans les cercles politiques. Il avait redoublé de méfiance, était devenu de plus en plus taciturne et évitait la compagnie d'étrangers. On raconte qu'un jour il rentra bouleversé d'une promenade solitaire le long de la Neva : il avait vu le fleuve « rouge de sang ». Il paraît que c'est ensuite qu'il écrivit sa célèbre lettre au tsar lui annonçant que lui, Raspoutine, mourrait avant le 1er janvier. Il ajoutait que, s'il était tué par un homme du peuple russe, Nicolas II n'aurait rien à craindre, mais que si ses assassins étaient des membres de la famille impériale, ni le tsar, ni sa femme, ni leurs enfants ne lui survivraient plus de deux ans. Sa mort – celle du starets – se renouvellerait dans la leur comme une pierre jetée pour ricocher à la surface d'un étang. Raspoutine *savait* donc ce qui allait survenir. Pourtant, voyez-vous, malgré toute sa clairvoyance et ses dons prophétiques, il s'est lui-même précipité dans la gueule du loup. Ah, j'oubliais !

Une autre personne l'avait averti. Dans l'après-midi de ce jour fatidique, Anna Vyroubova lui téléphona, comme elle le faisait souvent. Raspoutine lui annonça fièrement que Youssoupov l'avait invité à passer la soirée chez lui pour lui présenter Irina. Anna se montra sceptique, car la tsarine lui avait dit que la femme de Félix était en Crimée avec ses beaux-parents. Mais le destin est capricieux, ma chère. Quand l'heure est venue, il n'y a aucun don de voyance qui tienne, et cette fameuse nuit, alors que tous les mauvais présages s'étaient offerts très nettement à sa vue, Grigori Efimovitch demanda à sa fille, qui portait le même prénom que vous, María, de repasser sa plus belle tunique, brosser son pantalon de velours noir et cirer ses grandes bottes, celles qu'il chaussait pour les occasions exceptionnelles.

Lorsque Youssoupov arriva chez le starets à l'heure convenue, en compagnie du docteur Lazovert, déguisé en chauffeur, il trouva qu'il sentait le savon bon marché et que sa barbe et ses cheveux étaient impeccablement peignés. Ils montèrent en voiture et Raspoutine lança un joyeux « Ne m'attends pas, Macha ! » à sa fille, qui les regardait, inquiète, de la fenêtre. Ils s'éloignèrent en direction du palais de la Moïka. Une fois là, Félix conduisit le starets à la cave, dans la pièce aménagée avec soin par son fidèle Gricha. Il lui expliqua qu'Irina était à l'étage avec un groupe d'amis et que dès qu'ils partiraient elle descendrait le saluer.

À l'étage, les autres conspirateurs patientaient. Pour donner plus de vraisemblance à la « fête » d'Irina, ils ne cessaient de passer sur le gramophone Berliner de Félix une chanson alors très en vogue : « The Yankee Doodle Went to Town ». Au rythme de cet air enjoué, ils fumaient et buvaient, attendant que Youssoupov vienne leur annoncer que le poison avait fait effet et qu'ils pouvaient descendre et l'aider à se débarrasser du corps. Ils étaient loin de s'imaginer qu'il leur faudrait réécouter un nombre incalculable de fois « The Yankee Doodle »...

*

Youssoupov avait cultivé des mois durant l'amitié du starets afin de gagner sa confiance. Pour y parvenir, il s'était prévalu d'un de ses nombreux talents, celui qu'il avait pour la musique. Il possédait une belle voix de contre-ténor et aimait interpréter des chants russes et tziganes. La première chose que lui demanda Raspoutine en pénétrant dans la cave fut d'aller chercher sa guitare et d'égayer la soirée comme il l'avait souvent fait. Youssoupov obéit en espérant que lorsqu'ils auraient entonné plusieurs fois « Kalinka » et « Oci ciornie » le cyanure commencerait à agir. Cette affaire de poison avait mal commencé. Dans l'après-midi, le docteur Lazovert, un conspirateur très nerveux, avait enfilé d'encombrants gants en caoutchouc pour broyer les cristaux de cyanure dans un mortier. Une fois l'opération terminée, il s'en était débarrassé en les jetant dans la cheminée. Une épaisse fumée s'était élevée, répandant une odeur suspecte qui flottait encore dans la pièce quand Raspoutine était arrivé. Mais ce détail n'attira guère l'attention du visionnaire, accoutumé aux émanations corsées. Après quelques accords de guitare, Félix essaya de tenter son hôte avec quelques gâteaux fourrés au cyanure. « Non merci, je ne mange jamais de pâtisseries », s'excusa le starets, à la grande consternation du prince, qui lui proposa alors une tasse de thé que Raspoutine refusa également. Youssoupov commençait à avoir des sueurs froides, mais, obligé de mettre son plan meurtrier à exécution, il poussa une autre chansonnette, un bel air tzigane. Pendant qu'il chantait, il vit Raspoutine tendre distraitement une main et prendre un gâteau, puis un autre. Le temps passait et Félix, horrifié, constata que, malgré les effets foudroyants – selon Lazovert – de ce poison, le starets continuait à grignoter et à discuter comme si de rien n'était. Il réclama du vin. Félix lui en servit un fait dans sa famille, en Crimée, lui aussi bourré de cyanure. Le starets en éclusa deux verres, le trouva excellent et lui demanda combien de bouteilles ils produisaient chaque année. Quant à l'effet foudroyant du cyanure, rien de rien ! Raspoutine dit tout de même que ce vin lui montait à la tête et qu'il écouterait avec plaisir une autre chanson.

Pendant ce temps, à l'étage, les autres conjurés pointaient par instants le nez en haut des escaliers en se demandant ce qui pouvait bien se passer en bas et pourquoi Youssoupov n'arrêtait pas de chanter. Deux longues heures et demie s'écoulèrent au fil des chansons, et l'assassin atterré continuait de distraire son « cadavre » joyeux, qui se montrait de plus en plus animé. Youssoupov craignait que ses amis, inquiets de ne pas avoir de ses nouvelles, descendent à la cave et fassent échouer le complot. Il préféra donc monter les prévenir. Il dit à Raspoutine qu'il allait voir si les invités d'Irina étaient partis et fila à l'étage. En prenant connaissance du problème, le docteur Lazovert tomba dans les pommes et il fallut l'éventer. Ils décidèrent de descendre et d'étrangler le starets, mais Youssoupov proposa de le tuer par balle et de mettre une bonne fois pour toutes un terme à ce cauchemar. Ne possédant pas de revolver – il détestait les armes –, il demanda au grand-duc Dimitri de lui prêter son Browning, le glissa dans sa ceinture et disparut à la cave.

Il trouva Raspoutine assis à la même place, devant la table à la nappe brodée, la bouteille de vin à moitié vide !

En voyant le prince, non seulement il réclama une autre bouteille à grands cris, mais suggéra qu'ils aillent finir la nuit dans une taverne de tziganes qui se trouvait non loin de là. De plus en plus étonné, Youssoupov se tourna vers Raspoutine, qui examinait en *connaisseur** la magnifique croix en cristal de roche posée sur le secrétaire, et lui dit : « Grigori Efimovitch, il vaudrait mieux que tu regardes ce crucifix en faisant ta prière. » Le starets observa le prince, puis se concentra de nouveau sur la croix. Youssoupov tira et le toucha près des reins. Le starets s'effondra sur la peau d'ours blanc. En entendant partir le coup, les autres conjurés se précipitèrent à la cave, si nerveux que l'un d'eux actionna l'interrupteur, plongeant la pièce dans l'obscurité, ce qui ne fit qu'ajouter à la confusion. Quand ils rallumèrent enfin, ils virent Raspoutine expirer dans de terribles spasmes.

Après que Lazovert eut constaté la mort, ils fermèrent la cave à clé et passèrent à la deuxième phase du plan : Lazovert, au volant de la voiture et habillé en chauffeur, devait feindre de raccompagner chez lui Raspoutine, « joué » par Soukhotine déguisé. Puis tous trois avaient prévu de retourner au palais pour se débarrasser du corps.

Que pensez-vous qu'il se soit passé ensuite, María ? Quand ils furent partis, Youssoupov et Pourichkevitch, restés au palais, redescendirent à la cave pour jeter un œil sur le mort et voir si tout était en ordre. Le prince ouvrit la porte de la pièce silencieuse, mais lorsqu'il s'approcha du cadavre celui-ci se releva d'un bond et, écumant de bave, essaya de l'assommer. Youssoupov prit la fuite, Raspoutine le suivit dans le couloir, à quatre pattes. « Il est vivant ! Il est vivant ! » hurlait Félix, hébété. Pourichkevitch, qui s'apprêtait à le rejoindre, le heurta de plein fouet dans l'escalier.

Remis de leurs émotions, ils retournèrent à la cave, où des traces de sang leur indiquèrent que le starets avait parcouru le couloir dans l'intention manifeste de s'enfuir. Ils se hâtèrent de gagner la cour et virent ce qu'ils auraient pu prendre pour un cauchemar si ce n'avait été la triste réalité. Mort une demi-heure plus tôt, Raspoutine courait dans la neige en direction du portail. « Félix ! Félix ! hurlait le cadavre. Je vais tout dire à la tsarine ! » En entendant ces mots, Pourichkevitch tira deux fois et rata sa cible. Un troisième coup de feu atteignit le starets à l'épaule. Il s'immobilisa. Pourichkevitch tira une quatrième balle qui toucha le starets à la nuque. Il tomba, mais chercha une dernière fois à se relever.

Youssoupov se rua sur lui et, comme un hystérique, assena à plusieurs reprises une matraque sur Raspoutine qui gisait, inerte, sur le sol blanc teinté de sang. Ils l'enveloppèrent dans une vieille couverture et le laissèrent au milieu de la cour, sous une couche de neige, en attendant l'arrivée de leurs trois complices.

Ils n'avaient pas encore fini de jeter de la neige sur le corps lorsque Gricha fit son apparition et annonça au prince que deux policiers l'attendaient devant le palais. Ils souhaitaient le voir car ils avaient entendu des détonations dans le jardin. « Ce n'est rien, les rassura ce dernier d'un ton aussi posé que mondain. Ce n'est qu'un jeu. Nous organisons une petite fête et un de mes invités, qui a bu plus que de raison, s'amuse à tirer en l'air avec son revolver. » Les agents le saluèrent, il les raccompagna jusqu'à la grille. Ils passèrent devant le tas de neige sous lequel il avait dissimulé le corps avec l'aide de Pourichkevitch et de Gricha.

Mais ne croyez pas que les choses se soient arrêtées là, ma chère. Un moment plus tard, les deux agents de police revinrent en disant que leurs collègues du commissariat avaient eux aussi entendu des déflagrations et qu'ils devaient procéder à une inspection détaillée du palais et faire un rapport. Pourichkevitch, un conjuré ô combien précieux, eut alors l'idée de s'adresser aux policiers d'une voix pleine d'autorité : « Vous ne savez pas à qui vous parlez. Je suis membre de la Douma et je suppose que le nom de Raspoutine vous évoque quelque chose. Cet homme est en train de mener le pays à la ruine, n'est-ce pas ? » Les agents acquiescèrent. « Eh bien, les coups de feu que vous avez entendus sont ceux qui ont mis fin à son existence. Si vous aimez votre pays et votre tsar, vous veillerez à ne pas aller le crier sur les toits. »

Comme vous pouvez le concevoir, Youssoupov fut horrifié d'entendre Pourichkevitch se dénoncer, mais – du moins dans un premier temps – les agents ne bronchèrent pas. Ils lui dirent de ne pas s'inquiéter : tant qu'on ne les obligeait pas à témoigner sous serment, ils n'avaient pas l'intention de révéler quoi que ce soit.

Quand ils furent partis, Gricha traîna le corps de Raspoutine à l'intérieur du palais, où les trois hommes attendirent le retour du grand-duc Dimitri, de Soukhotine et Lazovert. Une petite heure plus tard, enroulé dans un vieux rideau ficelé, le cadavre tombait du haut d'un des ponts de la Neva.

Vous savez, ma chère, que lorsqu'on le retrouva, trois jours après, on constata qu'il avait réussi à se libérer de ses liens et que sa main droite était levée, comme pour bénir la foule ? En outre, il avait de l'eau dans les poumons, ce qui indiquait que Grigori Efimovitch Raspoutine, bourré de cyanure, trois balles logées dans le corps et criblé de coups de matraque, n'était pas mort de ces agressions mortelles mais noyé dans les eaux gelées de la Neva.

Vous ne trouvez pas cette histoire incroyable, María ?

Une mort tout aussi cruelle, mais moins théâtrale

L'histoire que je viens de raconter à María, ma nouvelle amie, est d'autant plus incroyable qu'elle est complètement fausse. Quand vous lirez enfin mon récit, ma chère, j'espère que vous saurez me pardonner de vous avoir débité toutes ces invraisemblances.

Pourtant, ce tissu de mensonges était jusqu'au jour d'aujourd'hui la version officielle des faits. Elle n'a jamais été contestée, car il s'agit de celle donnée par les deux assassins, Youssoupov et Pourichkevitch, dans leurs mémoires. Se peut-il que des gens aussi respectables qu'un membre de la Douma et un aristocrate multimillionnaire se soient accusés d'un crime qu'ils n'avaient pas commis ? Les bourreaux de Raspoutine étaient-ils d'autres hommes ? A-t-il été tué de manière encore plus abracadabrante et plus cruelle ?

La réponse est oui, trois fois oui.

Avant de me lancer dans des explications, je dois préciser qu'il y a à peine une semaine encore je croyais à la version de Youssoupov. Puis j'ai vu un reportage à la télévision. Dans cette clinique où règne le plus grand calme, je peux regarder History Channel, ce qui me permet de passer le temps. Je ne me rappelle plus le titre de l'émission, qui traitait du rôle joué par les services secrets britanniques dans la mort de Raspoutine. On y citait comme principale source d'information des documents officiels déclassés, comme cela arrive dans de nombreux pays au bout d'une cinquantaine d'années ou, dans ce cas précis, soixante-quinze ans après le déroulement des faits. Je m'apprêtais à regarder ce reportage, sceptique et blasé comme je le suis toujours lorsqu'on me parle de la révolution russe, une des périodes historiques sur lesquelles on a inventé le plus de bobards et autres sottises. J'ai cessé depuis longtemps de compter les fausses Anastasia, Olga, Tatiana ou Maria qui ont pullulé dès 1918, ou les tsarévitchs supposés avoir réchappé aux balles et/ou à l'hémophilie. Sans parler des pistes chimériques censées mener à des trésors cachés ou à des enfants secrets du tsar, de la tsarine et même d'Alexis, qui n'avait pas quinze ans quand il est mort. Quand on a vécu cette époque, on a du mal à comprendre pourquoi les gens s'obstinent à échafauder tout un tas d'élucubrations alors que la réalité est bien plus intéressante que ces extravagances. Voilà pourquoi, en commençant à regarder ce documentaire, je m'attendais à une série de théories fumeuses sur la mort de Grigori Efimovitch, probablement les mêmes que celles qu'il m'avait souvent été donné d'entendre, selon lesquelles Tatiana Nikolaïevna aurait par exemple été chez les Youssoupov cette fameuse nuit, ou Raspoutine ne serait pas mort mais aurait entretenu une idylle secrète avec le prince Félix, et tous deux auraient décidé de disparaître afin de vivre leur amour à l'abri des regards.

Je m'étais carré dans mon lit, décidé à prêter un œil distrait à ce reportage, me partageant entre le téléviseur et des mots croisés, quand apparut soudain sur l'écran un homme d'âge moyen, plutôt petit, avec un monocle en or sur l'œil droit. « Mansfield Cumming, dit une agréable voix off britannique, était sur le siège passager de sa Rolls Royce, qui roulait dans la forêt de Meaux le

14 octobre 1914. Son fils Alastair, âgé de vingt-quatre ans, conduisait à une vitesse excessive lorsqu'une des roues arrière creva. Après avoir fait deux tonneaux, le véhicule alla s'écraser contre un arbre. Alastair fut projeté hors de l'habitacle et la jambe droite de son père resta coincée dans la tôle froissée. Mansfield entendait son fils agoniser sans pouvoir lui porter son secours. Malgré tous ses efforts, il ne parvenait pas à extirper sa jambe de l'amas de ferraille. Il finit par la garrotter avec un mouchoir, tira le couteau suisse dont il ne se séparait jamais et entreprit de trancher les tendons et l'os déjà à nu jusqu'à ce qu'il parvienne à se dégager. Des heures plus tard, on le trouva à demi mort, amputé d'une jambe, auprès du corps de son fils, qu'il avait couvert de sa veste pour le protéger du froid. On raconte que, par la suite, Mansfield Cumming, chef du tout nouveau service de renseignement britannique, le SIS, et grand fumeur de pipe, avait une méthode infaillible pour sélectionner les candidats qu'il recrutait. Afin de tester la force de caractère des futurs espions au service de Sa Gracieuse Majesté, il plantait brusquement le poinçon de son cure-pipe dans sa jambe de bois pendant qu'il s'entretenait avec eux. S'ils tremblaient ou se montraient horrifiés, il les renvoyait en leur disant d'un ton flegmatique : “Je crois que vous n'êtes pas fait pour ce métier, mon garçon.” »

*

Il est peu de moments aussi gratifiants que lorsque de lointaines bribes d'informations, des conversations décousues surprises çà et là et de vagues intuitions s'alignent soudain comme des planètes dans le ciel ou, mieux encore, comme les pièces d'un kaléidoscope venant s'imbriquer les unes dans les autres pour former un dessin parfait. Un nom aussi peu commun que Mansfield Cumming, sa photo dans un reportage de la BBC sur les services secrets anglais, le poinçon d'un cure-pipe, la mort de Raspoutine, un uniforme de la Marine... tous ces éléments emmagasinés en désordre dans ma mémoire venaient de prendre un sens nouveau, si bien que j'ai monté le volume pour ne perdre aucun détail. L'agréable voix off britannique donnait des renseignements sur le « club » étrange et exclusif dont Cumming était le membre fondateur, le SIS, précurseur du MI6 ou service de renseignement anglais, que nous connaissons bien grâce aux films dont James Bond est le héros.

Deux ans avant qu'éclate la Première Guerre mondiale, l'Angleterre se doutait que les Allemands, et en particulier le Kaiser, n'attendaient qu'une occasion propice pour s'embarquer dans un conflit qui leur permettrait de réaliser leur rêve : devenir politiquement aussi influents que les Français et les Anglais et, surtout, en profiter pour étendre leurs frontières et leurs colonies. Afin de sonder les intentions de l'Allemagne et de savoir comment elle se préparait en secret à l'offensive, le Secret Service Bureau fut créé avec l'approbation du Premier ministre, Herbert Henry Asquith, et sans doute aussi celle du roi George V. Il avait pour finalité de « collecter des informations protégeant les intérêts de la Grande-Bretagne par tous les moyens possibles, y compris le meurtre » *(sic)*. Les autorités britanniques nommèrent à la tête de cette organisation le commandant de marine Mansfied Cumming. Ce dernier s'était retiré du service actif car, curieusement, il avait le mal de mer. Cumming, qui avait passé des années à se languir dans sa retraite forcée, ne parlait pas d'autre langue que l'anglais. Il ne semblait donc guère être la personne la plus indiquée pour diriger des espions à l'étranger. Pourtant, quand les Allemands eurent trouvé en l'assassinat de l'archiduc François-Ferdinand le prétexte idéal pour entrer en guerre aux côtés de l'Autriche, le commandant Cumming avait déjà mis sur pied le très efficace et premier groupe d'espions au monde. Il était constitué de militaires spécialement entraînés à cet effet, mais aussi d'individus plus disparates, tels d'irréprochables hommes d'affaires anglais résidant en France ou en Allemagne, des actrices célèbres, des femmes fatales, des curés et même des écrivains de renom comme Somerset Maugham. Les méthodes et les « armes » qu'ils employaient au cours de leurs missions secrètes méritent qu'on s'y attarde. Dûment formés par Cumming, les agents au service de Sa Majesté savaient qu'il existe deux moyens infaillibles pour obtenir tout type de renseignement : l'argent et le sexe. Les espions du commandant Cumming en usaient sans rougir. « S'il faut acheter, on achète ; s'il faut mettre une putain dans le lit d'une personnalité, on l'y met, et si on doit coucher soi-même, on le fait sans l'ombre d'une hésitation... alors, mes enfants, *keep a stiff upper lip, look at the ceiling and think of England* », disait Cumming à ses hommes, utilisant deux expressions typiquement *british*. La première, « garder sa lèvre supérieure rigide », s'emploie lorsqu'il faut conserver son flegme dans une situation désagréable, irritante ou pénible. La seconde est un peu plus cynique. « Regarde le plafond et pense à l'Angleterre » est la recommandation que faisaient les dames victoriennes à leurs filles prêtes à convoler, pour leur enseigner la conduite à tenir quand leur futur mari souhaiterait accomplir le devoir conjugal.

En entendant ces mots, je n'ai pu m'empêcher de ressentir une pointe de douleur en souvenir de ma tante Nina. En quoi avait consisté au juste sa relation avec Mansfield Cumming ? De quelle catégorie relevait-elle ? Celle des putains que le SIS introduisait dans les lits quand il le jugeait opportun ou, au contraire, des *keep a stiff upper lip*, ce qui revenait à dire que Cumming avait été contraint de la séduire pour lui soutirer des informations lorsqu'elle était encore une des femmes de chambre de la tsarine ? Le sort fluctuant qu'avait connu pendant des années le portrait de ce gentleman au monocle en or sur sa table de chevet me faisait pencher pour l'une ou l'autre hypothèse, ou peut-être les deux.

Mais dans le reportage que j'ai vu ce soir-là et qui commençait par la description du mode opératoire des services secrets britanniques, tout n'était pas triste ou nostalgique. J'ai par exemple été ravi de découvrir que l'auteur des « James Bond », Ian Fleming, qui a travaillé pour le MI6, s'était directement inspiré de Mister C pour prêter ses traits au chef de Bond.

Fleming s'est du reste contenté de changer l'initiale de son nom. Dans ses romans, le commandant des espions s'appelle M. Dans la vraie vie, Cumming se faisait appeler C par ses subalternes. Il signait de cette lettre écrite à l'encre verte ses injonctions, ses lettres et les documents. Plus de quatre-vingts ans ont passé depuis lors, et Cumming est mort en 1923, mais jusqu'à aujourd'hui encore, tous les chefs des services secrets se sont appelés C. Cette initiale est celle du mot *chief*. Les ordres sont toujours signés à l'encre verte, ce qui permet de préserver ce que les Anglais appellent *two good old traditions* (« deux bonnes vieilles traditions ») et de rendre hommage au fondateur du Secret Service Bureau.

J'ai vu ensuite apparaître l'image d'un autre homme dont le visage ne m'était pas inconnu, et la voix off a parlé d'un personnage important dans les films de James Bond, le célèbre Q, inventeur des armes secrètes de tout espion qui se respecte. Le premier Q de l'histoire était médecin et s'appelait en réalité Thomas Merton. Sa création la plus célèbre était une encre sympathique avec laquelle rédiger les rapports confidentiels. Une innovation bienvenue chez les espions qui, avant cela, écrivaient avec du sperme, certes efficace, mais plus délicat à... stocker. Sans rien perdre de son flegme britannique, la voix off rappelait les préceptes sacrés d'un bon espion: « Tu ne te fieras jamais à une femme, ni à ta famille, ni même à ceux qui te sont les plus proches; tu ne t'enivreras jamais et, si tu dois boire, tu veilleras auparavant à prendre deux grandes cuillères d'huile d'olive pour que l'alcool passe dans ton organisme sans produire aucun effet. Enfin, et très important: tu feras toujours semblant d'être plus sot que tu ne l'es. Les démonstrations d'intelligence sont rigoureusement interdites dans le Secret Intelligence Service (SIS). »

J'ai souri en entendant cette dernière phrase, puis je me suis concentré sur la description d'un objet commun à la totalité des membres masculins de cette étrange armée de l'ombre. Tous les espions, à commencer par Cumming, devaient faire usage d'une canne. Dans le cas de ce dernier, qui avait une jambe de bois, c'était naturellement bien compréhensible, mais ses comparses devaient eux aussi en avoir une en permanence, non seulement parce que cela leur conférait une certaine élégance, mais surtout à cause de l'arme secrète qu'abritaient ces *walking sticks*. Leur véritable fonction – l'image d'une canne en bois blond à pommeau d'argent est alors apparue sur l'écran – était de dissimuler un fleuret fin et pointu qui permettait à l'agent suffisamment habile de transpercer le cœur de ses ennemis en ne versant que quelques gouttes de sang.

Quand l'agréable voix off a eu fini d'exposer ces détails sur le SIS, j'ai vu une magnifique photo de Félix Youssoupov en costume tartare. Sur les premiers accords de

« Kazachok » – mon Dieu ! qui avait donc fait la bande sonore ? –, le narrateur a expliqué comment et où celui qui s'était déclaré coupable du meurtre de Grigori Raspoutine avait croisé le chemin des services secrets britanniques.

À présent, le reportage montrait le visage d'un homme à la tête ovoïde, aux cheveux gominés et à la raie au milieu. Sur l'image, il devait avoir une trentaine d'années, l'âge auquel il avait contribué modestement, mais avec efficacité, à changer l'Histoire universelle. La voix off a annoncé qu'il s'agissait d'Oswald Rayner, l'un des meilleurs élèves de Mansfield Cumming. Fils d'un drapier de Birmingham, il avait un don pour les langues, ce qui, en plus de sa grande intelligence, lui avait permis d'intégrer la très élitiste université d'Oxford, d'où il était sorti diplômé en langues modernes. C'est là qu'il s'était lié avec plusieurs étudiants russes, parmi lesquels le prince Youssoupov. Leur amitié avait duré toute leur vie ; pour rendre hommage à son ami, Rayner avait appelé son fils Félix. Dix ans après la révolution bolchevique, lorsque Youssoupov écrivit ses mémoires pour raconter comment il avait tué Raspoutine, le nom de Rayner figurait en première page, en remerciement de l'aide « inestimable » qu'il lui avait apportée. Quel type de relation unissait un exubérant prince russe et le fils polyglotte d'un commerçant de Birmingham ? Youssoupov étant bisexuel, on tendrait presque à imaginer une idylle amoureuse, mais nul n'en a la confirmation car Rayner avait brûlé tous ses documents et ses journaux avant de mourir. Quant à Youssoupov, il ne mentionnait rien de tel dans ses mémoires.

Quelle que soit la nature de leurs liens, leur amitié allait avoir de curieuses répercussions, surtout lorsqu'il fallut établir une version « officielle » de la mort de Raspoutine satisfaisant tout le monde. Selon celle-ci, il y avait d'une part Youssoupov, qui vécut jusqu'à la fin de ses jours enveloppé du halo romantique – et bien pratique – des grands patriotes, considéré comme l'auteur d'un des assassinats les plus fascinants de l'Histoire, et d'autre part Rayner, qui, comme tout bon espion, était discret. Enfin, cette version devait convenir aux services secrets britanniques de l'époque, qui n'avaient guère envie que leur participation aux faits vienne entacher les excellentes relations entre la Grande-Bretagne et l'Empire russe.

Le documentaire montrait ensuite les photos de quatre autres individus, occupant chacun un coin de l'écran alors que mon vieil ami Cumming et son monocle en or trônaient au centre. La voix off a attiré mon attention sur quelque chose qui ne m'avait jamais traversé l'esprit, mais était tout à fait plausible. Alors que les pertes de l'armée russe s'élevaient déjà à plusieurs millions d'hommes, la Grande-Bretagne craignait que le tsar, accablé par de nombreux problèmes politiques, dont la déconfiture et le désespoir qui gagnaient le pays, ne décide de signer la paix avec les Allemands. S'il le faisait, toutes les divisions allemandes du front de l'Est gagneraient le front de l'Ouest et le Kaiser remporterait aisément la guerre. Par conséquent, il était essentiel de protéger les intérêts de la Grande-Bretagne « par tous les moyens possibles, y compris le meurtre », comme l'indiquait le code du SIS.

Le meurtre de qui ? De l'homme qui, depuis des années, prodiguait des conseils à l'oreille du tsar, et plus encore de la tsarine, cette « Force de l'ombre » qui, en l'absence de Nicolas II, gouvernait la Russie. Personne n'ignorait, à commencer par le SIS, que le starets s'était dès le départ opposé au conflit, ce qui avait contribué à faire circuler le bruit qu'il espionnait pour le compte de l'Allemagne. Même si les services secrets britanniques, mieux informés que le peuple, savaient qu'il n'en était rien, le danger qu'il finisse par convaincre le faible Nicolas de demander l'armistice n'en existait pas moins.

La caméra s'est alors focalisée tour à tour sur les quatre photos restantes pour expliquer que ces hommes faisaient partie, comme Rayner, de l'armée invisible du SIS à Petrograd. Leur chef, Hoare, était un élégant gentleman qui intriguait depuis l'ambassade britannique. L'arrière-garde se composait de John Scale : au moment du meurtre de Raspoutine, il se trouvait comme par hasard – ou pas tant que ça – sur le front de l'Ouest en compagnie du tsar, en tant que « conseiller militaire ami ». De l'autre individu, on ne sait pas grand-chose, si ce n'est qu'il s'appelait Thornhill. Quant au quatrième, il s'agissait de Stephen Alley, le seul à parler russe avec Rayner. Quand ce meurtre avait-il été planifié ? s'interrogeait la voix off, avant de déclarer presque aussitôt que, selon toute vraisemblance, Rayner – lié à Youssoupov depuis l'université, il connaissait sa personnalité excentrique et exhibitionniste ainsi que la conscience qu'il avait de son rang – avait introduit dans l'esprit du prince l'idée patriotique d'éliminer celui qui nuisait à l'Empire. Sachant qu'ils pouvaient compter sur l'appui de Pourichkevitch, membre de la Douma, Youssoupov et Rayner avaient recruté d'autres conspirateurs de nationalité russe pour effacer tout soupçon quant à une possible influence étrangère. C'est ainsi qu'ils avaient persuadé le camarade de bordée de Félix et cousin du tsar, le grand-duc Dimitri, le lieutenant Soukhotine, qui n'a guère laissé de traces, et le docteur Lazovert. La part la plus fidèle à la réalité décrite dans les mémoires de Youssoupov est celle des préparatifs de l'assassinat. Il est vrai que le jeune Félix s'était attiré les bonnes grâces de Raspoutine pendant des mois, lui rendant fréquemment visite, ce que je peux certifier pour l'avoir vu à son domicile. Ils s'enfermaient des heures durant dans sa chambre et le prince le charmait de sa voix de contreténor. Comme j'ai pu le remarquer, il avait su également endormir les doutes de Maria Grigorevna.

« Tout ce qui a précédé le crime est vrai », a enchaîné l'agréable voix off du commentateur britannique. Quand Raspoutine est arrivé au palais de la Moïka, les conjurés attendaient à l'étage que le poison fasse effet pendant que le prince distrayait le starets à la cave avec sa guitare. Après, les mémoires de Youssoupov deviennent mensongers.

« Pour commencer, poursuivait le commentateur, voyons comment démonter le mythe de la supposée résistance surhumaine de Raspoutine. Empoisonné, il avait reçu trois balles tirées à une courte distance et été frappé avec une matraque avant qu'on le roule dans un rideau et qu'on le jette dans la Neva. Telle est l'histoire que je tenais pour vraie jusqu'à ce reportage. Étrangement, la réalité est moins romanesque, quoique plus tragi-comique. Tout d'abord en ce qui concerne le poison. Raspoutine était censé avoir absorbé quatre ou cinq verres de vin, du thé et plusieurs petits gâteaux bourrés de cyanure de potassium. On a dit que le cyanure était resté sans effet parce que le starets, en prévision d'un éventuel empoisonnement, en prenait en petites quantités depuis des années pour s'immuniser. Selon une autre hypothèse, la cuisson ou le sucre aurait fait perdre ses propriétés mortelles au cyanure. On a par ailleurs avancé la thèse que, le starets étant alcoolique, ses enzymes digestives le protégeaient du poison. Aujourd'hui, on a l'explication, qui est on ne peut plus simple. Pendant sa dernière nuit, Raspoutine n'a pas avalé un milligramme de cyanure. Tout d'abord, il n'a pas touché aux pâtisseries car, comme l'affirmait sa fille, il détestait le sucre. Ensuite, ni le vin ni le thé ne contenaient de cyanure. En effet, le docteur Lazovert fit de surprenants aveux peu avant sa mort. Dans une lettre manuscrite, il expliqua que quelques heures avant l'arrivée du starets au palais, alors qu'il broyait le poison que lui et ses amis pensaient utiliser, il eut l'impression de voir dans les flammes de la cheminée le visage de son défunt père, signe qu'il irait droit en enfer s'il se rendait complice d'un assassinat. Il décida donc de trahir ses comparses, feignit d'avoir terminé sa tâche et brûla dans l'âtre les gants de caoutchouc dont il s'était protégé les mains. Il ne mit donc de cyanure ni dans les gâteaux, ni dans le thé, ni dans la bouteille de vin de Crimée que le starets éclusa joyeusement dans ses dernières heures de vie.

« Mais revenons à présent à la scène du crime. Après que Youssoupov eut servi du vin et proposé des gâteaux qu'il croyait empoisonnés à Raspoutine, il monta à l'étage pour chercher un pistolet afin d'"en finir une bonne fois pour toutes avec ce maudit démon". Pourtant, ainsi qu'il l'avait souvent dit, le prince détestait les armes à feu et n'en avait jamais eu entre les mains. Dans ses mémoires, il raconte qu'il demanda au grand-duc Dimitri de lui prêter une arme, puis il descendit et, piètre tireur, blessa Raspoutine au niveau des reins. Ensuite, l'invraisemblable docteur Lazovert confirma le décès pour découvrir, un moment plus tard, le mort qui courait dans la neige vers la grille du palais. Pourichkevitch tira alors quatre fois. Deux balles furent perdues, les autres atteignirent le starets à l'épaule et à la nuque, après quoi Youssoupov, toujours selon sa propre version, aurait pris une matraque pour frapper Raspoutine au visage, "comme un hystérique". "Mon valet Gricha et moi avons ensuite roulé le corps dans un rideau épais et nous nous en sommes débarrassés en le jetant dans la Neva", conclut le prince. »

À cet instant, l'agréable voix off a cédé la place à un air funèbre et, peu à peu, une série de photos désagréables a envahi l'écran. La voix a précisé qu'il s'agissait de celles que la police avait prises du cadavre de Raspoutine quand on l'avait sorti de l'eau. Il présentait plusieurs orifices de balle, deux coïncidant avec la version officielle (sur le côté gauche, œuvre de Youssoupov; à l'épaule droite, causé par Pourichkevitch). Le reste des impacts infirmait leurs aveux. Pour commencer, le visage n'avait pas été roué de coups de matraque. Un œil était tuméfié, certes, sans doute à la suite de coups de poing. Mais l'orifice le plus impressionnant était celui qui trouait le front, exactement entre les deux yeux. Ni Youssoupov ni Pourichkevitch ne l'ont mentionné dans leurs mémoires. Pourtant cet impact de balle tirée à bout portant, une œuvre de professionnel, a forcément entraîné la mort.

La voix off a continué d'exposer sa théorie, inspirée d'un rapport médico-légal de l'époque. Il y était certifié que les trois orifices sur le corps de Raspoutine provenaient de trois armes différentes. Celui du côté gauche, qui corroborait le récit de Youssoupov, d'un Browning appartenant au grand-duc Dimitri. Celui de l'épaule droite ne démentait pas non plus la version officielle et la balle avait été tirée d'un Savage 1907 que possédait sans doute Pourichkevitch. Enfin, le coup de grâce avait été porté par un individu qui tenait entre ses mains un Webley Mk IV, l'arme règlementaire, on le sait aujourd'hui, des agents des services secrets britanniques. En bonne logique, nul ne survit à une balle tirée au front à une distance très courte, si bien que cet homme est le véritable assassin du starets. Enfin, le rapport d'autopsie indiquait que d'autres parties du corps étaient effroyablement meurtries, or Youssoupov pas plus que Pourichkevitch ne mentionnent ces agressions. Les organes génitaux de Grigori Efimovitch Raspoutine, âgé de quarante-six ans et extraordinairement bien membré selon les témoignages, avaient été cruellement mutilés, comme si la victime avait été torturée avant de mourir, ce qui, je le crains, permet de douter de l'authenticité de la verge prodigieusement grande exposée au musée de Saint-Pétersbourg. Youssoupov a-t-il passé sous silence l'interrogatoire du starets ? Si Raspoutine a été torturé, comme il le semblerait, que cherchait donc à savoir Oswald Rayner, l'ami discret du prince ?

Après avoir laissé ces interrogations en suspens, l'agréable voix off a annoncé la fin du documentaire en promettant aux téléspectateurs qu'on leur livrerait une semaine plus tard les passionnantes conclusions de l'enquête. Je n'avais pas besoin d'attendre si longtemps. Avec les renseignements qu'on venait de me fournir et ce que je savais déjà, j'ai facilement comblé les vides, convaincu que la mort de Raspoutine s'était produite comme le suggérait le reportage. Sur l'écran, l'ironique reflet du monocle en or de Mansfield Cumming, que j'avais vu chez moi deux jours avant le meurtre du starets, me le confirmait. Il ne me restait plus que quelques questions sans réponse. Quels liens tante Nina avait-elle entretenus avec le SIS ? Et oncle Gricha ? Travaillait-il lui aussi pour Cumming ? La dernière m'emplissait de stupeur : comment se pouvait-il qu'après avoir passé de si nombreuses années à regarder par le trou de la serrure je ne me sois pas rendu compte de ce que j'avais sous les yeux ?

« Ce jour-là, Léonid, tu m'as fais une promesse, rappelle-toi... », m'avait dit Raspoutine quand je l'avais vu pour la dernière fois. Pendant toutes ces années, je m'étais demandé de quoi il pouvait bien parler. Maintenant, je crois qu'il faisait expressément allusion à cela : lorsque les pièces du kaléidoscope seraient réunies, lorsque toutes les informations éparses conflueraient enfin pour former un dessin révélateur, je devrais témoigner de ce que je savais, avais vu et entendu…

C'est chose faite et j'espère seulement que, là où tu es, Grigori Efimovitch Raspoutine, que ce soit en enfer, au purgatoire ou, pourquoi pas, au paradis, tu as pu constater que, en effet, j'ai tenu parole.

Drapeaux rouges

> La situation est grave. La capitale est livrée à l'anarchie. Le gouvernement est paralysé. L'acheminement des denrées et du combustible est complètement désorganisé. Il faut qu'une personnalité reconnue par le pays soit chargée de former un ministère.
>
> Télégramme de Mikhaïl Rodzianko
> au tsar Nicolas II en mars 1917

Trois mois à peine après que le corps de Grigori Efimovitch Raspoutine eut été découvert flottant sur les eaux de la Neva, la révolution russe éclata. Quelques jours plus tôt, Mikhaïl Rodzianko, président de la Douma, télégraphiait les mots suivants à Sa Majesté :

> Majesté, le pays est dans un état critique. Le moral de la population est tel que le plus terrible des soulèvements semble proche. La Russie tout entière réclame un changement de gouvernement et, dans votre entourage, vous n'avez aucun homme de confiance, tous ont été éliminés ou remerciés. Ce n'est un secret pour personne que l'impératrice, d'abord avec le soutien de son starets et, après sa mort, sans l'aide de quiconque, donne des ordres sans votre consentement, profitant

> que vous êtes sur le front. La haine et l'indignation à l'encontre de la tsarine sont chaque jour plus grandes. On la considère comme étant à la solde de nos ennemis, les Allemands, ceux-là mêmes qui massacrent notre armée sur tous les fronts.

La réponse du tsar ne se fit pas attendre :

> Pas question de renoncer à l'autocratie ou de réorganiser le gouvernement avec les Allemands à nos portes. *Stop*. J'envisagerai peut-être de le faire lorsque nous aurons gagné la guerre. *Stop*.

Cet échange de câbles eut lieu le 10 mars. Cinq jours plus tard, le gouvernement tombait et le pouvoir passait aux mains de la Douma.

J'avais moi aussi brûlé mes vaisseaux. Après avoir sauté du train en marche et être retourné au chevet de ma mère, j'avais perdu mon emploi à l'hôpital et épuisé toutes mes chances de revenir travailler au palais Alexandre. Il m'aurait par ailleurs été difficile de parcourir les vingt-quatre kilomètres qui me séparaient de Tsarskoïe Selo. Le service ferroviaire était fréquemment interrompu et la rudesse du climat de plus en plus insoutenable. Par trente-cinq degrés en dessous de zéro, Petrograd mourait de froid et, surtout, de faim. Plus personne n'avait de travail. Les usines avaient fermé faute de charbon et les gens se groupaient devant les portes des boulangeries aux panetières vides dans l'espoir d'obtenir un quignon de pain contenant davantage de sciure et d'immondices que de farine. Comme au début du conflit, il y avait des morts dans les rues, mais plus personne ne se souciait de lever les corps, hormis lorsqu'il s'agissait de dépouilles jeunes et fraîches, que les voleurs de cadavres venaient chercher dans la nuit et que l'on retrouvait au marché noir, sous forme de viande séchée ou de saucisses. Il n'y avait plus ni blé ni aucune autre denrée de première nécessité. Les militaires se serraient dans leurs baraquements puants envahis de fumée, écoutant du matin au soir les exhortations et les discours enjôleurs des agitateurs et des révolutionnaires, qui leur rappelaient que quinze millions de paysans avaient dû abandonner leurs terres pour intégrer l'armée et que, pour la plupart, ils avaient été le festin des vers. Ils affirmaient que les Allemands seraient bientôt à Petrograd, à moins que Nicolas et sa putain d'Alexandra ne soient destitués du trône et qu'on n'instaure un gouvernement dirigé par le peuple.

Je me rappelle qu'un jour de mars, le 8 il me semble, j'errais sans but précis près de l'avenue Nevski, comme d'autres concitoyens, muni d'une *sumka*, un sac, accessoire indispensable car on ne savait jamais ce qu'on pouvait trouver en chemin : parfois un chat famélique ou un rat, un tubercule ou une racine tendre, des pelures de pommes de terre et tout ce qui pouvait se mettre sous la dent. Ce matin-là, des cris en provenance de la rive droite de la Neva avaient attiré mon attention. Je m'approchai du tumulte pour voir ce qui se passait. Une longue procession, composée pour l'essentiel de femmes, hurlait : « Donnez-nous du pain, nos enfants meurent de faim ! Que quelqu'un nous vienne en aide ! » Tout à coup, la rumeur circula que, non loin de là, dans un entrepôt, on venait de réceptionner une livraison clandestine réservée aux riches des quartiers sud. Le tumulte enfla. Je me laissai entraîner par la foule dans l'espoir de rapporter à la maison au moins quelques épis de blé quand je vis surgir les premiers cosaques. Ces soldats de l'Empire, jusqu'alors très aimés du peuple, étaient chargés de faire régner le calme dans les rues, et avaient ordre du tsar d'y parvenir en usant si nécessaire de leur cravache, de leur sabre ou même de leur fusil. Je les avais déjà vus tirer sur des femmes et des enfants sans défense. Les premiers nécessiteux, parmi lesquels je me trouvais, réussirent à briser une des fenêtres du dépôt de vivres et pénétrèrent à l'intérieur. Au fond, blancs et tentants, je vis plus d'une centaine de sacs de blé alignés avec une précision qui contrastait avec ce lieu humide et plein de fuites d'eau.

– Ils sont à nous ! s'écria une femme.

Femmes, vieillards et enfants se précipitèrent sur les ballots de grains en glissant dans les *sumka* tout ce qu'elles pouvaient contenir. Au milieu des bourrades et des coups de coude, je parvins à me frayer un passage et à me faufiler jusqu'aux victuailles en compagnie de trois jeunes filles. J'avais l'intention de dégager l'accès aux plus défavorisés, mais je fus emporté par la foule. Certains riaient, d'autres pleuraient, mais dans les yeux de tous luisait l'éclat fébrile de la faim. C'est alors que les cosaques firent irruption dans l'entrepôt : vingt barbus d'aspect négligé qui dégainèrent leurs sabres et fondirent sur nous.

– Que personne ne bouge ! ordonna celui qui paraissait les commander, sa lame étincelant au-dessus de sa tête.

J'avais souvent assisté à des scènes où des malheureux poussés par le désespoir affrontaient les forces de l'ordre, et je m'attendais à ce que les soldats jouent de leurs armes. Seul homme jeune parmi des vieillards, des femmes et des enfants, je ne pouvais le tolérer, aussi m'emparai-je d'une pelle, prêt à les défendre.

– Arrière ! Que personne ne bouge ! répéta le chef. J'ai bien dit personne !

Il escalada les sacs, son sabre nu pointé vers ma gorge. Il le leva, m'incitant à faire mes prières. La lame passa à quelques centimètres de mon cou et vint se planter dans les ballots de grains sur lesquels j'étais perché. D'un coup sec, il éventra un premier sac, puis un deuxième et un troisième... Le blé se répandit comme du miel sur nous autres tandis que les soldats nous aidaient à recueillir les grains dans leurs mains et leurs coiffes, qu'ils tendaient aux affamés.

– Tiens, *matiouchka*. Et toi, mon garçon, prends ça. Dieu et les cosaques sont du côté des pauvres.

Plus tard, nous apprîmes que des scènes similaires se déroulaient dans divers lieux de la ville. Devant la gare Nicolas, une compagnie du régiment Volinski refusa de tirer sur des manifestants et vida les chargeurs de ses fusils en l'air. Les gardes du régiment Pavlovski, en recevant l'ordre de tirer, se retournèrent contre leurs chefs et les massacrèrent. Partout des soldats s'unissaient au peuple et priaient, riaient, étreignaient les gens. Dans la soirée, le président de la Douma, qui s'était réuni toute la semaine avec les membres inopérants du gouvernement nommé par la tsarine pour tenter de contrôler le chaos, fit partir un autre télégramme à Nicolas, qui se trouvait toujours sur le front, à des milliers de kilomètres de la capitale, en le sommant une nouvelle fois de rentrer, car la situation était insoutenable.

Le tsar ignora le câble, déclarant : « Le gros Rodzianko vient de m'envoyer je ne sais quel message hystérique auquel je ne compte pas répondre. » Par la suite, il se ravisa, mais sans imaginer l'ampleur des événements, et envoya quelques lignes ordonnant de réprimer immédiatement ces « troubles, intolérables en temps de guerre ».

Mais la traînée de poudre s'était enflammée. Incapable de comprendre la portée de ce qui se passait, Nicolas II y ajouta de l'huile en demandant à un de ses généraux, un vieillard en poste près de la capitale, de marcher sur Petrograd avec quatre régiments afin d'y remettre de l'ordre. « Je serai là-bas dans quelques jours », écrivait-il.

Le 12 mars, le gouvernement était démantelé et le pouvoir passait à la Douma.

Curieusement et malgré tout ce qu'on a pu dire, les leaders des partis les plus à gauche n'étaient alors guère optimistes quant aux chances de triomphe de la révolution. L'un d'eux raconta à Kerenski que dans les baraquements militaires le malaise semblait s'être estompé et qu'il n'y avait aucune raison de croire que la révolte pourrait prospérer.

Il se trompait. Le 12 mars, ma tante et moi en fûmes témoins. À huit heures du matin, alors que nous nous apprêtions à sortir avec nos sacs pour chercher de quoi manger, nous entendîmes une rumeur étrange et soutenue du côté du pont Alexandre. Nous nous arrêtâmes pour regarder sur une petite butte et vîmes que le pont, en général très fréquenté à cette heure, était désert.

– Mais regarde, Léonid ! s'exclama tante Nina.

Une foule désordonnée de citoyens s'approchait par la rive droite de la Neva, agitant des drapeaux rouges avant de traverser le pont. Sur la berge opposée, un régiment militaire marchait droit sur les manifestants.

– Il va y avoir un bain de sang, frémit Nina en s'agrippant à mon bras.

À notre grand étonnement, quand ils furent face à face, les deux groupes tombèrent dans les bras l'un de l'autre.

– L'armée fraternise avec la révolution, lâcha un homme qui, comme nous, s'était immobilisé et observait le spectacle.

– Mort au tsar ! Que Dieu sauve notre peuple !

Ce qui se déroulait sous nos yeux était plus qu'un symbole. Nul ne comprit d'où avaient pu sortir autant de drapeaux rouges. Ils ondoyaient aux fenêtres, coiffaient les réverbères, enveloppaient les gens. Les soldats les brandissaient au-dessus de leurs uniformes en lambeaux ou noués à leurs baïonnettes. Tante Nina et moi nous joignîmes à la foule, à la fois fascinés et effrayés. Où étaient passés les cadavres et la misère ? Les rats et les chiens efflanqués ? Ils semblaient avoir été expulsés par les masses aux drapeaux rouges. Partout les gens chantaient et s'étreignaient en criant « Vive la révolution ! ».

– Le camarade Lénine serait ravi de voir ça, dit un étudiant en habit râpé qui marchait à mes côtés. Lui saura quoi faire, désormais.

C'était la première fois que j'entendais ce nom. Je lui demandai de qui il s'agissait et où était ce camarade.

– Dans quel monde tu vis ? s'étonna-t-il.

Il m'expliqua que Vladimir Ilitch avait eu un frère aîné exécuté pour avoir attenté à la vie d'Alexandre III et qu'il avait juré de le venger.

– Il a souffert comme un chien à cause du salaud qui occupe le trône. On l'a envoyé en Sibérie et maintenant il est exilé en Suisse, mais je suis sûr que dès qu'il saura ce qui se passe en Russie il rentrera et prendra la tête de notre marée rouge.

J'avais envie de lui dire qu'un leader qui est loin des siens alors qu'ils endurent le pire ne mérite pas la confiance du peuple, mais je n'en eus pas le temps. La marée rouge qu'il avait citée nous éloigna l'un de l'autre en refluant et je me retrouvai au milieu d'autres conversations et d'autres commentaires. Certains disaient que Kerenski, l'homme fort de la Douma, était le seul capable de rétablir l'ordre. D'autres estimaient que le plus urgent était d'en finir avec le tsar et, surtout, avec sa maudite *Niemka*. Mais, plutôt que d'exprimer son avis, la grande majorité du flot humain cherchait à se mettre quelque chose sous la dent. Voilà pourquoi la nouvelle qui venait de tomber reçut un accueil enthousiaste : les troupes chargées de monter la garde devant les dépôts de vivres proches de la gare Nicolas, les plus grands de la ville, venaient de se mutiner. Nous nous mîmes tous à marcher dans cette direction.

Aujourd'hui encore, je revois très nettement la scène. La foule d'affamés commença par encercler les entrepôts. Les larmes aux yeux, les gens étreignaient les soldats qui tiraient en l'air pour montrer qu'ils étaient avec eux. Des rires et des pleurs s'élevaient de toutes parts. Quand enfin quelqu'un put ouvrir la porte du dépôt, tous jubilaient et beaucoup s'embrassaient, car il n'est pas de fraternité plus grande que celle née dans le désespoir. Tante Nina, qui jusque-là avait observé un étrange silence, me tira par le bras.

– Surtout, ne t'avise pas de bouger, m'ordonna-t-elle. Ne regarde pas, Léonid, me glissa-t-elle à l'oreille. Sur ce que tu as de plus cher, ne tourne surtout pas la tête !

Je pivotai sans comprendre et, du menton, Nina désigna l'un des officiers du régiment mutiné, qui se tenait à quelques mètres de nous. La foule m'empêchait de distinguer son visage. Les drapeaux rouges, les faux et les râteaux que certaines personnes portaient à l'épaule, de même que les chapeaux et les chapkas, s'interposaient entre lui et nous. J'eus enfin la chance qu'un citoyen coiffé d'une grande toque en phoque se pousse et je reconnus immédiatement ce sergent au corps noueux, un drapeau rouge enroulé autour de la taille. Je l'avais croisé à plusieurs reprises pendant deux semaines à peine, la première année que j'avais passée au palais Alexandre, mais il avait une particularité qui le rendait inoubliable, une tache de naissance qui maculait jusqu'au cou la moitié gauche de son visage. Je ne lui avais jamais parlé, mais nous connaissions tous son mauvais caractère. Youri m'avait raconté qu'il se vantait d'avoir battu à mort un soldat placé sous ses ordres, qui avait commis la bévue de renverser sur lui le thé qu'il lui servait, et ce n'était qu'un de ses exploits parmi d'autres. Le regard de tante Nina me laissait entendre qu'elle aussi avait rencontré cet individu lorsqu'elle était femme de chambre de la tsarine. Il plaisantait avec les gens qui l'entouraient, tenait dans une main un couteau et, dans l'autre, une bouteille de vodka qu'il tendait aux femmes jeunes et jolies.

– Qui en veut ? demandait-il en fanfaronnant. Celle qui n'embrasse pas mon amie la bouteille et ne maudit pas l'Allemande va tâter de ma lame, ajoutait-il en caressant son couteau.

La foule refluait et, dans la marée qui nous emportait, Nina et moi étions tantôt proches, tantôt loin de lui. Je m'aperçus qu'au prochain mouvement nous risquions de nous retrouver à ses côtés, entourés d'autres personnes aussi ivres que lui et assoiffées de vengeance. Que se passerait-il s'il reconnaissait en moi un des *water-babies* du palais ? Et tante Nina ? Se rappellerait-il qu'elle avait servi la putain allemande ? J'étais à quelques mètres de lui, ce qui me permit d'apprécier certains détails de son accoutrement, en particulier une longue chevelure blonde qu'il portait à la ceinture comme un trophée. Heureusement, il avait à cet instant les yeux fixés sur le décolleté d'une citoyenne exubérante qu'il aspergea de vodka avant de plonger le nez dans son échancrure entre deux éclats de rire et deux « Vive la révolution ! ». Tout à coup, les gens se dispersèrent, nous laissant ma tante et moi offerts à sa vue. Il leva le nez et regarda dans notre direction au moment où Nina lui tournait le dos en se mettant à crier : « Mort à la *Niemka* ! Mort à la putain de toutes les Russies ! » Non contente de hurler ces paroles grossières, à ma grande stupeur elle me prit dans ses bras et posa ses lèvres sur les miennes pour cacher notre visage dans un baiser osé.

– Bravos, les jeunes ! s'exclama l'homme à la tache lie-de-vin en m'assenant une claque dans le dos pour me signifier qu'il partageait notre ardeur. Plus d'amour, plus de révolutions, voilà ce qu'il nous faut !

– Mort aux maudits Romanov ! vociférait la foule.

– Écoutez, camarades ! cria l'ancien garde impérial après avoir de nouveau tâté du goulot. Allons tous au palais d'Hiver ou, mieux, au palais Alexandre ! C'est là qu'ils sont. Je peux vous y conduire, je connais bien ce nid à rats où vivent la renarde et ses cinq petits !

Rentrer

> À compter de ce jour, deux Russies différentes coexistèrent l'une à côté de l'autre. Celle des classes dirigeantes, qui étaient sur le point de rater leur rendez-vous avec l'Histoire, et celle des travailleurs, qui marchaient vers le pouvoir.
>
> *Mémoires* d'Alexandre Kerenski

L'épisode de l'ancien garde impérial armé d'un couteau, une chevelure blonde glissée dans sa ceinture, me décida à regagner Tsarskoïe Selo. À compter de cet instant, il était difficile de savoir ce qui allait se passer dans notre chère Russie, mais, quels que soient les événements qui se préparaient, je voulais être auprès de Tatiana et de sa famille lorsqu'ils surviendraient. J'entendais déjà les plaisanteries de Youri quand il me verrait : « Tiens, tiens… Voici le chevalier Léonid qui vole au secours des demoiselles en danger ! » ou encore : « Révolutionnaires, tremblez ! Demi-portion est de retour pour défendre l'Empire ! » Mais je me fichais de ses sarcasmes. Je devais tout d'abord réfléchir à la meilleure façon de gagner le palais Alexandre, et commencer par vérifier si la voie ferrée fonctionnait de nouveau ou si j'allais devoir parcourir à pied les nombreuses verstes qui nous séparaient. Je ne comptais pas faire part de mes intentions à tante Nina. Depuis notre baiser forcé, elle voyait le danger et les miliciens partout, et elle n'avait pas tort. Après une première explosion réconfortante de liberté étaient arrivés les pilleurs, qui s'attaquaient aux familles proches des Romanov. Des bandes organisées s'étaient créées de manière spontanée et patrouillaient partout en ville pour traquer ceux qu'elles qualifiaient de « traîtres ». Dans les rues, hommes et femmes arborant un foulard rouge autour du cou portaient des candélabres en or, des boîtes en malachite ou des tableaux qu'ils échangeaient au marché noir contre une poignée de navets ou une demi-douzaine de pommes. Pour que leurs demeures échappent au saccage, certains aristocrates eurent recours à la ruse. Ainsi, la comtesse Kleinmichel, une cliente de Nina, eut une idée brillante : avant l'arrivée de la foule, elle condamna portes et fenêtres et fit hisser devant son palais le plus grand drapeau rouge qu'elle avait pu trouver. Sur son balcon, elle accrocha une pancarte qui disait : « Cette maison est la propriété du soviet de Petrograd. La comtesse Kleinmichel est incarcérée à la forteresse Pierre-et-Paul. Vive la révolution ! »

Pendant ce temps, à des milliers de kilomètres de là, en apprenant ce qui se passait dans la capitale, le tsar ordonna comme il l'avait déjà fait de dissoudre la Douma, pensant que cette mesure suffirait à rétablir le pouvoir de l'autocratie. Mais cette fois les membres de l'Assemblée refusèrent d'obéir et, pire, une chambre rivale se constitua (parallèlement à la Douma), composée de soviets de soldats et de travailleurs. À la demande de Kerenski, qui se profilait comme l'homme fort du moment, respecté de toutes les factions, on décida que cette seconde Assemblée siégerait dans une aile différente du bâtiment où la Douma se réunissait, afin d'éviter le bicéphalisme.

Kerenski, qui venait d'avoir trente-six ans, devint une passerelle entre les deux Russies : l'ancienne, moribonde, et la nouvelle, qui s'apprêtait à conquérir le pouvoir. Il en fut ainsi jusqu'à ce que le torrent de la révolution finisse par l'engloutir lui aussi.

Mais ces eaux turbulentes n'avaient pas encore atteint un tel degré de violence. À ce moment, seules coulaient celles de la Neva, plutôt troubles et hérissées de drapeaux rouges. Le 13 mars, la ville était aux mains des révolutionnaires, excepté le bastion du tsarisme cantonné au palais d'Hiver, où mille cinq cents soldats restaient fidèles à l'Empire. Mais parmi ces derniers les désertions se multiplièrent, au point qu'à la fin de la journée tous décidèrent de se rendre pour éviter d'être massacrés.

Sur le front, le tsar continuait de penser que les émeutes qui ébranlaient Petrograd étaient semblables à celles qui avaient agité la ville par le passé. Il ne se résolut à regagner la ville qu'en recevant un télégramme de la tsarine : « Des concessions semblent inévitables. *Stop*. Les combats redoublent dans les rues. *Stop*. Presque toutes les unités sont passées à l'ennemi. » Même alors, Nicolas II envisagea la situation avec le plus grand calme et rentra à Petrograd par le chemin le plus long, faisant un détour. Plus tard, beaucoup s'étonnèrent de son incroyable cécité, mais il avait agi par altruisme, pour éviter que le train impérial ne ralentisse les convois venus pourvoir le front en armes.

Le 14 mars, les rebelles prirent le palais d'Hiver et la Douma, avec l'accord de l'Assemblée de soviets réunie dans le même bâtiment, exigea que Nicolas abdique en faveur de son fils, sous la régence de son frère, le grand-duc Michel. C'était selon elle « le seul moyen de sauver la dynastie ».

Le 15 mars, Nicolas II finit par admettre que les conseils qu'il avait imprudemment ignorés étaient avisés. La réalité le frappa de plein fouet le jour même, à deux heures du matin, quand le train impérial fut arrêté à cent soixante kilomètres de la capitale par des révolutionnaires qui bloquaient la voie, armés de fusils. En apprenant que sa garde personnelle venait de rallier la cause de l'ennemi, il balbutia : « Je vous ordonne de dégager la voie immédiatement. Je vous ordonne de punir les déserteurs. Je vous ordonne... », ajouta-t-il en nouant la ceinture de son peignoir en soie, penché par la fenêtre du wagon impérial pour discuter avec les soldats. « Tu ne peux plus donner d'ordres à personne ! » s'écria en le tutoyant un jeune milicien qui avait noué un drapeau rouge à sa baïonnette.

Le tsar n'était pas au bout de ses surprises. Tous ses généraux, y compris les plus fidèles, le grand-duc Nicolas Nikolaïevitch en tête, envoyèrent des câbles au train impérial, le suppliant « à genoux » d'abdiquer pour le bien de la Russie. Cela acheva de le persuader.

À trois heures du matin, le 15 mars 1917, Nicolas II avait sous les yeux le document qui faisait d'Alexis II, âgé de douze ans, l'empereur de toutes les Russies. Pourtant, avant d'y apposer sa signature, il appela le médecin qui voyageait toujours avec lui.

– Dites-moi la vérité, Botkine : combien de temps pensez-vous que puisse vivre mon fils avec sa maladie, éloigné de sa famille, compte tenu des nouvelles circonstances ?

Le médecin prit son temps avant de lui répondre.

– Dans les circonstances actuelles, un garçon comme Son Altesse pourra atteindre vingt, vingt-deux ans s'il ne fait pas de chute et ne subit pas de chocs graves. Si Sa Majesté prévoit de le laisser seul en Russie alors que le reste de sa famille sera exilé, je vous dirais franchement que je n'en sais rien...

À neuf heures du matin, deux représentants de la Douma montèrent à bord du train, détourné à Pskov, pour récupérer l'acte d'abdication. Nicolas les reçut vêtu d'une simple tunique grise et d'un pantalon militaire. Il les écouta patiemment lui décliner toutes les raisons pour lesquelles il était indispensable qu'il renonce au trône et ne les interrompit qu'à la fin, en esquissant un sourire triste.

– Vous auriez pu vous passer de ce long discours. J'ai pris ma décision. Jusqu'à trois heures du matin, je pensais abdiquer en faveur de mon fils, mais j'ai changé d'avis et préfère que mon frère Michel occupe le trône. J'espère que vous comprendrez les sentiments d'un père.

Il signa l'acte en prenant soin d'apposer également sa griffe sur ses deux dernières nominations en tant que tsar : celles du libéral et très populaire prince Lvov au poste de Premier ministre, et de son oncle, le grand-duc Nicolas Nikolaïevitch, qu'il replaça à la tête des armées.

« Méfie-toi des ides de mars », sourit-il en citant Shakespeare quand il s'aperçut que la date de son abdication coïncidait avec le jour de l'assassinat de Jules César.

Après avoir remis les documents aux représentants de la Douma et s'être lissé la barbe du revers de la main, Nicolas Alexandrovitch, désormais simple citoyen, déclara :

– Je demande la permission de retourner une dernière fois sur le front pour prendre congé de mes hommes.

Ce soir-là, dans son journal qui n'avait été jusqu'alors qu'une suite de commentaires flegmatiques et insignifiants, il écrivit : « Pour le bien de la Russie et pour maintenir les armées sur le champ de bataille, j'ai décidé de franchir le pas… Nous avons quitté Pskov à une heure du matin. Autour de moi, je ne vois que trahison, lâcheté et mensonges. »

Le retour

– Allons, pour qui te prends-tu ? Ici, c'est la révolution et nous sommes tous égaux. Sache, camarade, que tu n'es ni plus grand ni meilleur que mon ami Micha ici présent. Qu'est-ce que tu te figures ?

Nous étions tassés dans le train de onze heures trente, dont le premier arrêt était Tsarskoïe Selo. Nous avions quitté la gare centrale dans un convoi couvert de drapeaux rouges, avec tant de passagers à bord que j'avais craint qu'un brusque coup de coude ne m'expédie sur la voie. J'avais réussi à monter dans un wagon à la dernière minute et à me faire une petite place sur l'une des plates-formes extérieures, espace que je partageais avec quatre femmes et le même nombre d'hommes ainsi qu'un cochon qui nous menaçait en grognant.

– Je lui ai donné le nom de notre nouveau tsar, qu'en penses-tu, mon gars ? Micha le Bref, tu aimes ses manières ? Maintenant, j'aimerais savoir qui de mon ami ou de Sa Majesté restera le plus longtemps parmi les vivants, s'esclaffa le maître du cochon, qui comme nous tous arborait une cocarde et un brassard rouges.

– Eh bien, tu vas devoir lui trouver un autre nom parce qu'on n'a plus de tsar. Micha le Bref a abdiqué ce matin, déclara un ancien officier qui essayait de garder l'équilibre en s'agrippant à la rambarde. Quel lâche ! Il a demandé quelle protection lui garantissait la Douma, et quand le camarade Kerenski lui a répondu qu'elle ne lui en fournirait aucune, qu'elle avait déjà du mal à se protéger toute seule, il a chié dans son pantalon. Alors vive la révolution !

– Vive la révolution ! entonnâmes-nous en chœur, car l'usage voulait qu'on répète toutes les devises ou expressions de joie formulées au nom de notre liberté fraîchement conquise.

– Oui ! Longue vie à la révolution ! fit un vieil homme sec comme un parchemin en se signant, un sourire édenté aux lèvres. Pourvu que notre nouvelle république mette sur le trône un tsar bon et généreux.

– Ma parole, tu es bête ou quoi, camarade ? Dans une république, il n'y a pas de tsar. À bas tous les tyrans !

– Notre pauvre petit *batiouchka*, osa intervenir la plus âgée des femmes. Pourquoi l'a-t-on tué ? Il ne savait pas ce qu'il faisait...

– Ferme ton clapet, grand-mère, l'interrompit le maître du cochon. Personne ne l'a tué, il est sûrement dans son palais, à trembler comme une feuille. Je vais d'ailleurs à Tsarskoïe Selo avec tous ceux-là, ajouta-t-il en montrant les soldats. Pour m'assurer que ce fils de chienne est bien vivant et prendre tout ce qui nous appartient.

Il nous expliqua alors que son frère travaillait aux écuries du palais Alexandre et que, comme tous les anciens domestiques des Romanov, il se remplissait les poches.

– Mais ils seront bien obligés de partager avec nous, dit-il en désignant non seulement ses compagnons de route, mais aussi Micha le Bref. C'est ça, la révolution : tout à tous et pour tous.

– Il faut se dépêcher, fit l'un des soldats aux cheveux aussi flamboyants que son drapeau. Le sort de ces salauds peut encore changer. On m'a dit que la *Niemka* passe son temps à pleurer et à déposer des fleurs devant la momie de Raspoutine, et que son cocu de mari est retourné sur le front. Je te parie qu'il va former une armée et marcher sur Petrograd.

– Ou, pire encore, renchérit le maître du cochon, il va laisser les Allemands passer par la frontière ouest et ils nous tueront tous.

– Tu veux dire que notre cher *batiouchka* peut encore revenir ? demanda une des femmes.

– Attention à ce que tu dis, la vieille. Tes paroles sont contre-révolutionnaires et tu n'arriveras peut-être pas vivante au prochain arrêt. Non, le tsar ne reviendra pas, il n'a plus personne, même ses généraux l'ont abandonné.

– On doit l'obliger à retourner à Tsarskoïe Selo et le boucler dans son palais, affirma le maître de Micha le Bref en caressant la tête du cochon. Mais avant, cet animal et moi, on va faire une petite promenade dans ses salons dorés et on dormira dans ses draps blancs. Pas vrai, Micha ? J'ai très envie de voir ton petit cul rose péter dans la soie, pouffa-t-il en tordant la queue de la pauvre bête, qui poussa un cri de douleur. Et toi, mon gars ? Tu as avalé ta langue ou quoi ? Tu ne souhaites pas bonne chance à la révolution ? ajouta-t-il à mon intention.

Heureusement, le train venait de ralentir avant d'entrer en gare de Tsarskoïe Selo et il me suffit de lancer « Vive la révolution ! » et « À bas les Romanov ! » d'une voix assez convaincante pour qu'il me fiche la paix. Je m'éloignai de mes compagnons de voyage et me penchai tant bien que mal par la rambarde pour apprécier le panorama. La gare ne ressemblait plus guère à celle que j'avais quittée deux semaines plus tôt. De grands tissus rouges cachaient les armoiries des Romanov et les gardes, auparavant revêtus d'uniformes impeccables, avaient été remplacés par des garçons de mon âge qui portaient des casaques trop grandes pour eux, dont on avait arraché tous les insignes impériaux pour les remplacer par d'autres, révolutionnaires. Les globes en verre dépoli des lampadaires en fer forgé avaient été brisés et le portrait du couple impérial était couvert d'inscriptions obscènes, d'entailles, d'excréments et de je ne sais quelles expressions de ferveur révolutionnaire. Seuls le ciel limpide de Tsarskoïe Selo et le printemps qui s'annonçait sur les branches bourgeonnantes des arbres m'évoquaient les lieux où j'avais vécu. Je pris le baluchon dans lequel j'avais glissé deux chemises et un peu de linge de rechange et, après avoir lancé à mes compagnons de route un « À bientôt, camarades ! », descendis de voiture avant l'arrêt du train, décidé à parcourir à pied la demi-verste qui me séparait de notre paradis perdu.

*

Comme nous l'avait annoncé le maître de Micha le Bref, franchir la porte du palais Alexandre, autrefois impénétrable, ne présenta aucune difficulté, du moins dans un premier temps. Je ne croisai aucune sentinelle devant le grand portail ni sur l'allée bordée de bouleaux. Des dizaines de curieux marchaient en direction du palais. Timides au départ, ils ne tardèrent pas à s'enhardir et se promenèrent dans les jardins, poursuivirent les pigeons et effrayèrent les paons. Je trouvai sans peine la tombe de Raspoutine. Grâce aux rumeurs qui se répandaient alors aussi vite que la poudre, je savais qu'après l'autopsie la tsarine avait fait enterrer son ami dans un endroit particulièrement ensoleillé du parc. Il était là, sous une dalle très simple couverte de fleurs. Des gens étaient groupés autour, pour la plupart des femmes. Certaines se signaient en cachette, comme si elles se recueillaient sur le tombeau d'un saint.

Passer la deuxième grille permettant de gagner le jardin qui s'étendait devant le palais me fut plus ardu. Un piquet de miliciens en interdisait l'accès. J'eus cependant la chance de reconnaître un des soldats avec qui j'avais assisté à la « résurrection » d'Anna Vyroubova devant la fenêtre de sa chambre.

– Salut, camarade. Un nouveau soleil brille sur la Russie, lui dis-je en citant l'un des nombreux chants patriotiques russes qui étaient alors sur toutes les lèvres.

– Le soleil rouge de la liberté, répondit-il.

Après quelques accolades fraternelles, je lui demandai s'il connaissait Youri.

– Je suis sûr que tu l'as déjà vu par ici, c'est le plus grand révolutionnaire qui soit, lui expliquai-je en plaçant ma main à hauteur de ma taille pour lui laisser entendre qu'il était minuscule. Nous avons le même père, mentis-je afin d'écarter tout soupçon. Tu ne sais pas où je pourrais le trouver ?

– Ah ! Le roi des *water-babies* ! s'esclaffa-t-il. Eh bien, vous ne vous ressemblez pas du tout ! Je suppose qu'il est au même endroit que d'habitude. Certains domestiques n'ont pas encore quitté leur poste. Beaucoup sont nés ici et n'ont nulle part où aller. Va voir dans les anciens communs. Parfois, ils s'y retrouvent pour jouer aux cartes. S'il n'y est pas, tu finiras bien par croiser quelqu'un qui te renseignera, camarade, ajouta-t-il après avoir marqué une pause, peu habitué à utiliser ce terme avec moi, qu'il avait vu pour la dernière fois en des temps révolus.

*

– J'étais sûr que tu reviendrais, demi-portion.

Tels furent les mots que m'adressa Youri quand je l'eus enfin retrouvé. Il tenait un tuyau coudé et graisseux dans la main et ne leva même pas les yeux vers moi, occupé à frotter un conduit avec un chiffon sale. Notre vieux quartier général n'avait pas changé, Youri non plus. Contrairement aux autres collègues que j'avais croisés dans les couloirs, Youri ne portait ni brassard ni foulard rouges. Il n'arborait aucun insigne révolutionnaire, sans doute parce qu'il n'avait pas besoin de prouver qu'il appartenait au prolétariat. Ses vêtements et son visage noir de suie l'attestaient.

– Ne me dis rien. Je sais pourquoi tu es là, ajouta-t-il au bout de quelques secondes, sans cesser de frotter. Pour voir comment s'en sort ton vieil ami dans cette marée rouge, s'il a besoin que tu viennes le sauver du naufrage, déclara-t-il d'un ton ironique. Dans l'immédiat, demi-portion, il n'y a rien que tu puisses faire pour lui venir en aide, à elle ou à ses sœurs, précisa-t-il, lisant dans mes pensées la véritable raison de mon inquiétude. Nous ignorons ce qui peut survenir dans quelques heures, tout dépend du gouvernement provisoire. Quant à nous, souffla-t-il en désignant les communs, personne ne sait quelle attitude adopter ni quel camp rallier. Nous sommes des serviteurs, des ouvriers, mais nous faisons malgré tout partie de la famille Romanov, alors nous errons dans les couloirs comme le fantôme de *babouchka* Catalina.

Je n'avais guère envie de parler du spectre de la Grande Catherine, seulement de ses descendantes. Je l'annonçai à Youri, qui haussa les épaules.

– J'ai entendu dire qu'on allait bientôt transférer toute la famille impériale ailleurs. Kerenski veut la protéger des soviets, d'autres affirment qu'il n'y a plus de Romanov qui tienne et qu'il n'y a donc aucune raison pour qu'ils continuent à vivre dans un palais. Quoi qu'il en soit, personne ne peut les voir. À l'heure qu'il est, ta chère Tatiana et ses sœurs sont au lit, avec quarante-deux degrés de fièvre. Le tsarévitch et Anna Vyroubova ne quittent pas leur chambre non plus.

Mon ami me raconta que, une semaine avant la révolution, un des cadets qui venaient de temps à autre jouer avec le tsarévitch s'était présenté au palais rouge comme une pivoine, avec une forte toux. Un peu plus tard, alors que les premiers troubles éclataient à Petrograd, le tsarévitch et les grandes-duchesses contractaient l'un après l'autre la rougeole.

– La tsarine a de nouveau endossé son uniforme des Sœurs de la Miséricorde pour ne plus le quitter. L'autre jour, j'ai eu recours à tes bonnes vieilles méthodes d'espionnage derrière les grilles d'aération, et pendant que les révolutionnaires triomphaient en ville je l'ai entendue dicter le texte d'un télégramme qu'elle comptait envoyer au tsar. « 14 mars, récita-t-il en imitant assez bien l'anglais d'Alexandra. Situation alarmante… Olga et Tatiana ont trente-neuf de fièvre et mon pauvre Baby, quarante. Macha, qui avait résisté jusque-là, vient de s'aliter… »

– Il faut que je la voie, dis-je à Youri. Il faut que je sache comment elle va, ce qu'elle pense des événements. Tu crois que je peux encore me faufiler dans un des conduits ?

Youri m'observa comme s'il jaugeait un animal.

– Je n'ai pas l'impression que tu aies rapetissé depuis la dernière fois qu'on s'est vus, lâcha-t-il, moqueur. Et puis, le palais n'est plus ce qu'il était, ajouta-t-il avec gravité. On ne peut plus se fier à personne. Il est gardé par les mêmes chiens, mais ils portent des colliers bien plus horribles autour du cou.

– Qu'est-ce que tu entends par là, Youri ?

– Ni plus ni moins que ce que je dis. Nous qui avons travaillé ici, nous sommes devenus des fantômes, mais nous ne savons pas à qui vendre notre âme. Beaucoup ont rejoint le camp des révolutionnaires et doivent montrer leur ferveur coûte que coûte. Certains serviteurs sont désormais des rouges et donnent des ordres ; c'est le cas des gardes impériaux, qui sont à présent miliciens. Ils sont censés veiller à ce que les domestiques ne volent rien dans les salons. Au-dessus d'eux, il y a les officiers récemment arrivés de Petrograd. Ils ressemblent à tout, sauf à des gradés. Tu les as vus fumer et boire le cognac préféré du tsar en montant la garde ? Hier, l'un d'eux s'est mis à son aise. Il tenait son fusil pour remplir ses devoirs patriotiques, mais s'était confortablement installé dans un fauteuil Louis XVI. Pour se sentir comme chez lui, il avait posé dessus une nappe en dentelle de Chantilly et deux coussins persans. Mais le pire, ce sont les coupures d'électricité.

– Quoi ?

– Le soir, on est plongés dans le noir dès sept heures, jusqu'à dix heures du matin, et la famille impériale n'a pas le droit de sortir dans les couloirs sans l'autorisation du colonel. La tsarine et ses dames de compagnie n'osent plus quitter leurs chambres ni le royaume d'OTMA, où sont confinés le tsarévitch et les grandes-duchesses à cause de la rougeole. Alexandra s'aventure parfois dans le salon mauve en espérant que le tsar appellera, ce qui m'étonnerait parce qu'on a coupé tous les câbles. Les soldats font par ailleurs ce qu'ils appellent des « inspections de routine ». Tout paquet livré au palais est examiné avec soin. Les tubes de dentifrice, les boîtes de cirage et les pots de yaourt sont éventrés par des doigts crasseux qui viennent de nettoyer une arme réglementaire ou de gratter un entrejambe. Maintenant qu'ils ont tous la rougeole, sauf la tsarine, le docteur a eu toutes les peines du monde à ausculter les grandes-duchesses sans la présence de deux ou trois fils de la révolution. Enfin, le plus grave, c'est que certains ont une conduite intolérable. Tu te souviens de Derevenko, un des deux marins chargés par le tsar de surveiller Alexis ?

Évidemment que je m'en souvenais. Ce grand costaud aux moustaches en guidon de vélo me faisait toujours rire quand il courait après le tsarévitch comme une gouvernante revêche.

– Il a été parmi les premiers à les abandonner, et tu verrais comment !

– Tu étais derrière les grilles d'aération quand c'est arrivé ?

– Non, mais j'ai surpris une conversation entre la tsarine et Anna Vyroubova. Apparemment, avant d'annoncer à Alexandra qu'il partait parce qu'il « ne supportait pas de travailler pour des espionnes étrangères dans son genre », il a humilié le pauvre petit. Imagine, un enfant malade dont il s'occupait depuis sa plus tendre enfance... Tu connais Vyroubova, elle est comme nous et adore regarder par le trou de la serrure. Elle devrait être nommée membre honoraire des *water-babies*... Eh bien, un jour, elle est allée en larmes trouver la tsarine et lui a raconté qu'en passant devant la chambre d'Alexis elle avait vu Derevenko allongé sur le lit du garçon chaussé de ses grosses bottes. Il lui donnait des ordres dégradants : « Apporte-moi ça », « Donne-moi ça », « Nettoie mes bottes », lui disait-il. Alexis obéissait en se demandant pourquoi cet homme qu'il considérait presque comme un père était devenu si cruel. Heureusement, l'autre marin-nounou, Nagorny, lui a juré qu'il ne l'abandonnerait jamais. C'est du moins ce qu'a dit Vyroubova à la tsarine. Eh oui, Léonid, ajouta-t-il après m'avoir regardé en silence pendant quelques secondes, les choses ont beaucoup changé depuis que tu es parti. Je ne sais pas combien de serviteurs sont restés fidèles aux Romanov. Pas plus d'une dizaine, je suppose.

– Et les gardes abyssins ? demandai-je en songeant à mon ami Jim et à ses compagnons, ces statues vivantes plantées devant les appartements du couple impérial. Ils ont juré de donner leur vie pour leurs souverains.

Youri baissa la tête. Un geste qui en disait long.

– Bon, quelle heure est-il ? s'écria-t-il en changeant de sujet, semblant tout à coup se souvenir d'une chose plus importante que nos bavardages.

Il me prit par le bras, comme lorsqu'il voulait me dispenser une leçon, mais, cette fois, ses doigts s'enfoncèrent délibérément dans ma chair, à croire qu'il leur imprimait une sorte de code Morse que je fus incapable de déchiffrer. Sans me lâcher, il m'entraîna dans la pièce à outils, du côté du couloir.

– Viens, *tovaritch* ! s'exclama-t-il en adoptant des accents révolutionnaires. Il y a quelque chose que tout le monde ici attend depuis des heures, et tu vas avoir la chance d'assister au spectacle en étant assis au premier rang. Suis-moi, tu ne le regretteras pas.

Je compris qu'il valait mieux ne pas poser de questions. Nous nous mêlâmes à un groupe de six ou sept domestiques portant des brassards rouges qui semblaient se diriger vers la grande verrière en arc de cercle de l'escalier principal du palais, dont le balcon dominait aussi bien l'intérieur que l'extérieur. Bien souvent, au bon vieux temps, nous nous étions installés là avec Youri, car c'était un observatoire idéal. Dans l'allée centrale flanquée de bouleaux, on pouvait voir les véhicules s'approcher du palais. Mais lorsqu'on tournait le dos à la fenêtre et qu'on s'appuyait sur la rampe de l'escalier en marbre noir et blanc, on avait un excellent panorama, comme depuis la loge d'un théâtre, sur le vestibule et toute personne qui y pénétrait. Je ne tardai pas à découvrir ce qu'attendaient tous ces gens : quelques secondes plus tard, le gravier crépita, annonçant l'arrivée d'un véhicule.

– Reste où tu es, demi-portion, car bientôt nous serons serrés comme des sardines.

– Tu veux bien me dire ce qui se passe ?

– Regarde et ne rate aucun détail. Quand tu seras vieux, tu raconteras ça à tes petits-enfants.

– Il est là ! Le *gospodin* est là ! s'écria quelqu'un posté au milieu d'une cinquantaine de personnes, près des portes-fenêtres du rez-de-chaussée.

Je baissai les yeux et fus étonné de voir le maître du cochon avec qui j'avais voyagé en train. À présent, il tenait dans ses bras non plus Micha le Bref mais un sac si grand que je me demandai ce qu'il comptait en faire. Youri me poussa aussitôt du coude. Les gens se tenaient derrière les fenêtres, sur les escaliers intérieurs et extérieurs. Certains s'étaient même hissés dans les arbres pour assister au retour du *gospodin polkovnik*, c'est-à-dire « monsieur le colonel » ou, ce qui revient au même, l'ancien tsar de toutes les Russies, Nicolas II, qui rentrait au bercail après avoir pris congé de ses troupes sur le front. Sortis de je ne sais où, des gens attendaient au bord de l'allée ou dans le jardin central, mais aussi dans le palais et le vestibule où Youri et moi nous trouvions.

Je me penchai par la balustrade et regardai en bas. En plus des étrangers et des curieux comme l'homme au cochon, je distinguai beaucoup de têtes connues : jardiniers, marmitons, brigadiers, éboueurs, vitriers, palefreniers, fumistes, modistes, cuisiniers, femmes de chambre, récureuses, charpentiers et *water-babies*... Le bataillon de serviteurs qui, deux semaines auparavant, peuplait le palais Alexandre de manière aussi invisible qu'efficace se montrait au grand jour pour se mêler au peuple et arborer les symboles de la révolution. Les tabliers, les livrées, les coiffes et les galons avaient été remplacés par des cocardes, des brassards et des foulards rouges.

Citoyen Romanov

Il était revenu dans sa Rolls-Royce préférée. Pas celle qu'il utilisait pour les visites officielles, mais une autre, de couleur pourpre, qu'il conduisait lui-même quand il se rendait à l'église avec sa famille. À présent, la carrosserie et les drapeaux rouges qui flottaient de chaque côté étaient noirs de boue et de neige grise. Quelqu'un avait essayé de gratter à la lame les armoiries des Romanov, ne laissant qu'une pauvre cicatrice, comme faite à vif dans de la chair. Après être descendu de voiture, le citoyen Romanov salua la foule selon son habitude : d'abord en tendant la main droite qu'il agita, puis en tournant élégamment le poignet. Lorsqu'il prit conscience que son geste était déplacé, il s'empressa de faire un salut militaire hésitant, à la manière d'un jeune conscrit.

Je le trouvai considérablement changé. Il portait une capote de campagne déboutonnée qui laissait entrevoir une tunique kaki, un pantalon de cheval et de grosses bottes. Mon attention fut surtout attirée par ses yeux, qui semblaient perdus dans ses orbites. Autour, la peau sèche s'affaissait sur ses pommettes, comme la croupe d'un cheval malade. Il leva une deuxième fois la main, non pour esquisser un salut mais pour se lisser la barbe. J'avais souvent remarqué ce tic, qu'il renouvela de manière compulsive en montant deux par deux les marches du perron.

Lorsqu'il les eut gravies, les miliciens nonchalamment postés devant la porte lui barrèrent le passage en croisant leurs fusils. L'un d'eux ne se donna même pas la peine de retirer le mégot qu'il pinçait entre ses lèvres.

– Qui va là ? lui demanda-t-il.

– Nicolas Romanov, répondit le tsar.

L'homme prit le temps de tirer une dernière bouffée sur sa cigarette, puis il lui cracha la fumée dans la figure avant de s'écarter pour lui permettre de pénétrer dans le vestibule. Youri et moi nous penchâmes par la balustrade pour voir ce qui se passait dans le hall.

La foule se pressait dans le jardin, mais à l'intérieur on ne pouvait même plus faire un pas. Nous vîmes notre ancien tsar s'immobiliser, étonné de trouver sa maison pleine d'étrangers, puis, le regard au loin, ni trop haut pour ne pas paraître altier ni trop bas pour éviter qu'on le croie humilié, il s'apprêta à avancer. Habitué depuis l'enfance à être entouré de monde, il n'avait cependant jamais eu à se frayer un passage au milieu de tant de gens et ignorait comment s'y prendre. Il n'avait pas le choix et devait s'immerger dans cette marée de corps, de visages, d'yeux concentrés sur sa personne pour gagner la cabine salvatrice de l'ascenseur, relique de ce qui était encore peu de temps auparavant une existence fastueuse. Alix l'attendait à l'étage.

Je le vis prendre une longue inspiration et tâcher de ne pas perdre contenance, puis se diriger d'un pas lent vers la foule hostile. Il n'avait jamais été très grand, mais, ce jour-là, il semblait minuscule. Il marchait avec difficulté et, tout à coup, porta sa main droite à sa tempe pour faire un salut militaire, comme peu de temps auparavant. À ce moment précis, les drapeaux rouges postés autour de lui s'écartèrent. J'ignore si le miracle s'était opéré grâce à son garde-à-vous ou si les gens ne pouvaient s'empêcher de lui témoigner un respect atavique. De là où nous étions, la scène était inoubliable. Un homme fluet progressant tant bien que mal au milieu d'une foule qui reculait devant lui. Pas une voix, pas un rire ni un cri ne s'éleva. Nul ne vint perturber le silence qui s'était abattu dans le hall le temps que Nicolas gagne la porte de l'ascenseur. Il fut décontenancé pendant quelques secondes quand on lui annonça qu'il n'y avait pas d'électricité dans le palais. Personne n'osa rompre le silence à cet instant, pas plus que lorsqu'il s'avança vers l'escalier du fond, à quelques mètres de là, et commença à monter.

Les grosses bottes du *gospodin polkovnik* n'avaient pas encore disparu que les langues se délièrent. Les « Vive la République ! » et les insultes à la *Niemka* et à Nicolas le Sanguinaire reprirent de plus belle. Un homme s'empara d'une statuette en basalte posée sur une console et la lança dans la cage d'escalier.

– À bas le salaud qui ne sait même pas contrôler sa putain ! cria-t-il.

– Oui, regardez ! Ils vivent entourés d'or alors qu'on meurt de faim ! renchérit un autre.

– Allons, camarades, prenez ce qui est à vous ! Il y en a pour tout le monde !

Les eaux de la mer Rouge s'étaient à nouveau déchaînées et menaçaient d'inonder les lieux.

*

– Allez, viens, il n'y a pas de temps à perdre. Suis-moi.

– Je peux savoir où tu vas, Youri ? Tu ne vois pas ce qui se passe ? Ils sont en train de tout saccager.

– Le sang n'atteindra pas la rivière. Du moins pas cette fois. Les officiers ont l'ordre d'éviter les vols. Le gouvernement provisoire s'y est engagé. En plus, toi et moi, on a d'autres choses à faire, demi-portion.

– Quoi, par exemple ? Tu veux bien me le dire ?

– Tu poses toujours trop de questions. Suis-moi et tu verras.

Il s'éloigna de la rambarde et désigna le palais, dans notre dos, et, plus concrètement, le couloir qui menait à l'autre aile, là où se trouvait l'escalier intérieur en haut duquel le tsar venait de disparaître. Il marcha d'un pas vif, presque en courant, puis s'immobilisa à mi-chemin devant une porte dérobée. Je la connaissais et savais qu'elle s'ouvrait sur les entrailles fascinantes du palais et sur un réduit à balais par où nous passions pour nous faufiler ensuite dans les conduits.

– Je te rappelle que je suis trop gros, même si je me déshabille entièrement, alors si tu as l'intention d'assister aux retrouvailles de Nicolas et d'Alexandra, tu vas devoir y aller seul. Tu me raconteras ce qui s'est passé ensuite.

Mais Youri n'avait pas envie de discuter. Il ne me répondit pas. Nous laissâmes derrière nous le réduit à balais et pénétrâmes dans une pièce que je n'avais jamais vue, une sorte de débarras, probablement, parce qu'il y avait là des raquettes de tennis, de vieilles crosses de hockey et de lacrosse et même un petit traîneau que Youri mit sur le côté pour ouvrir une des deux portes-fenêtres et atteindre le balcon.

– Même si tu as grandi trop vite, j'espère que tu n'as pas perdu ta souplesse, demi-portion.

Je le regardai d'un air à la fois interrogatif et agacé qui le fit s'esclaffer en exhibant toutes ses dents de lutin.

– Tu te souviens de la cheminée en métal, juste au-dessus du salon mauve ? Celle qu'on a réparée après la dernière grosse chute de neige ? Pour y aller, il a fallu marcher le long de la façade, sur une corniche. Tu t'en es bien sorti, demi-portion, je me rappelle qu'Anton Pétrovitch t'a même cité en exemple devant tous les autres *water-babies*.

– Oui. Une très haute distinction qui a failli me coûter la vie. Mais je te rappelle qu'à l'époque mes pieds avaient deux pointures de moins.

– Ne t'inquiète pas. Ce qu'on va faire ce soir est beaucoup plus facile. Regarde là-bas… Tu vois ? De là où on est jusqu'au balcon du vestibule de la chambre, il n'y a qu'une dizaine de mètres.

– Qu'est-ce qui te fait penser que les retrouvailles de nos empereurs auront lieu là ?

– Où veux-tu que ce soit ailleurs que dans cette pièce ?

– Dans le salon mauve, par exemple, c'est l'endroit qu'ils préfèrent. Ou en haut, dans le royaume d'OTMA. J'imagine qu'il aura envie d'embrasser ses enfants.

– Comme espion, tu ne vaux pas un clou, demi-portion. Réfléchis un peu. Compte tenu des événements, il faut qu'ils se voient seuls avant d'aller chez les enfants, tu ne crois pas ? C'est la première fois qu'ils ont l'occasion de se parler depuis l'abdication. Et puis le salon mauve est au rez-de-chaussée, à deux pas du hall où des énergumènes hurlent « *Niemka !* » et « Putain ! ». Non, c'est le seul refuge qui leur reste. Les appartements privés. Et là, si je peux me permettre de parier, ce sera dans leur chambre ou dans la petite salle contiguë, loin des regards des quelques personnes qui les aident et des secrétaires encore fidèles.

– Et si tu te trompes ?

– Dans ce cas, je perds mon pari et on aura marché le long d'une corniche pour des prunes.

– Tu sais quoi ? Oublie cela. Me fracturer le crâne ne fait pas partie de mes projets. Cette fois, puisque tu es si curieux, tu devras y aller tout seul, murmurai-je en m'apprêtant à rebrousser chemin.

– Je te rappelle, demi-portion, riposta Youri, le sourire aux lèvres, qu'en plus de longer la chambre impériale la corniche sur laquelle je te propose de tester ton équilibre conduit aussi à l'infirmerie, où ta grande-duchesse préférée récupère de la rougeole. Ah ! Mon petit doigt me dit que, tout à coup, tu ne trouves plus cette excursion aussi absurde...

Grâce à l'insistance de Youri, qui avait su me faire mordre à l'hameçon, je fus témoin d'une scène inoubliable. Comme me l'avait annoncé mon ami, l'étroite corniche menait au balcon situé devant les chambres impériales. Pour l'atteindre, je fis appel à mes vieux dons de funambule, puis nous nous glissâmes sans difficulté dans l'aile réservée aux Romanov. Même pendant la révolution, la tsarine n'avait pas renoncé à ses habitudes hygiéniques et aérait les pièces, de sorte que nous n'eûmes qu'à pousser la porte-fenêtre pour pénétrer à l'intérieur. Cachés derrière des rideaux de chintz bleu, nous patientâmes.

Je reconnus aussitôt le parfum qui flottait dans la pièce, celui de notre souveraine. Elle et ses filles avaient chacune le sien. Alexandra en appréciait deux : un complexe et capiteux pour le soir et un autre, mélange de lavande et de cannelle, qui me replongea très vite dans des temps plus heureux quand il me monta aux narines, m'annonçant que l'impératrice n'était pas loin. En effet, lorsque j'écartai légèrement la tenture, nous la vîmes. Elle se tenait à l'autre bout de la petite salle qui jouxtait la chambre, assise dans son fauteuil anglais assorti aux rideaux, concentrée sur un travail d'aiguille, cherchant peut-être ainsi à effacer tout le trouble qui l'habitait.

À présent, nous n'avions plus qu'à attendre l'arrivée du tsar.

– Tu ne t'es pas trompé, Youri ? Il n'y aura peut-être même pas de retrouvailles. Il devrait déjà être là. Il est monté bien avant nous et n'a pas eu de gymnastique à faire le long des corniches ! Pourquoi met-il si longtemps à venir alors qu'il est tout près ?

L'empereur en personne nous fournit la réponse. Je constatai qu'il avait une bien plus fière allure que lorsqu'il était arrivé. Il portait une chemise plus claire et s'était coiffé comme un petit garçon modèle. Je songeai qu'il avait dû passer dans sa célèbre salle de bains en marbre noir, ainsi qu'il le faisait toujours en rentrant de voyage. Le tsar était un homme d'habitudes que même une révolution ne pouvait supprimer.

Il pénétra dans la pièce sans un bruit. En le voyant, sa femme ne bougea pas de son fauteuil et se concentra davantage sur son ouvrage, faisant encore un ou deux points, comme si elle s'obligeait à préserver une normalité fictive, le meilleur refuge des gens bien élevés. Un imperceptible tremblement de la main qui tenait l'aiguille la trahissait cependant. Elle tira de nouveau sur le fil avant de lui lancer :

– *Hello, my darling*.

Nicolas s'avança vers elle en restant droit. Son menton relevé contrastait avec ses bras ballants et avec le poids qu'il semblait porter sur ses épaules.

– *Please, don't…* balbutia-t-il. S'il te plaît, non, je… je ne voulais pas. J'ai tellement… honte. Ce n'était pas mon intention, je t'en supplie…

Les mots sortaient si difficilement de sa bouche qu'il faisait peine à voir. Alexandra ne se leva qu'à cet instant. Son cerceau de broderie et son aiguille dégringolèrent. En uniforme des Sœurs de la Miséricorde, elle porta comme au ralenti les mains à son visage et se boucha les oreilles pour regarder son mari sans écouter ce qu'il disait.

– S'il te plaît, je... Je ne voulais pas, je te le jure... bredouillait-il.

J'avais l'impression d'avoir sous les yeux un arbre qu'on vient d'abattre à la hache. Il tomba à genoux, hagard, les mains tendues vers Alix. Youri et moi étions atterrés, affligés d'assister à une scène aussi intime.

– Je t'en supplie, je t'en supplie... pleurait le tsar.

J'avais envie de tirer le rideau pour me précipiter vers lui et lui ordonner de se taire, de ne pas s'humilier davantage. J'aurais pris sa main dans la mienne et l'aurais obligé à se relever.

Évidemment, je me gardai de suivre mes impulsions et restai là où j'étais, debout, horrifié, sentant battre mon cœur au point qu'il martelait mes côtes.

Toujours agenouillé, entre deux sanglots, il se pencha vers l'avant, le front sur le plancher.

– Je ne voulais pas... Je ne savais pas... Pardonne-moi... disait-il tandis que ses mains blanches et cireuses se crispaient et que ses ongles griffaient le *parquet**.

Il se redressa et je vis alors un long filet de bave mêlé de larmes tomber de ses lèvres, formant dans sa barbe une toile d'araignée brillante et visqueuse.

Pétrifiée, semblable à une statue de sel, Alexandra se tenait droite, raide et immobile. Elle...

Montevideo, 25 juin 1994

Chère María,

Je vous écris ces quelques lignes dans l'urgence. J'étais en train de travailler au récit dont je vous ai parlé quand un nouveau médecin, le docteur Sánchez, est entré dans ma chambre pour m'annoncer qu'on m'opérerait demain. Apparemment, les examens qu'on m'a faits après la dernière hémorragie ne sont pas rassurants. « Il y a quelque chose qui ne me plaît pas du tout », a dit le docteur Sánchez. Chercher à lui expliquer qu'à un âge avancé comme le mien on a le droit de décider de prolonger ou non sa vie s'est révélé inutile. Soyons réalistes, que m'apportera cette opération ? Un an de plus ? Deux au grand maximum ? Je n'ai besoin que de deux mois, mais je veux être en possession de tous mes moyens, or les tracas post-opératoires – je l'ai dit à Sánchez – vont me compliquer les choses. Mais il n'a rien voulu savoir, impossible de le persuader du contraire. Il m'a dit que rester les bras croisés n'était pas son modus operandi. *« Allons, docteur ! ai-je insisté. Tout ce que je souhaite, c'est finir ce que j'ai commencé à écrire. Pour moi, ce serait l'extrême-onction idéale », ai-je ajouté en blaguant, mais il semblerait que Sánchez ne pratique guère l'humour. Il s'est contenté de conclure qu'il fallait parer au plus pressé, qu'on ne plaisantait pas avec la santé et que, après l'opération, je ne devrais faire aucun effort. « Alors, si vous voulez poursuivre ce que vous avez commencé, mon cher, le mieux est de vous enregistrer. Vous laisserez ainsi un témoignage sonore à vos petits-enfants quand vous partirez. »*

« Quand vous partirez », c'est ce qu'il a dit. Moi qui adore les euphémismes, j'ai failli lui rire au nez. Il n'arrêtait plus de parler, si bien que je n'ai pas pu l'interrompre pour lui dire que, n'ayant pas d'enfants – du moins, pas à ma connaissance –, je vois difficilement comment je pourrais avoir des « petits-enfants ». Si j'en avais, ils auraient déjà quarante ou cinquante ans.

Enfin, María, je vous raconte cette histoire pour vous demander de me rendre un grand service. D'après mes calculs, il me reste environ cent cinquante pages à écrire, les plus importantes. Voilà pourquoi je vais obéir à Sánchez et troquer ma plume contre la technologie. C'est là que vous intervenez. J'aimerais que vous m'achetiez un de ces magnétophones, quelque chose qui soit simple d'utilisation. Vous savez, moi, ce type d'engins, je n'y connais rien. Auriez-vous la gentillesse de le faire pour moi ? J'ignore combien ça coûte, mais je suppose que la somme que vous trouverez dans cette enveloppe sera plus que suffisante.

Merci, María, et bien à vous,

L.S.

Un, deux, trois, test, test... Avant de commencer et pour m'assurer que cette machine fonctionne, je vais parler un peu. Voyons... Merci, María, d'avoir acheté ce magnétophone si rapidement, il est parfait et très facile à utiliser. En fait, on ne m'opère pas aujourd'hui, mais lundi. Des problèmes de planning et de gardes de fin de semaine, c'est ce qu'on m'a dit. Pourtant, le docteur Sánchez ne m'avait-il pas annoncé que c'était une question de vie ou de mort ? Eh bien, au final, attendre quelques jours revient exactement au même. En tout cas, ça m'arrange et j'aurai plus de temps pour parler dans ce micro. En plus, Sánchez, qui est très optimiste, m'a dit que je ne m'en sortirais peut-être pas, alors la course contre la mort commence.

C'est ce qu'il pense. Moi, je n'en suis pas si sûr. Il y a des années que mon amie la Faucheuse et moi nous nous tirons la bourre... Je verrai bien. Ce ne serait pas la première fois que je lui échappe et je suppose que ce ne sera pas la dernière. En revanche, je dois accélérer le rythme pour atteindre au plus vite la partie de mon histoire que nul ne connaît. Où en étais-je ? Ah oui ! Le tsar rentre chez lui et retrouve Alexandra dans la pièce contiguë à leur chambre à coucher. Je rembobine pour voir si cet engin a tout enregistré et je me lance. Comment intituler le chapitre suivant ? Laissez-moi réfléchir... « Cinq têtes chauves »... Non, ça, c'est pour après. Avant, il y a eu plusieurs adieux. Eh bien, justement, tel sera le titre du prochain chapitre.

Plusieurs adieux

– Et maintenant, tais-toi, demi-portion. Je n'ai plus confiance en toi.

– Pourquoi, Youri ?

– « Pourquoi ? Pourquoi ? » Eh bien parce que, hier, j'ai dû te retenir pour que tu n'ailles pas consoler le tsar et la tsarine pendant leurs retrouvailles. Tu es un sentimental, demi-portion.

– Et toi, un gnome au cœur de pierre, lâchai-je d'un ton plein de ressentiment, faisant pour la première fois allusion à son physique. Comment peux-tu ne pas éprouver un peu de tendresse ou au moins de la peine pour ceux que tu as côtoyés si longtemps ?

– Tu sais ce que je pense, fit mon ami en haussant les épaules. C'est complètement stupide d'aimer quelqu'un qui n'est pas à ta portée. Si tu t'en gardais, tu t'éviterais pas mal d'ennuis.

– Tu es un monstre !… Où vas-tu ? Tu ne peux pas rester tranquille cinq minutes ?

– Promets-moi de contrôler tes émotions. Si tu le fais, je t'emmènerai là où tu veux aller et tu pourras voir ta Tatiana Nikolaïevna, le tsarévitch et les autres grandes-duchesses. En tout cas, on peut dire que, en pleine révolution, il est de bon ton d'attraper la rougeole…

Youri et moi n'accomplîmes notre deuxième mission d'espionnage que vingt-quatre heures plus tard. Après avoir assisté à la réconciliation des tsars, nous comptions nous approcher de l'infirmerie, mais une voix nous en dissuada : un incendie s'était déclenché dans la partie ouest du parc. Par une fenêtre, nous entendîmes des chants révolutionnaires et l'écho de détonations qui nous firent redouter une invasion ou une tentative de mettre le feu au palais. Nous découvrîmes sans tarder que ce n'était ni l'un ni l'autre. Après avoir assisté à l'arrivée de Nicolas, quelques individus avaient gagné le monument sous lequel reposait Raspoutine. Ils burent et chahutèrent jusqu'à ce que l'un d'entre eux propose d'exhumer la dépouille du starets pour voir quelle tête avait à présent l'« amant de la chienne allemande ». Ils y parvinrent facilement, s'amusèrent un peu avec le cadavre, puis décidèrent de le brûler afin d'« observer les flammes de l'enfer ». Mais le starets leur avait réservé une surprise posthume : quand ils jetèrent le corps à demi putréfié sur le bûcher, celui-ci se redressa et resta assis sur le bois ardent. Comme il tendait le bras droit, il donnait l'impression de bénir ou de semoncer ses profanateurs. Inutile de préciser que les petits plaisantins prirent leurs jambes à leur cou. À compter de ce jour, toutes sortes de superstitions se chargèrent d'alimenter la légende du magicien sibérien. Quand on me rapporta cette histoire, je fus horrifié, mais, par la suite, j'appris que l'impressionnant miracle post-mortem avait une explication très cartésienne : en contact avec le feu, les tissus décomposés de Raspoutine s'étaient tendus, si bien que son tronc s'était redressé comme s'il était en effet sur le point de se lever.

L'épisode macabre détourna chacun de ses tâches et Youri et moi dûmes repousser au lendemain notre excursion dans le royaume d'OTMA.

Au matin, il pleuvait, ce qui nous contraria car, sans lumière électrique, le palais était par temps couvert plongé dans l'obscurité.

– J'y vois moins qu'une taupe, dis-je à Youri dans l'escalier. Ce n'est pas un bon jour pour visiter OTMA. Tu crois que les nouveaux dirigeants nous accorderont un peu de lumière ? Ne serait-ce que pour permettre aux médecins d'examiner les malades.

– C'est juste une petite rougeole, demi-portion, les grandes-duchesses et le tsarévitch ne vont pas en mourir. En plus, au cas où tu l'ignorerais, apprends que les médecins recommandent aux patients, qui sont à moitié vaseux, de rester dans le noir. Je crois qu'aujourd'hui nous allons plus nous consacrer à l'espionnage auditif que visuel. Suis-moi, il faut commencer par entrer à OTMA. Ensuite, on cherchera l'endroit idéal.

– Tu veux dire qu'on ne verra pas les grandes-duchesses ? Je ne suis pas sûr d'avoir envie de risquer ma peau pour écouter aux portes.

– On verra bien ce qu'on voit, souffla Youri en jouant sur les mots de manière idiote. Pour le moment, il faut monter à l'étage et attendre qu'il n'y ait plus un chat. Il est plus ou moins onze heures, non ? L'heure du cours de français ! Tu connais la tsarine : il n'y a ni rougeole ni révolution qui tienne, l'éducation de ses merveilleux enfants doit se poursuivre. *Monsieur** Gilliard est sûrement déjà avec eux.

– Tu crois qu'avec tous ces bouleversements ils prennent toujours des leçons de français ? Et dans le noir, en plus de ça ?

– Je pense, oui. *Monsieur** Gilliard s'assoit près de la porte, à côté d'une lampe à huile, et leur lit un peu de Dumas. Comme ça, il fait d'une pierre deux coups : il les distrait tout en enrichissant leur vocabulaire pendant que dehors la révolution fait rage.

– Comme les choses ont changé…

– Pas tant que ça. Tu te souviens du jour où tu as vu de tes propres yeux Tatiana et ses sœurs ? Elles avaient un cours de français. Là, tu auras l'impression de remonter le temps. Ensuite, quand Gilliard sera parti, on s'introduira à l'infirmerie pour leur apporter de l'eau ou sous un autre prétexte. Ce n'était pas ton travail, à l'hôpital de la tsarine ? Tu vas voyager deux fois dans le temps, demi-portion.

J'aurais préféré m'épargner l'« espionnage auditif » dont parlait Youri et jouer immédiatement les faux porteurs d'eau, mais, comme toujours, impossible de discuter avec lui. J'avais remarqué que, depuis que nous avions en quelque sorte repris nos activités de *water-babies*, il était aux commandes.

– On pourrait attendre au pied de l'escalier que Gilliard ait fini et monter ensuite, quand il n'y aura plus un chat, comme tu le dis si bien… suggérai-je.

Mais il s'était déjà aventuré dans le royaume d'OTMA et m'obligea à lui emboîter le pas.

L'infirmerie avait été installée dans une salle réservée aux grandes-duchesses, la pièce la plus grande de l'étage. Youri m'avait expliqué qu'après avoir enlevé le piano, les canapés et les chevalets, il avait aidé les quelques serviteurs encore fidèles à installer cinq lits où étaient allongés les enfants du tsar, isolés par des rideaux. Pour l'avoir déjà visitée, je savais que la pièce comportait deux portes, une donnant sur le couloir et l'autre, qui était entrebâillée, sur la salle de jeux du tsarévitch. Nous nous postâmes derrière celle-ci, et quand mes yeux se furent habitués à la pénombre je découvris que, de là où je me tenais, je pouvais voir le bout des lits et, projetée sur le mur, l'ombre reconnaissable entre mille du professeur de français lisant à la lueur d'une lampe à huile.

– Chuuut, demi-portion. Pas un mot et écoute.

– «*Lorsque vous aurez quelque chose à me mander du prisonnier qui est sous votre garde depuis vingt ans, je vous prie d'user des mêmes précautions que vous faisiez quand vous écriviez à M. de Louvois**... »

– Quelle perte de temps ! chuchotai-je. Tu crois que ça va durer toute la matinée ?

– Tais-toi et écoute, on va peut-être apprendre quelque chose d'intéressant. On ne sait jamais.

J'allais m'endormir, bercé par les aventures du vicomte de Bragelonne, quand la porte près de laquelle s'était installé Gilliard s'ouvrit sur une nouvelle silhouette, grande et ovoïde, avec sur la tête un inoubliable petit chapeau en forme de casserole. Dans les lueurs de lampe à huile, je pus en outre apprécier son ombre sur le mur, emmitouflée dans un manteau et en appui sur ses béquilles. Elle s'approcha de Gilliard et, à eux deux, ils nous offrirent un spectacle digne d'un théâtre d'ombres chinoises. Nous vîmes le professeur de français se lever pour signifier à ses élèves qu'il allait s'absenter – aucun ne lui répondit, sans doute s'étaient-ils assoupis au son des phrases de *Monsieur** Dumas, comme j'avais failli le faire moi-même –, puis s'éloigner de quelques mètres sans quitter la scène improvisée, de sorte que leurs silhouettes ne sortaient pas de notre champ de vision. Leurs voix nous parvenaient très distinctement.

– *Bonjour**, *Madame** Vyroubova, dit Gilliard, qui semblait étonné de la voir avec un manteau et un chapeau. Vous avez l'intention de sortir ? Je vous le déconseille. Les rechutes de la rougeole sont terribles, or, que je sache, vous gardiez encore le lit hier.

– C'est fini, Gilliard, on m'oblige à partir.

– Qui donc ?

– Eux…

Son interlocuteur baissa la voix pour éviter d'être entendu par les malades encore réveillés.

– Dans ce cas, c'est pour votre bien, *Madame**, sans quoi Leurs Majestés ne vous l'auraient pas demandé. Allez passer quelques jours dans votre famille, le temps de vous rétablir. Ensuite, quand vous serez complètement guérie, vous pourrez revenir et apporter votre soutien à la tsarine pendant cette période difficile.

– Non, Gilliard, vous n'avez pas compris. C'est Kerenski et toutes ces affreuses personnes qui exigent mon départ, pas Leurs Majestés.

– Le président du gouvernement provisoire ? Mais il fait de son mieux pour contrôler les bolcheviques et veiller à ce qu'ils respectent le tsar ! Je ne pense pas qu'il ose donner ce type d'ordre. Quant au reste, ne vous inquiétez pas. L'homme le plus dangereux n'est pas en Russie en ce moment, mais dans mon pays, en Suisse, depuis des années, et de là à ce qu'il rentre…

– Il est déjà ici. Cet individu qu'on appelle Lénine est à Petrograd, je le sais de source sûre, et…

– Je n'arrive pas à croire que vous soyez toujours aussi bien informée alors que la révolution fait rage et que vous avez été alitée plusieurs semaines.

Il s'était exprimé avec une pointe d'ironie, mais, Anna Vyroubova n'étant guère sensible à ce genre de subtilités, elle ne se rendit compte de rien.

– Cher ami, mon devoir est d'être le mieux informée possible pour le bien de Leurs Majestés, répondit-elle d'un ton grave qui, en d'autres circonstances, m'aurait assurément semblé ridicule. Croyez-moi. Si je vous dis que cet homme est revenu hier à Petrograd, c'est que c'est vrai.

– Comment s'est-il débrouillé ? Nous sommes en guerre, et pour faire le voyage jusqu'ici depuis la Suisse il faut passer par la France, qui est notre alliée. On ne l'aurait jamais laissé entrer dans ce pays. On vous a sans doute mal renseignée. Quant aux Anglais, ils contrôlent les lignes maritimes et cela fait des années que Lénine, qui est marxiste, figure sur leurs listes noires. Je ne vois pas de quelle manière un agitateur aussi connu que lui aurait pu traverser incognito des territoires hostiles, c'est trop risqué.

– Oh ! Il n'a pas pris le moindre risque. Ce sont les Allemands qui l'ont amené jusqu'ici.

– Allons, *Madame**, ça n'a ni queue ni tête ! Pourquoi nos ennemis iraient-ils aider le plus dangereux des bolcheviques à rentrer au bercail ? Lénine déteste les Allemands, qui le lui rendent bien et n'ont aucune envie de voir les théories de leur compatriote Karl Marx triompher dans leur pays.

– Moi non plus je n'y comprends rien, mais, d'après mes informateurs, l'Allemagne a besoin de Lénine et vice versa.

– Ah oui ! Et pourquoi ?

– L'Allemagne et Lénine veulent mettre rapidement un terme à la guerre.

– Naturellement. Le tsar et Kerenski aspirent à la même chose, et moi aussi. Nous voulons tous la fin de ce conflit et la défaite des Allemands.

– C'est là toute la différence, *Monsieur**. Nous aimerions voir les Allemands battre en retraite alors que Lénine souhaite traiter avec eux.

– Je ne suis pas sûr d'avoir tout saisi, soupira Gilliard d'un air condescendant. D'après vous, Lénine aurait proposé aux Allemands de signer la paix, en échange de quoi les Allemands fermeraient les yeux sur son retour à

Petrograd... Excusez-moi de vous dire que c'est absurde, *Madame**.

– La réalité est encore plus étrange. Les Allemands ont fait plus que fermer les yeux, ils l'ont ramené jusqu'ici.

– Cette histoire m'échappe de plus en plus.

– Ce que j'essaie de vous dire, c'est que Lénine est arrivé à Petrograd en traversant l'Allemagne dans un train scellé protégé par nos ennemis, qui sont disposés à favoriser l'accès au pouvoir d'un marxiste à condition qu'il signe la paix, ce qui revient à dire que cet homme et les Allemands veulent la défaite de la Russie dans des conditions humiliantes. Ah ! Le monde est si méprisable, *Monsieur**...

– Ça n'arrivera jamais. Le peuple russe n'aime pas Lénine. Personne n'a l'intention de le suivre.

– Vous ne m'avez pas laissée finir. Hier, quand il est descendu de son wagon, à la gare centrale, il a été accueilli en héros, au son de « La Marseillaise » et entouré de drapeaux rouges. De là, sans perdre une minute, il s'est rendu au quartier général des bolcheviques, qui se sont installés dans le palais de Mlle Kschessinska. Ce qu'il ne faut pas voir ! Je n'ai pas d'atomes crochus avec cette dame – vous savez qu'on raconte qu'elle était la maîtresse du tsar avant qu'il rencontre sa chère Alix –, mais ils l'ont jetée à la rue comme un chien et ont réquisitionné sa demeure.

– Comme beaucoup d'autres choses, lui fit observer Gilliard.

– Oui. En tout cas, c'est du haut de son balcon que Lénine a annoncé la politique des bolcheviques. D'après mes sources, au début de son discours, ni les socialistes ni les mencheviques n'étaient de son côté. Ils préfèrent soutenir Kerenski et le gouvernement provisoire tant que la révolution n'aura pas progressé. Cet homme est tellement habile qu'il a inversé la tendance. Il a résumé son programme : dissolution de la police, de l'armée, de l'administration, et, surtout, fin de la guerre. La fin de la guerre, *Monsieur** ! Il paraît que, lorsqu'il s'est retiré, ces quelques mots se sont répandus dans toute la ville comme une immonde traînée de poudre.

– Je crois que c'est compréhensible, *Madame**. Les gens sont fatigués. Il y a eu beaucoup de pertes et de grandes souffrances. Si nous n'avions pas été en guerre, Sa Majesté n'aurait jamais été obligée d'abdiquer.

– Vous vous exprimez comme un traître. Moi, je pourrais mourir pour le tsar et la tsarine.

– Espérons que vous n'en arriverez pas à de telles extrémités, rétorqua le professeur de français.

Il me sembla entendre dans sa voix une pointe d'ironie blasée. Comme nous autres, Gilliard trouvait Anna Vyroubova trop mélodramatique. Les paroles qu'elle prononça ensuite me prouvèrent cependant qu'elle n'avait pas tort de s'alarmer.

– On me chasse, *Monsieur**. Je n'ai pas osé demander où on m'emmenait.

– Qui ?

– Je vous l'ai dit : Kerenski. Vous n'êtes pas au courant, n'est-ce pas ? Ça ne me surprend pas, il se passe tant de choses... Cet homme dont vous avez dit qu'il voulait protéger le tsar... il est venu ici dans la matinée. Il voulait parler à Sa Majesté. Figurez-vous que, comme par hasard, je passais par là et j'ai entendu tout ce qu'ils se sont dit.

– Évidemment, dit Gilliard.

Cette fois, je ne décelai nulle trace de moquerie dans ses propos. Youri et moi nous regardâmes, forcés de reconnaître qu'Anna Vyroubova était une championne dans l'art de coller son oreille aux portes.

– Oh, *Monsieur** ! Je pleurais rien que d'imaginer la scène qui se déroulait de l'autre côté du battant. Ce goujat, ce scélérat de Kerenski s'est confortablement installé dans un canapé sans attendre que le tsar l'y ait invité. Je le dis parce que, après un court échange, Sa Majesté lui a demandé aimablement : « Vous permettez que je m'asseye, mon cher ami ? » « Bien sûr, bien sûr », a bredouillé Kerenski, confus. « Je vous proposerais volontiers un verre. Avant, j'avais toujours du cognac et d'autres alcools dans ce bureau, a poursuivi le tsar. Maintenant, il n'y a plus rien, pas même de courant électrique. J'espère que vous ne prendrez pas froid, monsieur Kerenski, car nous n'avons pas de chauffage non plus. » Ce malotru ne l'a pas laissé finir sa phrase. Il lui a dit qu'il n'était pas venu écouter ses plaintes et que, à présent, les serviteurs du palais n'étaient plus les siens mais ceux du peuple, et qu'avant de venir le trouver il les avait tous convoqués dans la cour pour leur annoncer que, désormais, ils allaient devoir dénoncer tout ce qui était contraire à la révolution. Imaginez un peu, *Monsieur**... Il en a fait des mouchards, des délateurs ! Il a précisé au tsar qu'il se démenait assez pour assurer sa protection et celle de sa famille contre les autres partis politiques. « Vous ne vous rendez pas compte de la situation dans laquelle vous êtes. Je suis l'unique parapet qui s'élève entre vous et l'échafaud. » Ce sont ses propres termes, *Monsieur** ! Ce qu'il a ajouté ensuite m'a glacé le sang. D'après lui, la Douma ne saurait être plus divisée, et dans la nouvelle Russie tout est voté. L'autre jour, les soviets ont apparemment proposé d'emprisonner le tsar dans la forteresse Pierre-et-Paul jusqu'à ce qu'il soit jugé, puis exécuté. Ils ne l'ont pas encore fait parce que les mencheviques et les révolutionnaires pinaillent depuis des jours pour savoir qui commande à qui et à quoi. Kerenski a déclaré ensuite que la position du tsar était de plus en plus instable et qu'il ignorait combien de temps il allait pouvoir faire respecter sa volonté. Quand Sa Majesté lui a demandé pourquoi il n'essayait pas de les faire sortir du pays, lui et les siens, une solution qui contenterait tout le monde, Kerenski a répondu que personne ne voulait les accueillir. Nicolas II lui a rétorqué que rien n'était moins sûr. Le roi d'Angleterre étant son cousin et celui de la tsarine, il les aiderait. Il a ajouté qu'ils étaient comme des frères et se ressemblaient tant qu'on les confondait toujours... Kerenski l'a interrompu en lui conseillant de ne pas se faire trop d'illusions. Pour la première fois, *Monsieur**, j'ai alors perçu de la compassion dans le ton de sa voix. Il lui a expliqué que le roi George avait beaucoup de soucis et ne songeait qu'à lui en ces temps houleux, mais le tsar ne semblait guère convaincu. « Pour que vous vous fassiez une idée, a poursuivi Kerenski, j'ai avec moi un télégramme que le Premier ministre britannique, Lloyd George, a envoyé à notre gouvernement provisoire. Vous voulez en prendre connaissance ? Jugez vous-même. » Sans attendre la réponse du tsar, il s'est mis à lire. Je peux le répéter mot pour mot. Tant que je vivrai, je ne l'oublierai pas.

Anna Vyroubova marqua une pause, comme pour sonder sa mémoire, puis récita d'un ton las :

– « C'est avec un sentiment de profonde satisfaction que le peuple britannique a appris que notre alliée, la Russie, peut enfin donner à son peuple un gouvernement responsable. Nous croyons que la Révolution est le plus grand service que le peuple russe pouvait rendre à la cause pour laquelle les Alliés se battent depuis août 1914. La vérité que l'on constate est que cette guerre était avant tout un combat pour un gouvernement populaire tout autant que pour la liberté... »

– Vous avez une mémoire remarquable, *Madame**, soupira Gilliard, tristement admiratif.

– Je n'oublierai jamais ces mots tant que je serai de ce monde. J'ai entendu le soupir étouffé du tsar avant que cet homme de malheur n'enchaîne : « Non, monsieur. Nous ne pouvons compter ni sur votre cousin ni sur qui que ce soit d'autre à l'étranger. Nous sommes seuls et devons trouver une autre solution », a-t-il conclu. À cet instant, j'ai apprécié qu'il utilise le pluriel. J'ai l'impression qu'il a pitié de l'isolement de nos souverains. Mais il est vrai qu'il est lui aussi dans une situation délicate : combien de temps pourra-t-il réfréner les bolcheviques ?

– L'histoire se répète, affirma Gilliard. Tout cela ne ressemble que trop à la Révolution française. D'abord les Assemblées, puis l'arrivée au pouvoir des modérés, avec leurs jolis mots : *Liberté*, Égalité*, Fraternité**, jusqu'à ce qu'il y ait des débordements et qu'arrivent…

– Non, ne les nommez pas. Je ne veux pas entendre ça, *Monsieur**. Les modérés me suffisent. Regardez un peu dans quelle situation nous sommes. Sans lumière, sans électricité, sans eau, à l'écart du monde, surveillés par des gardes qui tripotent ce que nous mangeons avec leurs doigts crasseux… Vous savez ce qu'a dit Kerenski au tsar ? Que pour la plus grande sécurité des Romanov, et pour l'éloigner des extrémistes, ils ont décidé de les transférer en Sibérie. Il leur a annoncé qu'il allait de ce pas interroger la tsarine pour connaître ses implications dans la guerre et son rôle en tant qu'espionne à la solde des Allemands. « Je suis désolé, mais je vais devoir l'isoler du reste de la famille. » En entendant ces mots, *Monsieur**, ajouta Anna Vyroubova en baissant la voix, je me suis précipitée chez Sa Majesté pour l'informer de ce qu'ils allaient faire, et c'est à ce moment-là que tout est arrivé…

– Que quoi est arrivé, *Madame**, et où ?

– Une demi-heure plus tard, ils m'ont surprise en train de brûler des lettres et des papiers de Sa Majesté dans le salon mauve. Un type patibulaire qui patrouillait par là et fouinait partout en grignotant les chocolats préférés de la tsarine m'a vue. Il m'a prise par le bras et, après m'avoir arraché les documents, m'a confiée à un autre milicien encore plus barbare pendant qu'il montait prévenir Kerenski. Maintenant, on va m'interroger et m'emmener je ne sais où. Pourvu que ce ne soit pas à la forteresse Pierre-et-Paul ! Il paraît que c'est infesté de rats et que personne n'en ressort vivant. J'ai eu trente minutes pour préparer mes affaires et dire au revoir. Je me demande pourquoi ils m'ont laissée monter ici... Enfin si, je sais : parce que ce sont les appartements des enfants et que, là, je ne risque pas de faire d'autres « vacheries au peuple ». Tels sont les mots grossiers qu'ils ont employés. Je n'ai pas pu prendre congé du tsar ni de mon Alix adorée. Au moins, je vais embrasser les enfants. Comment vont-ils, *Monsieur** Gilliard ?

– Olga et Tatiana seront bientôt remises, mais les autres ont encore beaucoup de fièvre. Ils dorment à présent, grâce au *Vicomte de Bragelonne*. Non que ce soit un livre ennuyeux, chuchota le professeur de français en souriant, mais m'écouter le lire tous ensemble leur donne une impression de normalité, j'oserais même dire de paix. Vous qui l'avez contractée, vous connaissez cette maladie et savez qu'elle est épuisante.

– Je vais réveiller mes petits anges. Je ne peux pas partir sans les avoir couverts de bénédictions et de baisers. Que Dieu ait pitié de nous tous !

– Non, *Madame**, lui dit Gilliard en la retenant. Pas de scènes mélodramatiques, je vous en prie. Qu'est-ce qu'on y gagnerait ?

– Mais, c'est que je compte leur laisser Jimmy, mon cocker spaniel, pour qu'ils se souviennent de moi et s'amusent avec. Je vais d'ailleurs dire à Lara, ma femme de chambre, qu'elle le fasse monter. Je leur ai aussi apporté ce diptyque sacré dont je ne me sépare jamais. Il leur insufflera des forces. Dieu sait qu'ils vont en avoir besoin!

– Écoutez, reprit Gilliard, qui semblait à présent passablement agacé, je crois qu'il vaut mieux confier Jimmy à l'un des jardiniers jusqu'à la fin de leur convalescence. Quant au diptyque, je leur remettrai dès qu'ils seront réveillés. Pas d'adieux, pas d'affliction, *Madame**, je vous en supplie. Nous avons eu notre lot de tristesse, alors épargnons-nous les démonstrations qui ne sont pas nécessaires.

– Mais je veux seulement les embrasser! insista Anna Vyroubova.

Il y eut un long silence, au terme duquel Gilliard fléchit en lui faisant promettre de ne pas réveiller les malades qui dormaient. Après s'être mis d'accord, ils revinrent sur leurs pas. De notre cachette, nous vîmes Anna Vyroubova pénétrer dans l'infirmerie sur ses béquilles, son inoubliable chapeau en forme de petite casserole oscillant au rythme de ses pas.

Je ne l'ai jamais revue. On l'emprisonna dans la forteresse Pierre-et-Paul pendant que nous autres poursuivions notre lente descente aux enfers.

Cinq têtes chauves

Ceux qui liront cette longue confession penseront peut-être que j'ai vécu une histoire d'amour bien étrange, car, aux deux tiers de mon récit, je n'avais toujours pas pu approcher Tatiana à moins de cinq mètres ni échanger avec elle plus de cinq ou six mots. Tout allait changer dans les jours qui suivirent notre expédition à l'infirmerie. Le monde qui nous entourait se métamorphosa au point de devenir méconnaissable. Comment décrire ce qui se passait ? Il me semble que le mieux serait de relater deux faits qui survinrent quinze jours après l'arrestation d'Anna Vyroubova.

Kerenski avait interrogé séparément le tsar et la tsarine. Même s'ils s'en étaient sortis brillamment (« Votre femme ne ment pas, dit Kerenski à Nicolas II après avoir fait subir à Alexandra quatre heures d'interrogatoire. Elle s'est peut-être trompée en nommant des ministres sans talent, mais je ne crois pas une seule seconde qu'elle travaille pour les Allemands »), tous deux furent arrêtés et mis à disposition du gouvernement provisoire avant d'être envoyés en Sibérie. Le temps de décider dans quelle partie de ce vaste territoire on les transférerait, le palais Alexandre et son parc devinrent notre prison. Heureusement, le printemps s'annonçait, les jours rallongeaient et la température remontait, une bénédiction dans cette coquille dorée sans électricité ni chauffage où la famille impériale, privée de quatre-vingts pour cent de ses serviteurs, menait une rude existence dépourvue du confort moderne. On nous coupa également l'eau. Lorsque le temps le permettait, nous nous en procurions en faisant fondre la neige, mais plus tard, dans le courant du mois d'avril, celle-ci se fit plus rare et notre hygiène s'en ressentit.

Cependant, ces incommodités ne découragèrent pas Nicolas II de multiplier les efforts pour se charger de son nouvel empire, le règne végétal. Lui qui ne pouvait se passer d'exercice physique, il demanda à ses geôliers de le laisser s'occuper des jardins de son ancien palais. Ainsi, chaque après-midi, les membres de la famille avaient la permission de sortir et, sur les indications du tsar, cultivaient tomates, choux et carottes, enlevaient les mauvaises herbes ou coupaient du bois (à la scie, seul outil tranchant autorisé). C'était pour tous le moment le plus agréable de la journée. Sur le coup de quatre heures, la famille au complet se retrouvait dans le vestibule et attendait patiemment qu'un officier veuille bien lui ouvrir la porte. Un moment plus tard, après des retards, des complications et des questions aussi vexantes qu'inutiles, celui-ci accédait au désir des Romanov. La tsarine fermait la marche dans son fauteuil roulant poussé par Tatiana. Dans le parc, une dizaine de soldats bruyants et négligés les surveillaient en lâchant des commentaires déplacés et en leur riant au visage. J'ignore si les Romanov en avaient discuté entre eux au préalable ou si cela était dû au remarquable instinct de survie que leur dictait leur bonne éducation, mais ils faisaient comme si de rien n'était et ne s'offusquaient jamais. Il est vrai que la tsarine posait sur les gardes des yeux froids et pleins de tristesse, mais tant ses enfants que le tsar traitaient les miliciens avec gentillesse, même lorsque ces derniers les insultaient. Le tsar leur disait toujours bonjour et leur tendait la main. « Plutôt mourir ! » lui rétorqua un jour un soldat qui n'avait pas plus de seize ans. « Pourquoi, mon garçon ? Que t'ai-je donc fait ? » lui demanda Nicolas II, surpris.

Je n'étais pas là, mais Youri me raconta qu'avant de s'adonner aux joies de l'horticulture Nicolas faisait des promenades à bicyclette. Un jour, le bruit courut que l'ancien tsar et sa famille étaient dans le parc. Un groupe de curieux se posta derrière les grilles, certains pour observer, beaucoup pour siffler et s'amuser à hurler des obscénités. Les gardes ordonnèrent à la famille de s'éloigner de quelques mètres, selon eux « pour sa sécurité », et tous obtempérèrent.

La tsarine aimait s'asseoir par terre, sur une couverture, auprès d'une de ses dames de compagnie. Elle lisait ou brodait pendant que ses enfants et son mari s'occupaient du jardin ou se promenaient.

– Tu connais la grossièreté des gardes, me dit Youri. Six ou sept miliciens se sont groupés autour de la tsarine. Ils fumaient et discutaient devant elle, mais l'un d'eux a décidé d'aller un peu plus loin, sans doute pour impressionner les badauds. Il a profité de ce qu'une des demoiselles d'honneur de la tsarine venait de se lever pour aller chercher quelque chose et s'est laissé tomber à côté d'elle sans se gêner. Alexandra s'est écartée sans s'offusquer tout en intimant à sa domestique de ne rien dire et de ne pas bouger. Le milicien a entamé la conversation tandis qu'elle lui lançait des regards méprisants. « Pourquoi détestes-tu notre peuple ? lui a-t-il demandé en jouant avec sa pelote de laine, dont il enroulait et déroulait le fil autour de ses doigts. Pourquoi n'es-tu jamais sortie de ton palais pour connaître ton peuple ? » Elle lui a expliqué que, très jeune, elle avait eu cinq enfants à la suite, qu'elle avait voulu être présente pour leur éducation, et qu'ensuite son état de santé l'avait empêchée de sillonner la Russie comme elle en aurait eu envie. Je suis sûr que cette discussion aurait permis au garde de se faire une idée différente et positive de la *Niemka* s'ils n'avaient pas été interrompus. Comme je te l'ai dit, le tsar faisait du vélo. En voyant sa femme bavarder avec un milicien, il s'est approché d'eux et a salué les autres soldats. Devine un peu ce qui est arrivé... Un des hommes n'a rien trouvé de mieux que de glisser sa baïonnette dans les rayons de la roue. Le tsar est tombé et tous se sont esclaffés, surtout les curieux qui observaient derrière les grilles. J'ai voulu l'aider et un jardinier s'est lui aussi précipité à son secours, mais ils nous ont sommés de nous arrêter. « Souris, Youri, fais comme si tu étais des leurs », m'a conseillé Olga Nikolaïevna. Je me suis tourné vers elle : elle n'avait pas les larmes aux yeux, mais était rouge comme une pivoine, jusqu'à la racine des cheveux.

*

C'est précisément des cheveux d'Olga, mais aussi de ceux de Tatiana, Maria, Anastasia et même Alexis, que je m'apprête à parler, car ils jouent un rôle intéressant dans mon histoire. Quand leurs enfants furent remis sur pied, le tsar et la tsarine voulurent leur faire reprendre une vie normale dans la mesure du possible. Hormis les après-midi consacrés au jardinage, le reste de la journée fut placé sous le signe de l'étude. Nicolas II décida de répartir les fonctions d'enseignement aux personnes qui restaient disponibles, les « survivants du naufrage », comme il se plaisait à les appeler avec tendresse. Beaucoup de ses collaborateurs avaient en effet quitté le navire sous des prétextes aussi saugrenus que celui avancé par le docteur Ostrogorski, l'un des médecins du tsarévitch, qui avait un jour annoncé à la tsarine qu'il ne pourrait plus s'occuper de son fils parce que les « routes étaient trop sales ». Après d'autres défections de ce genre, le tsar résolut de s'improviser professeur d'histoire et de géographie. Les cours de musique et de littérature incombèrent à la baronne Buxhoeveden, une des fidèles de la tsarine, qui resta auprès de la famille jusqu'à la fin, et Mlle Schneider dispensa les leçons de mathématiques. Une autre dame de la Cour désormais inexistante, la comtesse Hendrikova, enseignait le dessin, et la tsarine se chargeait du catéchisme. En plus de ses cours de français, Gilliard dirigeait cette nouvelle pléiade de professeurs pleins de bonne volonté. Il est curieux de voir que, dans la vie, il y a des compensations à tout : pour un couple aussi casanier que Nicolas et Alexandra, le nouvel ordre des choses n'était pas si désagréable. J'irais même jusqu'à dire que le tsar se sentit libéré lorsqu'il dut renoncer à ses obligations et à ses responsabilités pour devenir le *gospodin polkovnik*, monsieur le colonel, ou, plus simplement, le citoyen Romanov. Il se réjouissait d'être devenu le professeur d'histoire et de géographie de ses enfants. « Bonjour, cher collègue », disait-il à *Monsieur** Gilliard quand il le croisait dans les couloirs.

Une fois de plus, je m'égare et n'ai pas encore abordé ce qui justifie le titre de ce chapitre et se rapporte à ma précédente réflexion sur les cheveux. Je vais donc revenir quelques jours en arrière pour expliquer que, au sortir de leur convalescence, les cinq enfants du tsar durent se soumettre à une coutume aussi prophylactique que courante, qui voulait qu'après avoir contracté une maladie infectieuse on se rase entièrement la tête afin de « fortifier le corps et se purger l'esprit », comme le disait une croyance populaire. Naturellement, je connaissais cette pratique à laquelle même les femmes les plus coquettes se contraignaient sans broncher : en quelques minutes, elles voyaient tomber leur belle et longue chevelure et leurs magnifiques anglaises sous les coups de ciseaux. J'étais moi-même devenu un émule de Tarass Boulba après avoir eu la scarlatine. Mais connaître les traditions est une chose, et voir leurs effets sur les plus beaux visages une autre. Un matin, deux jours après que Maria, la dernière à s'être rétablie, eut quitté l'infirmerie, je ne pus m'empêcher de sursauter en voyant dans le couloir une sorte d'apparition profane. Je venais de sortir du réduit aux balais et me trouvai nez à nez avec Olga, Tatiana et Maria qui avançaient gaiement, leurs livres d'étude sous le bras. Si j'eus l'impression de croiser des fantômes, c'est que je ne voyais que trois chemisiers en dentelle Chantilly, trois jupes en percale blanche, trois paires de souliers crème et, plus haut, au lieu des boucles angéliques que j'avais l'habitude d'admirer, il n'y avait plus que trois têtes chauves et brillantes comme des boules de billard, sur lesquelles perlaient quelques gouttes de sueur.

– Bouh ! s'écria Olga, morte de rire. N'aie pas peur, Léonid, ce n'est que nous et non des *krasnie tovarishi*.

On désignait sous ce nom, qui signifiait « camarades rouges », les révolutionnaires qui se tondaient pour rendre hommage aux anarchistes emprisonnés pendant des années en Sibérie.

– Arrête tes idioties, Anastasia nous attend dans la chambre d'Alexis. Viens avec nous, Léonid, nous allons avoir besoin d'un peu d'aide.

Je ne me rappelle plus à quel moment les formules de déférence avaient disparu de notre vie, les « Altesse Impériale » et « grande-duchesse » suivies du prénom correspondant, de même que l'ordre donné par Mlle Schneider aux enfants du tsar d'en faire usage quand ils se référaient à l'un des membres de leur fratrie. À présent, ils étaient ravis d'oublier ces formalités. Quand Youri et moi, qui n'arrivions pas à nous en débarrasser, utilisions ces marques de politesse, les grandes-duchesses se moquaient de nous. « Où est passé ton esprit révolutionnaire, camarade Léonid ? nous demanda Anastasia deux jours après sa sortie de l'infirmerie, tandis que Youri et moi servions le petit déjeuner. Je ne suis plus une altesse, mais une ex-altesse. Comme ces choses que tu vois sur la table, s'esclaffa-t-elle en désignant des aliments d'une fraîcheur douteuse. Ceci est une ex-saucisse, et ça, une ex-pomme, et ça, rien qu'à l'odeur, je dirais que c'est un ex-ex-hareng ! »

*

– Viens, suis-nous, répéta Olga.

– Tu vas voir, on va bien rire.

C'était un véritable plaisir que de pouvoir se promener dans le royaume d'OTMA en toute liberté. En fin d'après-midi, Youri et moi montions jouer avec le tsarévitch, devenu désormais le « camarade Aliocha ». À l'époque, il aimait par-dessus tout organiser des soirées cinématographiques avec un projecteur que la compagnie Pathé lui avait offert quelques mois avant la révolution. Nous regardions parfois des films des frères Lumière ou des images tournées par la famille, où Alexis apparaissait en compagnie de ses sœurs en des temps plus heureux, faisant du patin sur le lac gelé ou à bord du yacht impérial, le *Standart*. Ses films préférés étaient ceux de Charlie Chaplin. Anastasia disait qu'on pouvait en tirer des tas d'idées. Il me semble avoir déjà écrit qu'elle était la plus créative des sœurs Romanov. Elle inventait toutes sortes de choses, et je crois que l'idée des Têtes Coupées, considérée par la suite comme un triste symbole du destin qui les attendait, venait précisément d'elle. Dans un premier temps, je ne compris guère ce qu'Anastasia, Olga, Maria et Tatiana avaient l'intention de faire.

– Je n'y crois pas, Léo ! Quel manque d'imagination ! Tu n'es jamais allé à une fête foraine, ou quoi ? s'étonna Maria, qui aidait Anastasia à préparer la pièce en déplaçant les meubles. C'est très drôle, tu vas voir.

J'ignore où était passé Youri ce jour-là. Nous étions seuls, les enfants Romanov et moi, et je m'empressai de leur donner un coup de main sans savoir ce qu'ils se proposaient de faire. Mon étonnement fut à son comble quand je les vis jeter un pan de satin noir sur le bahut du tsarévitch.

– Je ne suis pas sûre que papa appréciera, protesta Tatiana. Et maman encore moins, ajouta-t-elle en tâchant de détourner son frère et ses sœurs de leurs projets.

– Oh, *Madame la gouvernante**, arrête un peu ! Ce n'est qu'un jeu ! lui dit Maria en riant.

– Et un cadeau original à offrir aux amis, renchérit Anastasia. Allons, Tania, ne gâche pas tout.

Quand Alexis et ses sœurs eurent presque convaincu Tatiana, ils m'expliquèrent en quoi consistait ma participation.

– Léonid, c'est simple comme bonjour. Tu vois ce qu'on est en train de faire ?

– On dirait un autel pour une messe noire, siffla Tatiana.

– Ne joue pas les rabat-joie, Tania, c'est une bonne blague. Quand on sera grandes, cette photo sera la plus géniale de notre album, intervint Olga, faisant plier Tatiana, qui se rallia à la majorité.

– Regarde bien, maintenant, car tout dépend de toi, Léo. Tu vois l'appareil photo qu'Aliocha a posé sur le trépied, juste en face de notre autel pour messe noire ? me demanda Anastasia en pouffant de rire. Ne t'inquiète pas. Pour le moment, on ne va se livrer à aucun rituel satanique, mais se mettre derrière le bahut pour que tu nous immortalises. Vous êtes prêts ?

Avant que j'aie eu le temps de dire quoi que ce soit, Alexis et ses sœurs – y compris Tatiana – s'étaient placés derrière l'appareil. Seuls leurs crânes chauves émergeaient du satin noir, comme des têtes décapitées. Je me rappelle parfaitement dans quel ordre. Il y avait de droite à gauche Anastasia, Olga, Tatiana, Maria et le tsarévitch, tout sourires. Face à eux, leur serviteur essayait de manier l'appareil d'Aliocha en suivant leurs indications.

– C'est ça... Parfait. Maintenant, regarde en bas, Léo, dans le viseur. Tu vas nous voir tous les cinq, les pieds en l'air, ou plutôt la tête en bas ! s'esclaffa Anastasia. Tout ce que tu dois faire, c'est t'assurer que personne ne bouge avant d'appuyer sur le bouton. C'est bon ?

Je m'exécutai et vis en effet l'image des cinq enfants du tsar à l'envers.

– Prêts ? Je vais compter jusqu'à cinq et j'appuie !

J'en étais encore à trois quand Jimmy, le chien d'Anna Vyroubova, qui faisait désormais partie de la famille, fit irruption depuis la pièce contiguë.

– Qu'est-ce que tu as, chien stupide ? Tu ne vois pas que c'est nous ?

Je me redressai. Le cocker avait les poils du dos hérissés comme ceux d'un chat et reculait vers la porte, à croire qu'il venait de croiser le diable. Pendant ce temps, les cinq têtes chauves faisaient toutes sortes de grimaces. Comiques, terrifiantes, bigleuses, strabiques. J'avais l'impression d'être devant un spectacle de Guignol fantasmagorique.

– C'est l'expérience la plus drôle de toute ma vie ! s'exclama Anastasia en riant.

Moi, je me rangeais davantage du côté de Jimmy. Je me souviens que mon poing tremblait quand je pressai l'obturateur pour capter l'image, reproduite ci-dessous :

– Une autre ! Une autre ! s'écria Maria en m'envoyant un baiser. Allez, Léo, une de plus ! Sans trembler !

Montevideo, 27 juin 1994

Chère María,

Maintenant que je dicte mon texte à un magnétophone, je me rends compte que je vais bien plus vite ; en quelques heures, j'ai avancé de deux chapitres. Certaines choses se racontant mieux noir sur blanc, je vous écris cependant ces quelques lignes pour vous dire qu'il se passe des choses incroyables. Vous vous rappelez le docteur Sánchez, son intention de m'opérer et son « optimisme » quant à l'issue de cette opération ? Il se trouve qu'aujourd'hui un type de petite taille est venu me voir de sa part. « On appelle ça du soutien psychophysique, monsieur Sednev. Vous n'allez pas tarder à découvrir que c'est très intéressant », m'a-t-il dit avant de m'expliquer qu'il était médiateur, une sorte de confesseur laïque que l'hôpital envoie auprès des personnes qui doivent subir une opération risquée afin qu'elles se confient à lui. Voyez-vous ça ! Avec moi, il avait bien travaillé et est allé droit au but. Vous n'imaginez pas la quantité de renseignements qu'il avait me concernant : il savait que je ne m'étais jamais marié, que j'avais fait fortune avec la contrebande de tabac dans les années 1950, que j'avais ensuite redoré mon blason (et mon compte en banque) dans les années 1960 et 1970 en me consacrant au commerce extérieur et que, dans les années 1980, j'avais grossi considérablement mon bas de laine en « exportant » en Europe des Sorolla, des Renoir et des Gauguin qui se trouvaient dans le Río de la Plata... Quoi d'autre ? Ah oui ! Je suis un type réservé et peu sociable.

« Qui vous a raconté tout ça ? » lui ai-je demandé, amusé, car, hormis certains détails, il disait vrai. Il m'a répondu qu'il n'avait aucun mérite, car dans un pays aussi petit que le vôtre il n'y a que des secrets de polichinelle. « Les gens peu bavards comme vous se figurent que les autres ne le sont pas davantage, a-t-il ajouté, un sourire rassurant et persuasif aux lèvres. Pourtant, le sport préféré de l'être humain, celui auquel il s'adonne sans retenue, est de s'affiler la langue. Ne vous inquiétez pas, monsieur Sednev, si je m'intéresse à la vie d'autrui, c'est parce que j'ai une conscience professionnelle. Les personnes introverties ont besoin de parler à quelqu'un, surtout avant une opération délicate. »

J'étais sur le point de croire à la sincérité de cette approche originale quand le docteur Sánchez a surgi dans la pièce. J'ai alors remarqué que mon « médiateur » devenait nerveux. Bref, pour abréger, je vous dirais, ma chère, que ce type ne venait nullement m'apporter un quelconque « soutien psychophysique ». Il s'agit d'un journaliste d'origine russe qui écrit un livre sur l'histoire secrète des derniers émigrés russes qui se sont installés dans le Río de la Plata après avoir fui la révolution bolchevique. Malgré des témoignages révélateurs déjà publiés, la plupart d'entre nous avons préféré cacher notre histoire pour diverses raisons, essentiellement romantiques. « Dites-moi, Youri, qu'est-ce qui vous fait croire que je vais me livrer à vous ? lui ai-je demandé. Parce que j'ai un pied dans la tombe, vous vous imaginez que je vais vous raconter de manière décousue ce que j'ai mis des années à coucher sur le papier ? Il faut faire les choses correctement, vous savez, et c'est moi qui décide quand, où et surtout à qui me confier.»

Si je vous rends compte de cette visite, María, c'est que, après avoir repoussé son offre ce matin, j'y ai réfléchi entre-temps. Et je me dis que si je meurs avant d'avoir terminé mon histoire il serait peut-être utile de vous mettre en contact avec cette personne. Je commence à trouver l'idée excellente. Il parle russe et, le moment venu, vous aidera sans doute à comprendre un autre document important que je compte joindre à cette longue confession qui commence en 1912 et se conclut en 1918 – après cette date, il m'est arrivé une ou deux choses intéressantes, mais rien de comparable à ce que j'ai vécu pendant les six années que je vous ai citées. Comme je crains de ne pas avoir le temps de vous raconter ce qui s'est passé ensuite, je vais vous faire un petit résumé, pour vous montrer qu'un des désirs formulés par ma mère s'est réalisé. Elle voulait que la roue de la fortune tourne un jour en ma faveur, c'est chose faite, mais il me faut préciser que j'ignore si je dois ma richesse à la déesse de la Fortune ou à un autre facteur, disons plus prosaïque.

Je vous ai rapporté dans les grandes lignes mon arrivée en Amérique du Sud, grâce à tante Nina et à Mister Cumming, l'homme à la jambe de bois.

Avez-vous entendu parler du SIS, ma chère? Moi non plus, je ne savais rien des services secrets britanniques jusqu'à ce que je voie un documentaire télévisé qui leur était consacré. À présent, j'ai l'impression de devoir la vie à Cumming. Après la révolution et l'assassinat de la famille impériale, je suis retourné à Petrograd pour aller chercher ma tante et la convaincre de quitter le pays dans les plus brefs délais. En ville, la situation empirait de jour en jour. De noires colonnes de fumée s'élevaient quotidiennement, indiquant où brûlaient un commerce, une galerie, un palais. Nina m'a appris que, quelques semaines plus tôt, les bolcheviques étaient entrés chez les Youssoupov. La famille avait pris la fuite, mais les assaillants avaient eu vent par un des domestiques de l'existence d'une pièce secrète remplie de bijoux et d'œuvres d'art dont Gricha était le seul à connaître le mécanisme d'ouverture de la porte.

« Ils ont d'abord essayé de le rallier à leur cause, m'a dit Nina. "Tu es comme nous, un fils de prolétaires, un ouvrier." Mais tu connaissais Gricha, Léonid. Il a préféré mourir sous la torture plutôt que de révéler les secrets de sa famille », a-t-elle conclu avec fierté en ravalant ses larmes.

J'ai insisté pour que nous partions avant qu'il ne soit trop tard, mais elle n'a rien voulu savoir. « Je suis russe et je mourrai russe. Je ne partirai pas d'ici », m'a-t-elle répondu.

Vous n'avez pas idée des suppliques que je lui ai adressées. Tout ce que j'ai obtenu, c'est sa bénédiction et deux lettres, la première pour une amie anglaise qu'elle avait connue à Londres et qui vivait alors à Paris, l'autre pour une dame de même nationalité qui dirigeait une école de jeunes filles à Montevideo.

Je n'ai découvert qu'il y a quelques jours combien les réseaux tissés par Mister Cumming et ses agents étaient vastes et, surtout, d'une discrétion exemplaire. Me croirez-vous si je vous dis que, avant de voir ce reportage, je n'aurais jamais soupçonné ces deux vieilles dames si british et si serviables de faire partie de l'organisation de Cumming ? Oh, ma chère, vous pensez sans doute que je manque de discernement, moi qui ai pourtant passé la moitié de ma vie à espionner les gens. Vous avez absolument raison. Mais vous savez, comme dans le cas de Raspoutine, qui est allé de son plein gré dans la cave des Youssoupov en ignorant qu'il y perdrait la vie, le destin est bourré de contradictions. Au bout du compte, le plus clairvoyant des hommes ne voit pas ce qu'il a sous le nez.

Je pourrais m'étendre davantage et vous raconter, par exemple, qu'une de ces aimables dames m'a aidé à Paris à trouver du travail dans un hôtel où je côtoyais d'autres émigrés* *bien plus illustres que moi. Ou vous dire qu'à Montevideo l'autre amie de ma tante m'a soutenu économiquement le temps que je commence à voler de mes propres ailes. Il m'est arrivé des choses étonnantes et j'aimerais avoir une autre vie pour vous en faire part. Cela ne relève malheureusement pas de l'ordre du possible, María. Quand je serai mort, appelez ce Youri dont je vais vous laisser la carte. En plus de parler russe, il est journaliste, alors je suppose qu'il saura quoi faire de mon témoignage et du document auquel j'ai fait allusion tout à l'heure. Il s'agit d'un journal intime qui a appartenu à une personne que j'ai beaucoup aimée.*

Il me faut à présent retourner à mon magnétophone et à l'histoire que j'aimerais conclure avant de « partir », comme le dit si bien le docteur Sánchez. Voyons, je vais rembobiner. Où en étais-je ?... Ah oui ! Dans notre prison dorée de Tsarskoïe Selo, je venais d'immortaliser les enfants du tsar, chauves comme des boules de billard...

*

Pendant que les Romanov et moi nous adonnions aux joies de la photographie, dehors, dans le monde libre, la révolution suivait son cours. Le nouveau professeur d'histoire, autrefois connu sous le nom de « tsar de toutes les Russies », enseignait à ses élèves le début de la Révolution française et aurait probablement été étonné de remarquer combien le destin aime les symétries et les répétitions, pour ne pas dire les pieds de nez. Imitant en cela ce qui s'était passé peu après la chute de Louis XVI, le gouvernement provisoire russe abolit la peine de mort. En tant que ministre de la Justice, Kerenski fit passer une loi allant dans ce sens, pensée non seulement pour affirmer ses tendances modérées, mais surtout pour faire échec aux demandes de plus en plus pressantes de juger le tsar. « Je ne serai pas le Marat de notre révolution, proclama-t-il dans un discours vibrant à la Douma. Je suis capable de conduire personnellement le tsar jusqu'à Mourmansk, s'il le faut. La révolution russe ne crie pas vengeance. » Proche de la frontière avec la Finlande et la Norvège, Mourmansk était la porte qui permettait de gagner l'Angleterre. Quand Kerenski y fit allusion, il savait cependant que le roi George V avait décidé de ne pas se préoccuper du sort de son cher « *cousin Nicky* ».

Au cours du printemps et de l'été 1917, tandis que les modérés – Kerenski en tête, qui venait d'être nommé Premier ministre – tentaient de mettre sur pied des réformes pour instaurer un gouvernement démocratique, Lénine et les siens inventèrent un slogan, pour ne pas dire un mantra, exprimant les plus grands et les plus fervents désirs du peuple : « Paix, terre, pain, et tout le pouvoir aux soviets ! » La Grande-Bretagne et la France faisaient pression sur Kerenski pour qu'il envoie davantage de troupes sur le front, sans savoir qu'ainsi elles favorisaient l'irrésistible ascension de Lénine. Harcelé par les Alliés et rassuré à tort par les emprunts et les contributions que ceux-ci lui concédaient, Kerenski ne ménagea pas ses efforts pour remporter la guerre, avec des résultats encourageants dans un premier temps, comme une victoire – la première depuis des mois – sur le front de Galicie. Nous autres, dans notre lieu de réclusion, fêtâmes la nouvelle en sautant de joie, et le tsar eut même la permission de chanter un « Te Deum ». Mais l'euphorie allait être de courte durée : en juillet, nous essuyâmes une immense défaite, due en partie aux nouvelles règles imposées aux soldats. La révolution ayant triomphé, il fallait désormais que chaque décision, y compris les stratégies militaires et les ordres des officiers, soit discutée en comité et votée. Ainsi, après la victoire en Galicie, on vota une trêve de deux jours au lieu d'affermir les positions russes sur le territoire conquis. Les conséquences furent catastrophiques et les Allemands en profitèrent pour nous infliger une nouvelle débâcle.

À la nouvelle de cette défaite, un million de personnes descendit dans la rue, exigeant la paix et la démission du gouvernement provisoire. Ces événements et sa faible marge d'action poussèrent sans doute Kerenski à envoyer la famille impériale loin de Tsarskoïe Selo, mais sur le territoire national car, hors de Russie, nul ne voulait l'accueillir. « Les bolcheviques s'en prennent à moi, ensuite ce sera votre tour », dit Kerenski au tsar avant d'ajouter qu'il fallait envisager un lieu à l'écart des passions révolutionnaires de la capitale. Nicolas II demanda à aller dans son palais de Livadia, qu'il adorait, mais le Premier ministre refusa. Sans plus d'explications, il le pria de commencer à faire en secret les préparatifs nécessaires, « sans éveiller les soupçons des gardes du palais ». Cette réflexion prouve à elle seule la méfiance qui régnait alors, puisque même le chef du gouvernement ne pouvait être sûr de la loyauté de ses officiers, et moins encore de ses soldats. « Mon avant-dernier ami m'a conseillé de nous préparer le plus discrètement possible, écrivit le tsar dans son journal intime, se référant à Kerenski. Il n'a pas voulu me révéler notre destination, mais m'a dit d'emporter des vêtements chauds. Quant à la date du départ, elle a été fixée aux alentours de l'anniversaire d'Alexis. »

Le 12 août 1917, le tsarévitch eut treize ans. Le lendemain, la famille Romanov quitta Tsarskoïe Selo pour ne jamais y revenir.

Chacun avait préparé ses affaires sans attirer l'attention. Même les membres du gouvernement provisoire ne furent pas informés de ce départ. Seules quatre personnes, parmi lesquelles Kerenski, connaissaient l'endroit où nous allions : Tobolsk, grand port fluvial dont la principale activité était le commerce, situé à l'ouest de la steppe sibérienne, proche d'un lieu où Nicolas II avait deux ans plus tôt ordonné la construction d'un terrible centre pénitentiaire où les anarchistes et les révolutionnaires irréductibles purgeaient leur peine.

Le choix de cette ville n'avait rien à voir avec une justice poétique et vengeresse, mais obéissait à des raisons d'ordre pratique. D'après mes renseignements, on envoyait le tsar à Tobolsk parce qu'il s'agissait d'une ville en retrait, accessible seulement après avoir traversé une vaste zone de forêts profondes, et que le prolétariat n'y était pas majoritaire, contrairement à la bourgeoisie, prospère et un peu surannée. J'entendis un jour Kerenski dire au tsar, alors qu'ils se promenaient tous deux dans les couloirs désormais déserts du palais : « Le climat y est agréable et la maison du gouverneur tout à fait confortable. Vous y serez à votre aise avec votre famille. Vous savez quels domestiques vous allez emmener avec vous ? »

Le tsar devait avoir son idée sur la question, mais il ne nous en informa que vingt-quatre heures avant le départ du train, de sorte que nos préparatifs furent aussi frénétiques que chaotiques. Tout le monde n'était pas prêt à mettre la main à la pâte. Le colonel Kobylinski, qui commandait le détachement militaire, avait ordonné à ses soldats de se comporter en « gentlemen » et Kerenski leur avait fait parvenir un courrier les sommant d'obéir à Kobylinski comme à sa propre personne, pourtant la plupart des hommes refusèrent de coopérer. « Les camarades Romanov sont des citoyens ordinaires. S'ils veulent qu'on les aide, ils n'ont qu'à nous payer pour le dérangement », rétorquèrent-ils à Gilliard lorsque celui-ci leur demanda de venir déplacer des malles. « Ce sont des fainéants, des bons à rien ! » s'indigna le professeur. « Ils ont raison », lui dit le tsar en posant une main sur son épaule. Puis il fit signe à son secrétaire de leur donner une poignée de roubles. « Tenez, pour le dérangement. »

Mais même en les payant Nicolas II ne parvint pas à les amadouer. Quelque temps plus tard, je le vis s'approcher de deux officiers qui prenaient le thé et leur en demander une tasse. Les hommes se levèrent en déclarant haut et fort qu'ils ne pensaient pas inviter un tyran à leur table. Puis quand ils furent hors du champ de vision des soldats ils vinrent s'excuser de leur conduite et expliquer qu'ils craignaient que leurs subordonnés ne les dénoncent comme éléments contre-révolutionnaires. Le tsar leur pardonna avec humilité, un sourire las aux lèvres. Je crus cependant déceler sur son visage la même amertume que celle qui nous avait tous gagnés.

Sur le coup de neuf heures du soir, la veille du départ, le grand vestibule en demi-cercle où Youri et moi avions assisté à l'arrivée de Nicolas II devenu un simple *gospodin polkovnik* était encombré de malles et de valises à demi bouclées. Une ou deux heures auparavant, la tsarine, secondée par Tatiana et moi, avait brûlé des lettres et des souvenirs personnels. Pour la première fois, je vis Alexandra en larmes. Il n'y eut pas moyen de la convaincre de se défaire de la volumineuse correspondance qu'elle avait échangée avec son mari pendant les dix ou quinze dernières années. « Allons, Sunny, ce ne sont que des choses matérielles, on peut s'en passer. L'important, c'est qu'on soit ensemble », insista le tsar, mais ses prières se heurtèrent à une catégorique fin de non-recevoir. « Comme ça, ils pourront découvrir un jour qui tu es réellement, mon amour, et qui je suis moi aussi », lui dit-elle, et tous deux s'étreignirent.

Youri et moi allions et venions en portant des valises et des malles, sous la supervision de Tatiana, chargée de noter dans un carnet le contenu de chaque bagage.

– Voyons un peu : là, il y a des chaussures et des bottes d'hiver, et là, des manteaux. Où est la caisse avec les affaires de toilette, Léonid ? Et les albums de photos, Youri ? Mon Dieu, quel bazar !

Pendant ce temps, Olga et Maria allaient de chambre en chambre et prenaient congé des serviteurs restés fidèles, qui tombaient dans leurs bras en pleurant. Anastasia courait de-ci, de-là, essayant de récupérer Joy, le cocker spaniel du tsarévitch, et Jimmy, le chien d'Anna Vyroubova.

– Tu te rends compte, Léo ? Ils ont vraiment mal choisi leur moment pour sauter par la fenêtre. Je te parie qu'ils ont vu un écureuil.

Quant à moi, je décidai de passer mes derniers instants à Tsarskoïe Selo dans le salon de Marie-Antoinette pour saluer ma vieille amie, la danseuse unijambiste qui vivait à l'intérieur d'une des pendules et me rappelait tant Tatiana.

– Où vas-tu ? me demanda Youri en voyant que je m'éloignais dans le couloir qui menait à l'escalier.

– Je crois avoir vu Jimmy entrer dans l'un des salons du fond, mentis-je sans me retourner.

Youri était bizarre depuis quelque temps. Il avait refusé d'emblée de suivre la famille royale.

« Vas-y, toi, puisque tu y tiens. Moi, je n'ai rien à faire à Tobolsk.

– Il s'agit de les aider à un moment où ils ont vraiment besoin de nous », lui dis-je en espérant le faire changer d'avis.

Mais mon ami affichait le masque d'indifférence dont il était si fier.

« Les grandes-duchesses peuvent dormir tranquilles, elles savent que le *tovaritch* Léonid les protégera de tous les dangers, ironisa-t-il.

– Franchement, tu te fiches de ce qui va leur arriver ? Comment peux-tu être aussi ingrat, Youri ?

– Je n'ai à témoigner de reconnaissance à personne, surtout pas aux grandes-duchesses. Le problème avec toi, c'est que tu es trop naïf, demi-portion. Tu t'imagines que, parce que la révolution a triomphé, ces filles pleines de suffisance poseront un autre regard sur toi. »

J'aurais pu lui dire que non seulement il était lié par le sang à ces filles « pleines de suffisance », mais qu'elles nous traitaient à présent d'égal à égal. Même avant la révolution, elles n'avaient jamais été hautaines avec nous. Mais je n'avais pas pris la peine de le lui signaler, préférant ne pas le relancer ni lui faire part de la tristesse que je ressentais à l'idée de quitter ce palais où nous avions vécu. Je ne comprenais pas l'attitude de Youri, c'est sans doute pourquoi je me gardai de lui annoncer que je me rendais dans le salon de Marie-Antoinette. À quoi bon ? Pour qu'il se moque encore de moi ?

*

Éloigné du vestibule, le couloir qui menait aux grandes salles était plongé dans un silence uniquement brisé par les ronflements d'un milicien qui piquait un petit roupillon, une bouteille subtilisée aux caves royales dans la main. Je me fis le plus discret possible pour ne pas le réveiller, laissai derrière moi une série de portes et franchis le seuil du salon de Marie-Antoinette. Les lieux n'avaient guère changé. À droite, le tableau représentant les cosaques ; à gauche, celui de la reine de France jouant avec ses enfants ; dans un coin, le piano ; dans un autre, la collection de pendules. Même si tous ces objets étaient faciles à dérober et en valaient la peine, la pièce avait échappé aux ferveurs révolutionnaires. Je me demandai pourquoi. « Peut-être grâce à vous, pensai-je en souriant, l'œil rivé sur les cosaques. Dans toute la Russie, il n'y a pas de gardes plus respectés. »

Nul n'avait touché aux pendules, mais, n'ayant pas été remontées depuis longtemps, chacune s'était arrêtée sur une heure précise, semblable à un fantôme pétrifié dans le temps. Le paon serti de saphirs, cadeau de la Grande Catherine, indiquait six heures et demie ; les aiguilles de la pendule des singes saltimbanques, la préférée du tsarévitch, s'étaient immobilisées sur le dix et le six ; d'autres s'étaient figées sur le quatre, le trois ou le deux, et celle dont le ventre abritait ma danseuse unijambiste avait cessé de fonctionner sept minutes avant midi, l'heure à laquelle elle sortait pour interpréter son éternel numéro de danse. Je fus ravi de cette coïncidence qui me fit l'effet d'un cadeau d'adieu. Je m'en approchai à pas de loup. De l'extérieur, cette pendule était la moins intéressante de toutes : une petite caisse rectangulaire en bronze, sans autres ornements qu'une porte et deux petites colonnes en cristal de roche. Ce n'est que lorsque l'automate en sortait qu'elle devenait un théâtre fascinant plein de surprises. Un plateau en malachite apparaissait, minuscule piste de danse, puis deux ou trois autres colonnes s'élevaient pour former une charmante avant-scène.

– Attends, Tania, dis-je à voix haute en utilisant le surnom sous lequel ses proches désignaient Tatiana, cherchant dans la partie supérieure de la pendule le mécanisme pour la remonter. Je sais que tu es là-dedans, mais comment veux-tu que je te fasse sortir si je ne trouve pas le remontoir ?

Je souris en songeant à la tête qu'aurait faite Youri s'il m'avait vu parler aux tableaux et aux pendules et m'intéresser à leur mécanisme pour dire au revoir à ma danseuse unijambiste.

La tâche était ardue, car chaque pendule avait ses secrets, et une partie de leur charme consistait à cacher les remontoirs. Celui du paon se trouvait sous une patte tandis que le grand éléphant en lapis-lazuli dissimulait le sien sous une de ses défenses... Ces deux-là, je les découvris facilement, mais où se dissimulait la clef qui me permettrait de voir ma ballerine ? Entre ses deux colonnes ? Sur un côté ? Je finis par le trouver, sous l'abri du souffleur de ce théâtre recréé à merveille, et, quand je le tournai, le mécanisme se déclencha dans un tic-tac joyeux. Il ne me restait plus qu'à attendre que s'écoulent les sept minutes avant la sonnerie de midi. Dans le monde réel, il allait être bientôt neuf heures. Il ne faisait pas encore nuit, mais le ciel s'était assombri, projetant des ombres dans le salon rouge. Je ne voyais presque plus Marie-Antoinette ni les cosaques, et de la collection de pendules je ne distinguais que des contours se découpant contre la lumière diffuse de la fenêtre. J'avais encore deux minutes à patienter avant qu'il soit faussement midi. Debout entre la silhouette du paon et celle de l'éléphant, je vis soudain au fond de la salle s'en dessiner une autre que je connaissais bien, une silhouette qui n'était ni en métal ni sertie de pierres précieuses, mais en chair et en os. Quelqu'un venait d'entrer par une des portes latérales et avançait dans ma direction. Ma première réaction fut de me cacher, d'éviter de trahir ma présence pour couper court à toute explication, mais je m'aperçus vite que ce n'était pas nécessaire. J'aurais reconnu cette personne entre mille, même dans une pièce plongée dans la pénombre. Elle attendit d'être plus près de moi pour murmurer :

– Apparemment, nous avons des amis communs. Toi aussi tu es venu dire au revoir, Léo ?

Tatiana Nikolaïevna parcourut la distance qui nous séparait encore et s'immobilisa devant les pendules.

– Laquelle préfères-tu ? Celle-ci ? Celle-là ? Je me suis souvent échappée des cours de *Monsieur** Gilliard pour venir les écouter sonner. Qu'en penses-tu ? me demanda-t-elle en pointant un doigt sur l'éléphant. Et les singes acrobates, ils te plaisent ? Ils sont jolis, n'est-ce pas ? Celle que j'aime n'attire pas l'attention, ajouta-t-elle sans désigner aucune pendule en particulier.

Je m'étonnai que, pendant toutes mes années passées dans les conduits, nous ne nous soyons jamais rencontrés lors d'une excursion clandestine dans ce salon, puis je pensai que le destin, toujours capricieux, avait peut-être décidé de se manifester au dernier moment. Le carillon où se cloîtrait ma petite danseuse se mit à sonner. Les aiguilles étaient toutes deux près du douze. Les yeux de Tatiana s'emplirent de larmes. Je n'avais plus besoin de lui demander vers quelle pendule allaient ses préférences.

– Tu sais qu'il lui manque une jambe ? souffla-t-elle.

Je lui répondis par une autre question, la tutoyant pour la première fois.

– Tu sais qu'elle te ressemble beaucoup ?

Nous gardâmes le silence, abîmés dans notre contemplation de la scène en malachite qui venait d'apparaître et des colonnes transparentes de l'avant-scène. Au premier coup de midi, notre danseuse vint tournoyer sous nos yeux, comme si nous avions tous deux ouvert une parenthèse où tout redevenait comme avant qu'on nous chasse du paradis, à un détail près : le crâne rasé de Tatiana Nikolaïevna s'était posé sur mon épaule pour mieux apprécier l'ultime pirouette de notre ballerine unijambiste.

En route pour Tobolsk

Le train qui devait nous conduire en exil partait à une heure du matin. Ce n'est qu'à cet instant que nous apprîmes lesquels d'entre nous accompagneraient la famille impériale à Tobolsk. La liste avait été dressée par le tsar, qui avait désigné parmi les quelques volontaires deux *valets**, six femmes de chambre, dix laquais, trois cuisiniers, quatre marmitons (dont moi), un majordome, un sommelier, une infirmière, un comptable et un barbier... Youri avait refusé d'être des nôtres. « Que veux-tu qu'ils fassent d'un ramoneur ? » me lança-t-il. « C'est le prétexte le plus idiot que j'aie jamais entendu, lui rétorquai-je. Sache en tout cas que tu n'es pas le seul à ne pas vouloir nous accompagner », ajoutai-je, lui signalant que, s'il en avait eu envie, il aurait pu demander à être marmiton. « Pour éplucher des patates, ils auront bien assez de toi, demi-portion. Si tu insistes un peu plus et que tu me supplies à genoux de venir avec toi *pour tenir la chandelle**, je changerai peut-être d'avis... » siffla-t-il en employant une expression que j'avais souvent entendue au palais. Je haussai les épaules, las de l'humour grinçant de Youri. Et puis j'avais bien d'autres motifs de préoccupation.

La famille impériale était prête avant l'heure prévue et les dames déjà chapeautées, mais l'attente se prolongeait et l'incertitude nous gagna. Les cheminots refusèrent d'attacher les wagons et Kerenski dut appeler personnellement le chef de gare non pas une, mais trois fois.

– Dites-moi, Kerenski, combien de temps la famille impériale restera-t-elle en Sibérie ? demanda le secrétaire particulier du tsar au chef du gouvernement, les larmes aux yeux.

– Quand l'Assemblée constituante se réunira, en novembre, ils seront libres, le rassura Kerenski. Ne vous inquiétez pas, camarade, à Noël, ils pourront retourner au palais Alexandre ou aller ailleurs s'ils en ont envie.

La famille impériale dut attendre des heures, avec une patience admirable, avant qu'on lui permette de monter dans le train. Pendant ce temps, le palais fut mis à sac. Personne, pas même les serviteurs encore fidèles, ne s'en priva. Même les salons qui, comme celui de Marie-Antoinette, avaient jusqu'alors échappé aux voleurs grâce à la présence fréquente de Kerenski dans les murs furent pillés. Par chance, le tsar et les siens attendaient le signal du départ dans le salon mauve, près de la porte principale, et ils ne soupçonnèrent rien du terrible spectacle qui se déroulait quelques mètres plus loin. On arracha les tentures des murs, on vola le matériel, les tapis, les éléments décoratifs et les bibelots, les poignées de porte et même les prises électriques. Enfin, alors que le soleil se levait derrière les bouleaux les plus éloignés, un bruit de moteur à l'extérieur du palais annonça que le tsar et sa famille allaient enfin pouvoir quitter Tsarskoïe Selo.

Je n'étais pas là pour voir comment les Romanov firent leurs adieux au palais Alexandre, car je m'étais porté volontaire pour m'acquitter du travail que les cheminots et les porteurs avaient refusé de faire avant le départ du train. Avec les hommes du petit groupe au service de l'ancien tsar, nous chargeâmes les six ou sept malles contenant les vêtements, trois autres renfermant des objets personnels et des bijoux, des valises, des sacs, deux grands tapis auxquels tenait la tsarine et un perroquet au plumage chatoyant qui avait un caractère de cochon. Bien peu de bagages pour une famille qui, quelques mois auparavant, était encore l'une des plus puissantes de la planète. Six ou sept drapeaux flottaient de chaque côté du convoi, mais ce n'étaient ni les drapeaux rouges de la révolution ni les blancs de l'Empire. Les deux couleurs y étaient pourtant présentes, combinées, car ils portaient l'emblème de la Croix-Rouge japonaise, afin que les Romanov puissent voyager sans être interceptés par les bolcheviques. Moins luxueux que ceux de l'ancien train impérial, les wagons étaient toutefois assez confortables. Je fus ravi de constater que le convoi se composait de trois voitures de la Compagnie des Wagons-Lits, d'un wagon-restaurant et de deux autres, plus modestes, de seconde classe. On avait entreposé nos bagages dans la dernière voiture. De la fenêtre de mon compartiment, je vis la famille pénétrer dans la gare : le tsar et la tsarine, appuyée sur une canne, étaient en tête avec Olga et Maria. Tatiana arriva ensuite et prit la main de sa mère. Anastasia se tenait derrière eux, son appareil photo autour du cou, et redoublait d'efforts pour que Jimmy et Joy ne lui échappent pas. Le tsarévitch et Nagorny fermaient la marche. Le marin-nounou était revêtu de son ancien uniforme du yacht *Standart* mais portait un brassard rouge pour éviter de s'attirer inutilement des foudres. Quand ils arrivèrent devant le wagon qui leur était réservé, Nagorny voulut prendre Alexis dans ses bras, mais l'enfant refusa en se dégageant vigoureusement.

– Je ne suis pas un invalide, Nag, riposta-t-il en essayant de se hisser sur le marchepied, gêné par sa jambe prisonnière du volumineux appareil orthopédique en fer.

L'opération fut longue et le tsarévitch échoua à plusieurs reprises, puis il parvint enfin à monter et lança un regard triomphal vers la fenêtre derrière laquelle j'étais posté.

– Je suis content que tu sois des nôtres, Léo, déclara-t-il en souriant.

– Et moi de constater que tu es en pleine forme, mentis-je.

– Oui, oui, je vais presque aussi bien que le personnage de *Charlot fait une cure*, plaisanta-t-il en faisant allusion à un de ses films préférés, où Charlie Chaplin souffre de toutes sortes de maladies et manque de mourir à l'hôpital. Je crains que nos séances de cinéma ne soient finies, mais Nagorny a pris mon échiquier. Si tu veux jouer, tu sais dans quel compartiment nous sommes, *elle* et moi, ajouta-t-il en tapotant sa jambe paralysée et son carcan de fer.

Mes yeux se voilèrent, moins à cause de la vapeur qui montait de la locomotive que des larmes.

– Bien sûr que oui ! m'exclamai-je en tâchant de couvrir les bruits ambiants. Quand vous voudrez, Votre Altesse ! précisai-je, peu soucieux que quelqu'un m'entende utiliser cette formule désormais proscrite.

Le train s'ébranla. Un homme, sans doute un des cheminots qui avaient refusé de nous aider à charger les bagages, nous observait depuis le quai. Il tendit l'index de sa main droite d'un geste menaçant, faisant mine de me tirer dessus, puis se précipita vers les officiers pour les informer de la situation.

Je m'en moquais. Le train s'éloignait déjà vers la Sibérie.

Un passager clandestin à bord

Pendant quatre jours, le train nous ballotta dans la chaleur et la poussière. L'hiver est rigoureux dans ma patrie, mais l'été peut parfois être suffocant. C'était le cas de celui de 1917, si sec qu'une grande partie de la végétation était à demi brûlée. Notre voyage fut solitaire et secret. Dès que nous traversions un village, on nous obligeait à tirer les rideaux pour ne pas être vus et la gare locale était fermée au public. Près de Perm, des officiers qui avaient envie de savoir ce que transportait le mystérieux convoi qui circulait sous l'emblème de la Croix-Rouge japonaise nous arrêtèrent. Un homme avec une longue barbe se présenta à Kobylinski comme le chef du soviet des travailleurs de la ville. Le commandant de notre expédition lui montra un document couvert de cachets signé de la main de Kerenski. Ils discutèrent tous les deux, puis l'officier nous laissa poursuivre notre route. « Apparemment, le gouvernement provisoire a encore de l'influence dans cette région reculée », fit observer le tsar avec amertume.

Le troisième jour, dans l'après-midi, tandis que le train se dirigeait vers les montagnes de l'Oural, l'air fraîchit, signe que nous pénétrions dans la steppe. Elle s'étendait devant nous, nue, inhabitée, interminable. Enfin, le matin du 17 août, nous vîmes au loin la rivière Toura où, amarré à un embarcadère branlant, nous attendait le *Rouss*, un vapeur qui devait nous conduire deux cents milles plus loin, en aval.

Le lendemain, je m'apprêtais à entrer dans la salle à manger du bateau avec une bouteille de vodka et des verres lorsque je vis mon ami Youri. Accoudé à une rambarde de tribord, il sifflotait. Ayant déjà peine à garder l'équilibre à cause des secousses du bateau, stupéfait, je faillis envoyer la bouteille au fond de la Toura.

– Je peux savoir… bredouillai-je.

– … pourquoi un nain descend la Toura ? fit Youri, qui avait l'habitude de compléter mes phrases. Pour les mêmes raisons que toi, demi-portion : je suis au service de Leurs Majestés impériales.

– Arrête tes blagues, Youri ! Tu m'as dit que tu n'avais pas envie de partir, que tu te fichais comme de ta première chemise du sort des Romanov… Car tu es au courant que maintenant ils s'appellent « Romanov » ? Les « Majestés impériales », c'est terminé, alors autant te le rentrer dans le crâne, sauf si tu préfères que Kobylinski et ses soldats t'expliquent quelle est la situation en Russie, désormais.

– Merci du conseil, pouffa-t-il en allumant une cigarette – de la même marque que celles que fumait le tsar. Quant à ta question, ma foi, je la trouve fort intéressante et je te dirai que, en effet, je me fiche des Romanov. Mais je ne voulais pas te laisser seul, demi-portion.

– Où étais-tu pendant tout ce temps ? lui demandai-je en changeant de sujet, peu disposé à entendre ses sarcasmes.

– Tu me connais, gros comme je suis je passe partout, et puis le wagon des bagages est aussi confortable que la paillasse qu'on t'a attribuée. J'y ai passé trois nuits avant d'embarquer sur ce rafiot.

– Youri ! Quelle bonne surprise ! Je ne savais pas que tu étais ici ! Macha sera ravie ! Quant à Aliocha, n'en parlons pas. Il dit toujours que tu es le meilleur joueur d'échecs qu'il connaît.

Souriante, Olga Nikolaïevna venait de sortir de la salle à manger. J'eus l'impression que le visage de gnome de Youri rougissait jusqu'aux oreilles, mais c'était peut-être dû aux reflets du soleil sur ses taches de rousseur, car dès qu'il prit la parole le rose déserta ses joues et il afficha un sourire neutre.

– Léonid a tellement insisté que j'ai fini par me porter volontaire. Et puis j'ai toujours voulu découvrir le monde, du moins cette partie du monde.

– Dans ce cas, viens. Papa a dit que le bateau allait passer devant un endroit qui en vaut la peine.

Sur ce, Olga prit la main de Youri comme si elle promenait un enfant et l'entraîna de l'autre côté du pont. Du fait de sa petite taille, on réservait souvent à mon ami un traitement incongru par rapport à son âge – trente ans. Quand cela arrivait, sa langue experte savait vite remettre l'oublieux à sa place, peu importait sa condition. Là, il ne broncha pas et suivit Olga, qui appelait son frère et ses sœurs :

– Tania ! Nastia ! Venez, venez, papa a dit qu'il fallait qu'on se dépêche ! Où est passée Macha ? Je parie qu'elle est encore en train de bavarder avec les soldats… Toi aussi, Aliocha, viens. Tout le monde sur le pont ! Maman y est déjà, on va passer devant Pokrovskoïe !

Ce nom ne m'évoquait rien, et ce qu'on voyait sur la rive ne me semblait pas digne d'intérêt. Il s'agissait d'un village pittoresque, comme nous en avions tant vu depuis que nous voguions sur la Toura. Combien d'habitants avait-il ? Pas beaucoup, à en juger par le nombre de maisons alignées dans ses deux rues. À mesure que le *Rouss* avançait, parallèle au rivage, je vis une église en bois grossier, un silo, une place avec une fontaine… Quoi d'autre ?

Quelques isbas de paysans parmi lesquelles émergeait une maison de deux étages avec des fenêtres garnies de jardinières de fleurs rouges et violettes.

– Regardez, les enfants, c'est là... murmura la tsarine en pointant la main dans cette direction.

Elle se signa trois fois. Ses filles l'imitèrent, même Macha, qui venait de les rejoindre, à bout de souffle. Je me tournai vers le tsar, qui restait immobile et porta sa main à la visière de sa casquette, comme s'il s'apprêtait à se découvrir. Mais il changea d'avis et se caressa la barbe, un geste devenu chez lui un véritable tic.

Toute la famille semblait plongée dans ses pensées et je dus m'adresser à Youri, comme je l'avais souvent fait par le passé, pour qu'il m'explique de quoi il retournait. Il m'éloigna du groupe avant de me parler.

– C'est là qu'il est né, dit-il en désignant vaguement le village du menton. Dans cette maison de deux étages aux balcons fleuris.

Il n'était pas nécessaire qu'il me précise de qui il s'agissait. J'avais compris qu'il faisait allusion à Raspoutine et observai avec curiosité les Romanov, recueillis en silence devant la rambarde, les yeux rivés sur la maison où le starets avait passé son enfance tandis que le vent de Pokrovskoïe soulevait les robes blanches des grandes-duchesses.

Notre vapeur continua de glisser le long des rives. Un silence pesant s'était installé entre nous. Olga, Maria et Anastasia contemplaient les pommiers chargés de fruits, les champs, les bottes de foin, les vaches qui broutaient. Alexis ne quittait pas son père des yeux pour savoir quelle conduite adopter, Tatiana se tenait près de sa mère et lui avait pris la main. Les larmes coulaient sur les joues de notre ancienne tsarine, qui ne cherchait pas à les dissimuler.

Une fois de plus, j'interrogeai Youri du regard.

Il n'avait jamais été un adepte de Raspoutine. Bien souvent, il avait mis ses pouvoirs en doute, se moquant de la naïveté d'Alexandra et regrettant les conséquences que cette amitié avait sur les Romanov et, par extension, sur leur entourage. Pourtant, je perçus de l'admiration dans ses paroles.

– Si je ne l'avais pas vu de mes yeux vu…

– Vu quoi, Youri ?

– À l'époque, tu étais aux cuisines, c'était peu après le début de la guerre. La tsarine était seule avec ses deux meilleurs amis.

– Raspoutine et Anna Vyroubova, je suppose.

– Oui, dans le salon mauve. Moi, j'étais posté à notre observatoire habituel. Je ne sais pas pourquoi je les ai écoutés alors que je ne m'intéressais plus à leurs conversations depuis longtemps. Je n'apprécie ni Raspoutine ni la Vyroubova mais, cet après-midi-là, quelque chose m'a poussé à les espionner. Le starets parlait de la guerre et disait que c'était une erreur colossale, que tout ce sang versé pèserait toujours sur la conscience du tsar et que ses prédictions se réaliseraient. La tsarine et la Vyroubova ne lui prêtaient guère attention. Tu te souviens que, lorsque le conflit a éclaté, nous étions tous gagnés par la fièvre patriotique, et affirmer des positions contraires à la guerre faisait de toi un traître. Mais Raspoutine insistait et semblait de plus en plus furieux de constater qu'il n'avait aucune emprise sur ses admiratrices. Tout à coup, il a pris les mains de la tsarine d'un geste très théâtral, comme toujours, et a changé de sujet et aussi d'attitude. Il lui a parlé de son village natal, de la gentillesse de ses habitants qui, depuis quelque temps, prospéraient. « N'oublie jamais ce que je vais te dire, *matiouchka*, lui a-t-il lancé en la regardant fixement, comme lorsqu'il s'apprêtait à faire une révélation. Un jour, tu iras à Pokrovskoïe. Oui, toi, l'impératrice la plus puissante du monde qui gouverne le destin de millions d'âmes. Toi et toute ta famille, vous verrez mon village et vous vous prendrez en photo devant les quatre murs qui m'ont vu grandir. »

Youri marqua une pause pour apprécier ma réaction.

– Le problème, avec les prophéties, poursuivit-il, c'est que parfois elles ressemblent vraiment à des sarcasmes. Regarde-les, émus aux larmes devant la maison natale de cet homme qui a contribué à leur disgrâce. Je te parie que la tsarine y voit un heureux présage. Tu veux que je te dise ce qu'elle pense, en ce moment ? me demanda mon ami en approchant sa bouche de mon oreille avant d'enchaîner d'un ton grave. Elle croit que ce hasard incroyable est signe que tout ira pour le mieux. « Bientôt, c'en sera fini de ce cauchemar, songe-t-elle. Nous pourrons enfin aller rejoindre *cousin George* en Angleterre, Olga épousera David et sera reine d'Angleterre. Et Tania ? Et Macha ? Et notre petite Nastia ? Oui, elles feront toutes de bons mariages et mèneront une vie normale, comme toutes les jeunes filles de leur âge. Quant à toi, Nicky, tu pourras enfin te consacrer au jardinage, que tu aimes tant, pendant que je veillerai sur Aliocha avec le soutien des meilleurs médecins de Londres… » Eh oui ! conclut Youri. À force d'observer Alexandra Feodorovna, je sais lire dans ses pensées. Regarde son visage.

J'étais bien obligé d'acquiescer. Les yeux de notre tsarine allaient de Pokrovskoïe à ses filles, noyés de larmes, mais elle avait aux lèvres un sourire résolu et plein d'espoir qui s'élargit lorsqu'elle se tourna vers son mari.

– Le père Grigori nous voit d'en haut, murmura-t-elle. Que Dieu le bénisse pour nous avoir donné tant de bonheur, qu'Il nous bénisse tous.

– Faisons une photo, proposa Anastasia, brisant la solennité de cet instant. Allez, dépêchez-vous avant que

Pokrovskoïe disparaisse. Tous ensemble. Ça ne t'embête pas de te mettre derrière l'objectif, Léo ? Tu sais comment fonctionne l'appareil, maintenant. Et toi, Youri, arrête de nous regarder comme ça. Tu ne veux pas poser avec nous devant le village de Raspoutine ? Ce sera un souvenir magnifique que je joindrai à mes prochains courriers. Je me demande ce que va dire grand-mère Minnie en voyant cette photo ! Elle a toujours détesté le starets.

– Cesse de faire l'idiote et viens, Pokrovskoïe s'éloigne, l'interrompit Tatiana. Allez, Léonid, appuie sur le bouton. Après, on en fera une autre avec toi, Olga et moi. Attention, que personne ne bouge, sans quoi elle sera floue. Le petit oiseau va sortir… Macha, pour l'amour de Dieu, arrête d'observer Léo avec cette tête de chien battu, on dirait que tu es complètement ébahie !

*

On a beaucoup spéculé sur les relations qu'entretenaient les grandes-duchesses avec leurs serviteurs et les soldats qui les surveillaient – et qui devinrent par la suite leurs bourreaux – dans les derniers mois de leur vie. Yakov Yourovski, le commandant des miliciens, a écrit des lignes qui ont inspiré toutes sortes de commentaires. Après avoir affirmé qu'en captivité la famille menait une existence normale – les filles cousaient, raccommodaient, brodaient –, il s'attarde sur la personnalité de chacune d'elles et estime que les plus intelligentes étaient Olga et Tatiana. Anastasia promettait selon lui d'être très belle, toujours souriante et pleine d'esprit, tandis que Maria, pour reprendre ses termes, « ne ressemblait pas aux autres Romanov. Elle "s'éparpillait" et ses proches la considéraient comme une pièce rapportée ».

Qu'entendait Yourovski par « s'éparpiller » ? Voulait-il dire que Maria était distraite ? Négligée ? Effrontée ? Pourquoi écrit-il que les autres membres de la famille la trouvaient différente ? Tout ce que je sais, c'est que Maria était la plus affectueuse des quatre filles du tsar. Au temps heureux d'avant le déluge, ses amours et ses flirts non payés de retour avec des officiers qui la traitaient comme une fillette fougueuse étaient connus de tous. L'arrivée de la guerre a empêché ces ardeurs platoniques de se concrétiser. On ne l'a pas autorisée à travailler à l'hôpital avec ses sœurs, si bien que, dans son cas, la « cloche de verre » dont parlait sa grand-mère Minnie a été plus oppressante. Son rang élevé puis le conflit mondial l'ont privée de toute possibilité de fréquenter des garçons de son âge. Voilà sans doute pourquoi elle multipliait les marques de tendresse à notre égard, nous invitait souvent à prendre le thé dans sa cabine, Youri et moi, ou venait nous chercher pour faire une partie de *durak*, un jeu de cartes où le perdant a un gage. Parfois, elle nous regardait – moi en particulier – avec un sourire que je ne savais pas comment interpréter.

Je reviendrai plus tard sur ce sourire. Pour le moment, je me contenterai de dire que nous laissâmes derrière nous le village de Raspoutine et aperçûmes la ville qui allait être notre avant-dernière destination. Le soleil déclinait quand apparut au loin la forteresse de Tobolsk, deux coupoles semblables à des oignons, et que la cité…

Montevideo, 1er juillet 1994

– Quoi ? Je n'y comprends rien... Attendez, attendez un peu, je vais éteindre ce machin. *Pause, stop*. Voilà, c'est mieux ainsi. Bonjour, Macha, euh... je veux dire... María. C'est un plaisir de vous voir, comme toujours, mais... Aujourd'hui, dites-vous ? Pourtant, le docteur Sánchez avait décidé de ne pas m'opérer avant lundi à cause des plannings, du week-end et de je ne sais quoi d'autre. Que s'est-il passé pour qu'il change aussi brusquement d'avis ?... Je sais, des « complications ». Je vois ça d'ici... Ils ont dû trouver quelque chose d'alarmant dans les examens qu'ils m'ont faits hier. Enfin, on m'opère aujourd'hui... Et c'est vous qu'on envoie pour me l'annoncer, parce que vous êtes la seule devant laquelle le vieux ronchon ne moufte pas... Quel dommage que les faits se précipitent juste au moment de notre arrivée à Tobolsk, au cœur de la Sibérie, où Kerenski nous avait envoyés pour que les bolcheviques ne soient pas tentés de nous transformer en *steaks tartares**... Dites-moi, ma chère, à quelle heure m'opère-t-on ? Pas avant cet après-midi, je suppose, parce que je viens de prendre mon petit déjeuner et qu'on ne fait passer personne sur le billard le ventre plein, n'est-ce pas ?... Ah ! À quatre heures... Parfait, ça me laisse un peu de temps, disons... six ou sept heures pour avancer dans mon récit. Avec un peu de chance, j'atteindrai peut-être Ekaterinbourg, notre dernière destination. Ensuite, après trois ou quatre jours de récupération, vous me trouverez de nouveau devant ce magnétophone, comme si de rien n'était. Je ne vais pas mourir cette fois-ci, vous verrez. Je me fiche de ce que raconte Sánchez, qui est un sale cafard, un oiseau de mauvais augure. Votre ami est un dur à cuire et a déjà tendu pas mal de pièges à la vieille Dame de pique... Pouchkine, ma chère, « La Dame de pique » est de Pouchkine. Vous connaissez cette nouvelle ? Elle est très célèbre. Depuis que je l'ai lue, j'appelle la mort ainsi. Dans ce récit, chaque fois que cette carte sort, paf ! quelqu'un meurt. Un vrai petit chef-d'œuvre. Euh... qu'est-ce que je disais ? Ah oui ! Samedi ou dimanche au plus tard, je dicterai de nouveau mon texte à cette machine. Je suis si près de la fin que je n'ai pas l'intention de baisser les bras maintenant. Quant aux quelques petites heures qui me séparent de l'opération, je vous saurais gré de ne pas m'envoyer vos collègues pour des lavements, des purges ou autres préparatifs de ce genre. Il est huit heures et demie. J'espère pouvoir avancer jusqu'à deux heures et demie ou trois heures.

*

Test, test... Parfait, j'ai l'impression que tout fonctionne, je reprends au paragraphe que j'ai laissé en suspens. Voyons...

Chère María, lorsque vous entendrez enfin le récit de ma vie, je vous prie de bien vouloir effacer tous ces préliminaires et d'aller directement au passage suivant : Le soleil déclinait quand apparut au loin la forteresse de

Tobolsk, deux coupoles semblables à des oignons, et que la cité…

… se présenta devant nous.

Nous accostâmes à l'embarcadère de la Compagnie des bateaux à vapeur de Sibérie occidentale, une ligne de commerce intérieur, et dès qu'il eut mis pied à terre Kobylinski s'empressa de demander qu'on le conduise jusqu'à la maison où on avait prévu d'installer les Romanov, pour inspecter les lieux. J'ignore ce qu'il en pensa, je sais juste qu'il revint une vingtaine de minutes plus tard et ordonna à une dizaine de serviteurs de venir l'aider à arranger cette « immonde porcherie ». Youri et moi nous portâmes volontaires et fûmes témoins d'une métamorphose aussi radicale qu'efficace. En quelques jours à peine, notre groupe, sous la direction de Kobylinski et avec l'aide d'ouvriers du coin, parvint à un résultat qui n'était pas évident : on construisit trois salles de bains (dont deux avec une baignoire) ; le noble parquet qui n'était plus foulé depuis des années que par des rats fut réparé, poncé et verni ; on repeignit entièrement la maison qu'on débarrassa de ses vieux meubles ; les canapés furent retapissés ; la cuisine, le salon et la salle à manger refaits à neuf ; on acheta des chaises, des tables, des guéridons, des armoires, des lampes et même un beau piano incrusté de nacre.

Pendant que nous suions à grosses gouttes sous un soleil qui n'avait rien de clément, la famille resta à bord du vapeur. Elle ne fut pas autorisée à collaborer, même si le tsar en avait fait la demande à plusieurs reprises, considérant l'inaction comme une punition qui lui faisait davantage ressentir sa condition de prisonnier. Les filles auraient bien aimé confectionner des rideaux et des courtepointes, mais Kobylinski se montra inflexible. « Vous, continuez de vous promener sur la rivière », ordonna-t-il.

Et il en fut ainsi. Pendant les huit jours que durèrent les travaux de rénovation, la famille Romanov visita la ville portuaire sans jamais descendre du vapeur. Proche de l'océan Arctique, Tobolsk avait été un important centre de commerce de peaux avant que l'arrivée du Transsibérien ne le fasse décliner, réduisant ses vingt mille âmes à ne faire que des bénéfices saisonniers, l'été, lorsque la rivière était praticable.

C'est sans doute pour cette raison que ses habitants avaient un côté vieille école et conservateur. Ils furent aussi surpris qu'honorés d'apprendre que la famille impériale venait s'installer dans leur ville. Dès que le *Rouss* s'approchait de la berge ou qu'il jetait l'ancre près du port pour la nuit, des curieux se groupaient sur le quai pour les saluer et même les bénir lorsqu'ils pensaient que les soldats n'étaient pas dans les parages. Les Romanov ne les encourageaient pas plus qu'ils ne les décourageaient. Ils continuaient de vaquer à leurs occupations avec naturel tout en leur adressant des sourires.

Les aménagements se poursuivaient. Au bout d'une semaine, Kobylinski, étonné de la patience des prisonniers, leur permit de se rendre à pied jusqu'à la maison pour apprécier l'avancée des travaux. Il leur fallut traverser une des rues principales, sous les regards fascinés des habitants. « Regarde-les, ils sont si beaux », disaient ces derniers du tsar et de ses deux filles aînées, qui ouvraient la marche, protégées du soleil par des ombrelles blanches.

Toute la famille s'était déplacée, à l'exception de la tsarine. Alexis surtout attisait la curiosité. Soutenu par Nagorny, l'ancien tsarévitch redoublait d'efforts pour éviter qu'on remarque qu'il boitait, une infirmité qui s'était accentuée car, à bord du *Rouss*, il manquait d'exercice. Gilliard et Botkine étaient là eux aussi, ainsi que Youri et moi. Anastasia et Maria se trouvaient à la fin du cortège, et je me rappelle qu'à quelques mètres de la maison Macha s'arrêta pour discuter avec un bambin de trois ou quatre ans qui venait de lui tendre un tournesol aussi grand que lui.

– Allons, allons ! lui intima un soldat en l'empoignant violemment par le bras. On ne va pas attendre toute la matinée à cause d'une petite morveuse !

Je me redressai, prêt à intervenir, mais Youri m'en empêcha.

– Ne fais pas l'idiot. Regarde, dit-il en désignant la maison.

Sa voix n'était pas ironique, mais vibrait au contraire de fureur rentrée.

Un parapet en bois de plus de trois mètres de haut, construit à la va-vite, entourait à présent la maison que nous avions contribué à rafraîchir.

– C'est l'œuvre du soviet des sous-officiers, m'expliqua mon ami. Kobylinski s'est opposé à ce qu'on élève cette palissade, il trouvait que les barreaux des fenêtres suffisaient, mais ses subordonnés se sont réunis en comité et voilà le résultat. Cela te donne une idée de ceux qui sont réellement aux commandes dans ce pays.

Macha avait repris sa marche sans se départir de son calme et nous fîmes de même sous le regard sévère des soldats et l'œil admiratif et respectueux des badauds, jusqu'à ce que nous ayons franchi la porte de l'enceinte.

– C'est une jolie maison, fit observer Macha. Elle me rappelle un peu celle de grand-mère Minnie, en Crimée.

Youri et moi nous consultâmes du regard, étonnés. Nous n'avions jamais vu la propriété de la mère du tsar, mais elle pouvait difficilement ressembler à l'horrible construction qui s'étendait sous nos yeux.

– C'est vrai, les pierres de la façade étaient de la même couleur, poursuivit Macha. Et les balcons étaient en bois, comme ici. J'aimerais avoir une chambre qui donne sur l'est, comme au palais Alexandre. J'adore voir le soleil se lever au milieu des arbres.

Je trouvai son commentaire charmant. Ses sœurs la surnommaient peut-être Bow-wow à cause de sa maladresse et se moquaient souvent d'elle, mais j'estimais pour ma part que Macha était une fille qui s'accommodait de ce que la vie lui réservait.

– Et puis, qui sait ? enchaîna-t-elle. Avec un peu de chance, on nous laissera peindre nos chambres de la couleur qu'on voudra. Il y a tellement de choses à faire ici. On pourrait profiter de l'été pour ramoner les cheminées – qu'en penses-tu, Léonid ? On le fera ensemble ? Tu te souviens du jour où Nastia et moi t'avons surpris dans notre chambre ? Tu étais très beau, le visage couvert de suie, mon journal à la main…

– Putain de merde ! Moins de bavardages ! Regarde un peu où tu mets les pieds, mon vieux !

Stupéfait d'apprendre que Macha m'avait pris la main dans le sac, je venais de me cogner contre un des gardes postés devant la porte. Un violent coup de culasse dans les côtes me fit comprendre qui était le maître. Plié en deux par la douleur, je me serais écroulé si Youri ne m'avait pas soutenu.

– Mon Dieu, papa ! Tu as vu ce qu'ils font à Léonid ? s'écria Macha qui, d'instinct, en appelait en vain à l'autorité de l'ancien tsar.

Son père était trop loin pour l'entendre et sans doute était-ce préférable.

Notre nouvelle vie

L'avant-dernière résidence des Romanov était la maison la plus grande de Tobolsk, même si l'espace manquait car nous étions nombreux. Blanche et carrée, elle comprenait deux salons et un bureau au rez-de-chaussée. Trois chambres se trouvaient à l'étage. Les quatre grandes-duchesses en occupaient une, Nagorny et le tsarévitch une autre, exiguë, située un peu en retrait, l'ancien couple impérial s'était réservé la plus vaste, orientée au sud, tandis que Gilliard se contentait d'un lit de camp dans la bibliothèque, qu'il repliait tous les matins pour dispenser ses leçons. Les domestiques s'étaient installés dans un bâtiment réquisitionné à un marchand de fourrures, à une cinquantaine de mètres de la maison.

Alexandra et surtout Nicolas aimaient la routine qui régissait à présent notre existence. Après le petit déjeuner, les grandes-duchesses allaient se promener avec leur père. Kobylinski les avait autorisés à sortir de l'enceinte, mais le soviet des sous-officiers se réunit en comité et s'y opposa : les Romanov ne devaient pas dépasser les limites de la palissade, afin d'échapper aux regards des curieux. La cour – si on pouvait appeler cela ainsi – était une bande étroite de rocaille et de boue que Nicolas arpentait en tous sens comme un animal en cage. Après les leçons, sur le coup de midi, on servait le déjeuner préparé par

Kharitonov, le cuisinier et mon supérieur. Alexis Troupp, un crâneur que je ne pouvais pas voir en peinture, mettait le couvert.

Dans un premier temps, nous eûmes des victuailles en abondance. Les habitants de Tobolsk se groupaient de l'autre côté de la palissade en espérant que la tsarine ou une des grandes-duchesses viendrait leur adresser un sourire. Ils nous faisaient parvenir toutes sortes de choses sans que le soviet y trouve rien à redire : fromage, œufs, sucre et même des tartes faites maison que la famille dégustait à l'heure du thé.

– Au moins, maintenant, nous ne sommes plus obligés de manger cet infect pain noir au petit déjeuner, déclara un jour Anastasia en mordant dans une tartelette aux mûres.

Elle faisait allusion à une des coutumes austères et absurdes de la Grande Catherine, que nul n'avait jamais osé contester.

– C'est un des points positifs de la révolution. Je me demande qui le gros fantôme de *babouchka* Catalina torture à présent, ajouta-t-elle.

On avait autorisé les Romanov à pratiquer leurs rituels religieux. Ils ornèrent le salon d'icônes, d'images saintes et de lampes votives. Là, en présence d'un pope et de presque tous les serviteurs – Youri s'était naturellement dérobé à cette obligation –, ils priaient tous les après-midi. La maison n'ayant pas d'autel consacré, nous ne pouvions y dire la messe, de sorte qu'Alexandra demanda à se rendre à l'église une fois par semaine. Kobylinski y consentit et, le dimanche, les soldats formaient une haie de chaque côté du chemin que devait parcourir la famille afin d'éloigner les curieux qui, pour la plupart, se signaient devant eux quand ils ne tombaient pas à genoux, ce qui faisait sourire les prisonniers.

*

En septembre, deux nouveaux commissaires arrivèrent. Jusqu'alors, le soviet des sous-officiers se réunissait régulièrement pour décider de changements dans notre traitement, mais Kobylinski tenait toujours les rênes. Les derniers venus ne tardèrent pas à affirmer leur autorité. Vassili Pankratov et Alexandre Nikolski étaient de vieux révolutionnaires qui avaient passé des années dans les prisons sibériennes. Leur incarcération avait renforcé leur amitié, même s'ils avaient des personnalités très différentes, ainsi que le tsar n'allait pas tarder à le découvrir.

– Je serais ravi que vous me laissiez scier du bois, j'aime ce genre d'activité, leur annonça Nicolas.

Pankratov lui demanda s'il avait envie de monter un atelier de menuiserie.

– Non, se récria le tsar avec modestie. Je me contenterai d'une scie à main et de quelques bûches dans la cour. Si possible, je voudrais également pouvoir lire un journal, même s'il arrive avec quelques jours de retard.

Pankratov accéda à ses deux désirs, mais l'autre commissaire était moins commode et nous nous aperçûmes que Nikolski s'acharnait à seriner au tsar qu'il ne lui pardonnerait jamais ses années de captivité. Il commença par ordonner qu'on prenne en photo chaque membre de la famille.

– De face et de profil. C'est ce qu'on nous a fait subir, nous traitant comme des chiens galeux, l'entendis-je dire à Nicolas pendant qu'on improvisait un studio dans la bibliothèque. Tu ne peux pas rester tranquille, fils d'assassin ? lâcha-t-il ensuite à Alexis, qui n'arrêtait pas de bouger sa jambe valide.

Anastasia attendait son tour sans savoir comment réagir (ses parents lui avaient demandé de ne pas répondre aux provocations). Elle entonna une chanson et eut de la chance, car c'était l'air préféré de la mère de Nikolski. Ce dernier en fut enchanté un court instant, puis son naturel acariâtre reprit le dessus :

– Allez, ma fille, c'est à toi. Pas la peine de me regarder comme ça.

Nous autres, les Russes, nous sommes ainsi faits, aussi inconstants que sentimentaux.

Dix jours qui ébranlèrent le monde

Tandis que l'automne cédait peu à peu la place à l'hiver avec des journées de plus en plus courtes et glaciales, des événements tout aussi réfrigérants se déroulaient loin de nous, à Petrograd. Au mois d'octobre, même les plus optimistes prirent conscience que la situation politique était insoutenable. Le général Kornilov, commandant en chef des armées, décida que le gouvernement provisoire n'était plus en condition de résister aux assauts répétés des bolcheviques et proposa d'organiser un coup d'État dont il serait la tête visible, mais qui ne causerait pas trop de remous : il comptait autoriser Kerenski à former un nouveau gouvernement. Il l'annonça à ce dernier, qui commit une erreur qu'il regretta toute sa vie. Croyant choisir ainsi le moindre mal et préserver les acquis de la révolution, il demanda aux bolcheviques de l'aider à arrêter Kornilov. Naturellement, ceux-ci furent ravis de lui apporter leur soutien. Ils constituèrent des bataillons d'ouvriers et leur fournirent des armes et des munitions. En contrepartie, ils exigèrent que Kerenski libère Trotski et d'autres leaders politiques emprisonnés pour diverses raisons. La menace du coup d'État fut écartée, mais lorsque Kerenski voulut que les bolcheviques déposent les armes ils refusèrent. Le compte à rebours qui allait conduire à la révolution d'Octobre venait de commencer.

Quelques jours plus tard, les bolcheviques étaient majoritaires au soviet de Petrograd et Lénine, qui, comme en mars, ne se trouvait pas en Russie mais en Finlande, regagna vite la ville pour commander ses hommes. Il réunit le Comité central bolchevique et demanda à ses membres s'ils pensaient que l'occasion était favorable à une « insurrection imminente et inévitable ». Le Comité vota « oui » à quatre-vingts pour cent. Il ne restait plus qu'à orchestrer le coup de grâce du régime. Un matin, le bateau de croisière *Aurora*, sous pavillon rouge, jeta l'ancre devant le palais d'Hiver et pointa ses canons sur le bâtiment, plus particulièrement sur une des pièces du deuxième étage, où siégeait le gouvernement provisoire. Au même moment, des groupes d'hommes armés se déployaient dans toute la ville, occupant des lieux stratégiques (gares, centrales électriques et téléphoniques, postes, banques, ponts...). L'opération ne dura pas plus de vingt-quatre heures et aucune goutte de sang ne fut versée. Le lendemain, Kerenski quitta le palais d'Hiver dans l'intention de rallier à sa cause les soldats qui n'étaient pas passés à l'ennemi, tandis que les membres du gouvernement patientaient dans les salons ornés de lapis-lazuli et de malachite, protégés par l'unique bataillon qui leur était resté fidèle, constitué essentiellement de femmes. Plusieurs heures s'écoulèrent, puis l'*Aurora* tira deux salves qui suffirent pour que le gouvernement et ses troupes se rendent.

Comment les habitants de Petrograd accueillirent-ils cette révolution sans heurts qui permit d'en finir avec les modérés et d'introniser les bolcheviques ? Que se passa-t-il ensuite ? En quoi leur vie changea-t-elle ? L'Histoire traite toujours des grands événements et oublie les petites anecdotes, qui rendent pourtant mieux compte d'une situation donnée. J'ai par exemple ici la lettre de tante Nina, que je reçus avec plusieurs mois de retard.

Mon cher Lionechka,

J'ai appris par tante Lara que si j'envoyais cette lettre à la « Maison du gouverneur de Tobolsk, à l'attention du camarade Léonid Sednev », tu aurais une chance de la recevoir. J'ai l'impression de jeter une bouteille à la mer sans savoir si le bon naufragé la trouvera, mais je prends le risque car je meurs d'envie d'avoir de tes nouvelles et, surtout, de savoir comment se déroule ton existence aux côtés des Romanov. J'espère que tu m'écriras bientôt quelques lignes à ce sujet et, de mon côté, je vais te décrire la situation, ici, à Petrograd, depuis que nos frères bolcheviques ont triomphé ! Quel bel exploit que le leur ! Imagine : une révolution sans une seule goutte de sang. C'est un exemple pour le monde entier…

Parvenu à ce point et connaissant ma tante et son enthousiasme plutôt tiède à l'égard des camarades bolcheviques, je compris que je devrais lire entre les lignes si je voulais savoir ce qui se passait réellement dans la capitale. La manière dont l'enveloppe avait été recollée après une évidente inspection révolutionnaire du courrier me confirmait que Nina avait eu raison de parler à mots couverts.

Tu n'ignores sans doute pas que Kerenski, ce lâche, s'est enfui la queue entre les jambes pour aller à Moscou, où ses complices lui ont fourni un sauf-conduit au nom d'un soldat sibérien. Trois jours plus tard, il arrivait en Finlande où, je l'espère, il passera les cinquante prochaines années à regretter toutes ses erreurs. Après la glorieuse révolution d'Octobre, notre vie a changé de façon radicale, en bien, naturellement. Les bolcheviques ont triomphé et la population s'est organisée admirablement. Nous avons tout de suite constitué des comités. À la maison, par exemple, nous avons le nôtre, uniquement formé de locataires, et nous avons suivi les directives des camarades qui dirigent le quartier pour voter l'élection d'un commissaire de l'immeuble. À bas les propriétaires, à bas les logeurs ! Maintenant, chaque individu est maître de son foyer, et tu n'imagines pas combien nous sommes fiers, même si, après décision du comité, mon appartement a été jugé trop grand pour une seule personne, de sorte que je le partage à présent avec six autres femmes et plusieurs orphelins de la révolution. Ils occupent les deux chambres, le vestibule et, bien sûr, la salle de séjour. Moi, je dors dans la cuisine, qui est bien entendu commune, de même que les armoires et les toilettes qui se trouvent sur le palier. Tout appartient à tout le monde. Ces temps nouveaux impliquent de nouveaux efforts et de nouvelles mesures. Nos camarades dirigeants nous ont par exemple expliqué nos obligations en tant qu'habitants de l'immeuble. La première et la plus importante consiste à monter la garde pour se prémunir des voleurs. Après la révolution, tous les détenus ont été libérés et certains ingrats, au lieu de défendre ses grands principes, tuent et volent comme bon leur semble. Voilà pourquoi les habitants de Petrograd, en particulier les hommes, doivent faire le guet et défendre les immeubles. Chacun d'entre nous s'acquitte de ce devoir, et nous sommes relevés toutes les deux heures. La nuit, nous campons devant la porte sur une paillasse, avec notre balluchon, pour chasser par tous les moyens possibles les groupes armés, « peu importe qu'ils soient en civil ou en uniforme militaire » – c'est ce qu'on nous a dit. Pour que nous soyons plus efficaces, on nous a fourni des armes et un sifflet afin d'alerter les voisins pour qu'ils nous viennent en aide. Puisqu'il n'y a pas d'hommes dans notre immeuble et que mes nouvelles camarades sont très jeunes et ont des enfants à charge, c'est moi qui joue les sentinelles. Hier, j'ai rempli mes fonctions de une à trois heures du matin. Allongée sur un matelas, je grelottais en serrant la barre de fer destinée à assurer ma défense. Dès que j'entendais les pas ou les rires d'un groupe de gens, je m'agrippais à la barre en me demandant comment j'allais pouvoir me protéger de six ou sept marins ivres ou d'un ancien détenu résolu à tuer… Je me suis entraînée à brandir la barre et à bondir comme un singe près de la rampe, calculant l'endroit le plus approprié pour surprendre mes assaillants, si jamais ils se décidaient à m'honorer de leur présence. Je m'occupe également de changer les coupons de nourriture que le soviet des locataires nous remet tous les lundis. Tout est réglé comme du papier à musique dans notre nouvelle Russie, et nous détestons par-dessus tout les gaspilleurs. « Il faut manger pour vivre et non pas vivre pour manger » est notre mot d'ordre, que nous respectons à la lettre. Chaque personne reçoit cinq petits pains par semaine. Avec une tasse de thé bien chaude, c'est un régime plus que suffisant pour un adulte. Malheureusement, pour obtenir ces pains, il faut faire la queue pendant six, sept ou parfois huit heures et, bien souvent, quand on arrive au bout, il ne reste plus rien. On nous a dit que, bientôt, nos chers dirigeants mettraient sur pied des coopératives alimentaires où nous pourrions nous procurer du sucre, de la farine et du sel. Pour le moment, les autorités sont trop occupées à rédiger des rapports, perquisitionner, dresser des inventaires, étiqueter, sélectionner, empaqueter… En bonne logique, tout prend du temps, si bien que beaucoup meurent de faim, leurs bons de rationnement à la main. Tu me diras que ceux qui se comportent ainsi ne sont pas de bons révolutionnaires et méritent le sort qui les frappe. Le nouvel univers que nous sommes en train de construire n'est pas fait pour les faibles, et encore moins pour les profiteurs et les crapules. Je vais te raconter ce qui attise le plus la colère des citoyens. Pour ne pas mourir de faim ni acheter les produits au marché noir en attendant les coopératives auxquelles travaillent nos leaders, des petits malins ont décidé d'avoir recours au système D. « Détrompe-toi, Nina, il y a de tout à Petrograd. Quand on a de l'argent, on mange aussi bien qu'à Paris », m'a dit Gala, notre voisine, l'autre jour. J'avais l'impression que la pauvre était si affamée qu'elle délirait, mais le lendemain, en fouillant les poubelles de la communauté dans l'espoir d'y trouver quelques pelures de pommes de terre, je suis tombée sur six ou sept petits os de poulet. J'en ai reparlé avec elle, qui m'a répondu que le mot « spéculation » était le sésame du moment. Apparemment, une de ses amies l'a mise en contact avec un juif qui fait du commerce clandestin. Quand Gala s'est présentée à lui en disant qu'elle voulait lui acheter de quoi manger, il est tombé des nues. « Comment ? Moi-même, je n'ai rien à donner à mes pauvres enfants ! » a-t-il gémi. Il a passé un bon bout de temps à se plaindre, mais Gala ne s'est pas avouée vaincue. Le vieil homme lui a alors dit qu'il avait pitié de sa situation. Si elle revenait le lendemain avec un objet précieux – un collier, des boucles d'oreilles ou n'importe quelle autre babiole –, il verrait « ce qu'il pourrait faire ». Gala est revenue avec un ensemble de boutons en or qu'elle avait arraché sur le corps d'un cochon de bourgeois tué par balle à l'endroit où elle faisait la queue pour le pain. Le vieillard y a jeté un coup d'œil et lui a pris le bras pour l'entraîner dans de sombres ruelles, puis dans une cave où ils ont retrouvé son associé. Après des heures de marchandage, Gala lui a remis les boutons, un camée appartenant à sa mère, un bracelet en argent et pas mal de roubles, et il a consenti à lui donner un poulet, la mort dans l'âme. « Emporte-le. C'était pour ma mère malade... Mon bon cœur fera un jour mon malheur ! » s'est exclamé le vieux juif. Il a dit à Gala qu'elle était généreuse et que c'était pour cette raison qu'il l'aidait, avant d'ajouter que, si elle connaissait d'autres personnes dans le besoin, elle n'hésite pas à les lui envoyer car il était prêt à se sacrifier...

Je te raconte cette histoire parce que nos autorités veillent au grain et que ce type d'individu mange à présent les pissenlits par la racine. Même Gala a eu la malchance de se faire dénoncer par une voisine de palier qui avait elle aussi trouvé des restes du fameux poulet dans la poubelle. Contrairement à moi, qui ai encore beaucoup à apprendre en matière de ferveur patriotique, elle a accompli son devoir révolutionnaire et dénoncé cette chienne qui traite avec des spéculateurs.

Comme tu le vois, nous mettons tous la main à la pâte pour créer un monde plus juste, plus solidaire et, bien évidemment, plus libre. VIVE LA RÉVOLUTION !

La missive de tante Nina se concluait sur ce cri qui m'aurait davantage stupéfié si nous n'avions pas nous aussi, à Tobolsk, été touchés par la pénurie. Après la chute du gouvernement provisoire et l'accession au pouvoir des bolcheviques, le budget affecté à la famille royale connut des coupes sombres. Nous vivions jusqu'alors des quelques dons locaux et nos dettes ne cessaient d'augmenter. On fit savoir au cuisinier que l'argent manquait et qu'on ne pouvait plus lui faire crédit. Un riche commerçant proposa de prêter vingt mille roubles aux Romanov, mais un communiqué arriva le même jour de Petrograd : les membres de la famille impériale devaient s'accommoder chacun de l'équivalent de la solde d'un soldat. Ils recevraient six cents roubles par mois, pris sur leur fortune personnelle, à laquelle on n'avait pas encore touché. En apprenant la nouvelle, le tsar déclara avec un humour admirable que, puisque les comités étaient en vogue, il comptait lui aussi en constituer un pour examiner la situation et réduire le budget. Pourtant, notre situation était loin d'être drôle. Du jour au lendemain, le café et le beurre désertèrent notre table, puis ce fut au tour du sucre, du riz et de la farine. Quand ils le surent, les habitants de Tobolsk nous apportèrent des œufs, des fruits confits et autres délices que la tsarine accepta comme des cadeaux tombés du ciel. Au début de l'année 1918, nous ne souffrions pas uniquement du manque de victuailles. J'eus l'occasion de lire une lettre en cours d'écriture que la tsarine destinait à Anna Vyroubova, où elle dépeignait à merveille nos conditions de vie :

> *[...] Oui, ma chère Anna, toutes les bonnes choses disparaissent peu à peu de notre existence : d'abord les maisons, nos biens et ensuite les amis. Le soleil brille, la neige et le givre embellissent le paysage, mais mes pauvres malheureux n'ont droit qu'à une courte promenade dans une cour étroite et nauséabonde. En ce moment, je tricote des chaussettes pour Baby. Il m'en a demandé une paire car les siennes sont trouées. Je fais tout moi-même maintenant. Le pantalon de papa [le tsar] est déchiré et les jupons des filles sont en lambeaux. Malgré notre diète et à son grand désespoir, Anastasia a pris un peu de poids, comme c'était arrivé à Maria dans notre cher Tsarskoïe Selo. Tatiana et Olga sont en revanche très minces, trop minces à mon goût, je le crains.*

Projets d'évasion

L'hiver se poursuivait. Le soleil brillait quatre ou cinq heures à peine et les températures, que le tsar notait tous les matins et tous les soirs, suivant une imperturbable routine, descendaient parfois jusqu'à cinquante degrés en dessous de zéro. Elles étaient bien plus élevées à l'intérieur de la maison. Malgré tout, au petit matin, Alexis retrouvait l'eau du verre posé sur sa table de nuit gelée et, pour me laver le visage, je devais bien souvent rompre la glace dans la bassine.

Les soldats chargés de nous surveiller, dont la solde avait considérablement baissé après l'arrivée des bolcheviques, se réunirent un jour en comité dans l'intention de contester l'autorité de Kobylinski, qu'ils ne considéraient plus comme leur chef. Ils adoptèrent une première mesure interdisant aux officiers d'arborer des épaulettes et des étoiles sur leurs uniformes. « Nous sommes tous égaux et devons porter les mêmes vêtements », disaient-ils. Quand il était commandant en chef des armées, Nicolas n'épinglait que les insignes de colonel que lui avait remis son père adoré, mais cet ordre lui porta un coup. Il fit cependant preuve de patience, afficha un calme olympien et respecta les consignes. Il mettait cependant ses décorations en cachette, dans la maison. Un jour, Kobylinski le surprit, mais il ferma les yeux et ne les rouvrit pas davantage dans une affaire de plus grande envergure : les tentatives de gens de diverses conditions pour aider la famille impériale à s'évader de sa prison.

C'était en réalité un secret de polichinelle. Dans les rues de la ville reculée et paisible de Tobolsk, on croisait souvent des individus aux manières doucereuses, qui s'exprimaient avec un fort accent de Petrograd et cherchaient à se lier avec les habitants, en particulier les commerçants et les nobles, toujours fidèles à la cause tsariste. Ces étrangers ne faisaient rien pour se cacher. Un après-midi où Kharitonov nous avait demandé d'aller chercher un sac de pommes de terre et des navets dans un commerce local, Youri et moi vîmes l'un d'eux et faillîmes lui rentrer dedans.

– Regarde, en voilà un autre, me dit mon ami en désignant un homme en manteau de loutre et coiffé d'une chapka assortie, qui descendait la rue sans nous regarder. Aujourd'hui, j'en ai compté au moins cinq. Cette ville est peuplée de gens animés de bons sentiments et imprudents au possible !

La semaine précédente s'était produit un événement aussi pathétique que rocambolesque. Une amie et ancienne demoiselle d'honneur de la grande-duchesse Olga, ne reculant devant aucun des dangers de la révolution, avait décidé de faire seule le voyage de Petrograd à Tobolsk pour partager le lieu de réclusion et l'infortune de la famille impériale. Elle n'avait pas trouvé mieux que d'arriver chargée de confiseries, de biscuits anglais et de lettres de tsaristes convaincus cachées dans un oreiller. Les missives n'étaient pas bien méchantes, mais elles avaient mis les gardes dans une colère noire et ils avaient pris la résolution de durcir les conditions jusqu'alors plutôt souples de réception des colis et du courrier.

Ceux qui voulaient avoir l'honneur de libérer la famille impériale étaient nombreux et peu organisés, si bien que leurs initiatives n'allaient en général pas au-delà des conversations de café. Le manque de coordination, l'envie d'occuper un rôle prépondérant dans cette croisade patriotique avaient fait échouer toutes les tentatives. Un homme sut toutefois conjuguer les espoirs de la famille impériale et l'aide qu'une foule de gens généreux étaient prêts à leur fournir. Il s'appelait Boris Soloviev et avait épousé la fille de Raspoutine. Youri, qui avait l'ouïe très fine en matière de conspirations, semblait tout savoir le concernant, lui et sa fameuse Confrérie sacrée de Saint-Jean de Tobolsk.

– C'est lui ? demandai-je à mon ami en tâchant de mémoriser les traits du gentleman au manteau de loutre que nous venions de croiser et qui traînassait à présent devant la vitrine d'une pâtisserie, comme si, au lieu de se trouver au cœur de la Sibérie, il flânait sur la Côte d'Azur.

– Pas du tout, me répondit-il. Cet homme-là est aussi discret qu'un coup de canon. Il ne lui manque plus qu'une petite pancarte qui dirait : « Je conspire pour sauver le tsar. » Non, ce Soloviev dont je te parle est bien plus malin et ne montre pas le bout de son nez. Il se fait renseigner par ses espions et conspire dans son quartier général de Tioumen, à je ne sais combien de verstes de Tobolsk. C'est là qu'il collecte les milliers, ou plutôt les millions, de roubles qu'on lui envoie de toute la Russie pour sauver la famille impériale.

Youri m'expliqua que cet « altruiste » avait fait ses études à Berlin, où il s'était lié d'amitié avec un vieux millionnaire passionné par les écoles mystiques. Il avait renoncé à l'université pour devenir son secrétaire. Ensemble, ils avaient sillonné l'Inde, où Boris avait appris l'hypnose, ce qui lui avait permis d'entrer en contact avec plusieurs sociétés d'occultisme quand il était rentré en Russie.

– Il a rencontré Raspoutine en fréquentant ces cercles, poursuivit Youri. À la mort du starets, Soloviev s'est inscrit dans une société qui invoquait l'esprit du défunt et suivait ses conseils. Il y a fait la connaissance de Maria Grigorevna, que tu as déjà croisée, qui assistait fréquemment à ces séances. Ce qui devait arriver est alors arrivé : elle est tombée amoureuse de lui. « L'esprit de mon père bien-aimé parle par la bouche de Boris », m'a-t-elle dit un jour. « Aime-le, Macha, je t'ordonne d'aimer Boris », lui aurait enjoint Raspoutine. Le fait est qu'ils se sont mariés et que, compte tenu de la situation, ils ont décidé de s'installer en Sibérie, dans le village natal du starets, même si Soloviev a été un des premiers à soutenir la révolution.

– Ils vivent à Pokrovskoïe ?

– Oui, et comme c'est tout près de Tobolsk, quand les Romanov ont été transférés ici Soloviev s'est aperçu qu'il pouvait monter une affaire juteuse. Si tant de personnes au bon cœur étaient disposées à verser des millions pour libérer l'ancien tsar, pourquoi ne pas épouser une si noble cause et en profiter pour se constituer un petit capital ? Son coup suivant dans cette partie d'échecs a consisté à écrire à une des femmes de chambre proches de la tsarine. Il a choisi Demidova.

– Elle ? Mais c'est l'une des femmes les plus sottes que je connaisse !

– Justement, rien n'est plus utile qu'une rapporteuse dans son genre, qui ne réfléchit pas mais est persuadée d'accomplir une mission divine. À travers elle, Soloviev a fait savoir à la tsarine que des tas de gens étaient prêts à sauver sa famille et qu'il se proposait d'organiser l'évasion. Il n'a même pas eu besoin de lui préciser où et quand celle-ci aurait lieu. Le nom de son Raspoutine adoré a suffi à convaincre Alexandra qu'un nouveau miracle était en train de se produire. Soloviev a monté une escroquerie parfaite. Le pire, ce ne sont pas les sommes pharaoniques qu'il a fait tomber dans son escarcelle ni les nombreux sympathisants qu'il a bernés, comme le gentleman en manteau de loutre que tu as vu il y a cinq minutes. Peu importe aussi les soupçons que ces élégants éveillent chez les soldats en se promenant dans les rues de Tobolsk. Le pire, Léonid, c'est que je suis certain que la tsarine va bientôt ajouter un maillon de plus à sa longue chaîne d'erreurs.

– Je ne vois pas ce que tu veux dire, Youri.

– Soloviev n'a pas envie que d'autres que lui entrent dans la danse et décident de délivrer les Romanov. C'est pour ça que, par l'intermédiaire de Demidova, il a annoncé à la tsarine qu'un seul projet d'évasion, le sien, était valable. Alix est maintenant la pire ennemie de toute autre proposition de fuite. Dans ses lettres, elle décourage tous ceux qui pourraient réellement mettre sur pied une action dans ce sens parce qu'elle redoute de contrecarrer les plans de Boris ou, ce qui revient au même, ceux de Raspoutine depuis l'au-delà...

– C'est terrible, Youri ! Il faut réagir. Va lui parler, dis-lui ce que tu sais. Il faut arrêter cette machination.

– Oui, c'est ça ! Et d'après toi, qui croira-t-elle ? L'envoyé du défunt starets, un simple marmiton ou un nain dans mon genre ?

La révolution n'a pas besoin de nains

Les jours passèrent et il n'y eut aucune tentative d'évasion. Pendant ce temps, Youri et moi lisions les journaux entre les lignes et comprîmes qu'à Petrograd Lénine avait décidé de frapper fort. Il voulait consolider sa position en tant que leader des bolcheviques et, pour y parvenir, ne trouva rien de mieux que de donner au peuple ce qu'il désirait. Les millions d'affamés, de blessés et même de morts n'attendaient qu'une chose : la paix, quel qu'en soit le prix.

En mars 1918 (« voilà que resurgissent les ides de mars », déclara le tsar en apprenant la nouvelle), les bolcheviques signèrent avec l'Allemagne le traité de Brest-Litovsk, qui mettait fin à quatre années de guerre. Quelle importance si les frontières de la Russie redevenaient celles antérieures au règne de Pierre le Grand ! Nous perdions les pays Baltes, l'Ukraine, la Crimée et une partie de la Pologne, soit l'équivalent de soixante millions de citoyens, plus d'un tiers de la population de l'Empire. Lénine ne considérait pas Brest-Litovsk comme une vexation, plutôt comme une parenthèse. Il était convaincu que, très vite, ainsi que l'avait prédit le grand Karl Marx, la révolution s'étendrait à toute l'Europe et que l'Allemagne serait le premier pays à la faire. Peu lui chalait donc de courber provisoirement l'échine devant les

Allemands qui, bientôt, seraient à genoux face à l'irrépressible marée rouge.

Le tsar pleura, impuissant, dès qu'il fut informé de la situation. Il arpentait le vestibule, le visage décomposé. « Je n'aurais pas dû, je n'aurais jamais dû abdiquer. J'ai trahi mon père et aussi mon grand-père. La Russie est humiliée. Je ne mérite aucun pardon, aucun pardon… »

Les faits s'enchaînèrent. Deux jours plus tard, la rumeur nous parvint que l'ambassadeur d'Allemagne en Russie intriguait pour que les bolcheviques transfèrent l'ancien tsar à Moscou. « Je connais bien mon cousin Willy, fit observer avec amertume Nicolas à l'heure du déjeuner. Pour calmer sa conscience, à supposer qu'il en ait une, il veut que je ratifie l'ignominieux papier qu'il a signé avec les bolcheviques. En échange, il obtiendra l'autorisation de m'accueillir en Allemagne. Tout ça pour quoi, croyez-vous ? Pour des raisons "humanitaires" ? *Koniechno niet !* Bien sûr que non ! Il pense pouvoir m'utiliser comme un pion pour se lancer dans une nouvelle partie d'échecs. Mais je préférerais me couper la main plutôt que de signer ce traité infamant, Dieu m'en est témoin. »

Son analyse était pertinente. La roue de la fortune, toujours contraire à Nicolas Alexandrovitch, venait de se remettre à tourner, nous allons bientôt découvrir dans quel sens. Mais, avant cela, je précise qu'un ennemi plus cruel réapparut lorsque le régiment chargé de nous surveiller fut relevé par un autre ayant davantage de « ferveur révolutionnaire ». Une des premières dispositions prises par ces soldats après un vote démocratique de rigueur consista à bousculer la routine de la famille. « Plus de montagne de glace, décréta-t-on. Les activités qui compliquent notre travail sont désormais interdites aux Romanov. » Les miliciens parlaient de la neige que nous avions entassée au milieu de la cour pour y faire des glissades et que nous appelions pompeusement ou par simple optimisme la « montagne de glace ». Le tas ne s'élevait guère à plus de deux mètres, pourtant, d'après les soldats, il permettait aux prisonniers de voir ce qui se passait au-delà de la palissade et attirait les curieux.

Le tsarévitch fut bouleversé. Comme tous les enfants souffrant d'hémophilie, il refusait de se comporter comme un invalide et aimait au contraire braver le danger afin de prouver qu'il débordait de santé. Très vite, il se trouva un nouveau toboggan. Quand nous le découvrîmes, il était trop tard. Un matin, Youri le vit, à demi inconscient, au pied de l'escalier de service. Il avait pris sa luge et s'était élancé de l'étage. La crise qui s'ensuivit fut comparable à celle qu'il avait traversée à Spala, six ans auparavant. L'hémorragie interne fit gonfler son ventre, qui prit des proportions grotesques, une de ses jambes se contracta contre son tronc. Il délirait jour et nuit. « Maman, gémissait-il en serrant les dents et en tâchant de ravaler ses larmes. Pourquoi est-ce que je ne meurs pas une bonne fois pour toutes ? Je n'ai pas peur de la mort, mais je redoute ce que ces gens peuvent te faire. » Sa douleur se traduisait par de la rancœur à l'égard du tsar : « Pourquoi as-tu fait ça ? Tu n'avais pas le droit d'abdiquer en mon nom. J'avais une vie, personne ne m'a laissé la mener… »

Des années plus tard, lorsque j'eus accès aux nombreuses lettres que la famille avait écrites en captivité, je découvris une missive d'Alexandra à Anna Vyroubova qui résume parfaitement le calvaire de ces journées :

> *Baby est terriblement maigre, il roule de grands yeux effrayés, comme à Spala. De nouveaux soldats sont arrivés aujourd'hui. Il paraît qu'ils veulent nous emmener ailleurs. Dix de nos serviteurs ont été sommés de partir ; il n'y a plus assez de nourriture pour tout le monde.*

L'ambiance est électrique, nous sentons couver l'orage, mais savons que Dieu est miséricordieux et que c'est Lui qui nous a placés dans cette situation.

Les nouveaux soldats dont parlait la tsarine faisaient partie d'un détachement fraîchement arrivé de Moscou. Plus l'esprit bolchevique s'ancrait sur le territoire, plus les militaires qu'on nous envoyait étaient cruels. Après avoir privé les enfants Romanov de leur montagne de glace, ils leur interdirent de se balancer trop haut, puis, jugeant cette punition trop douce, ils leur infligèrent en outre des vexations. Deux jours après l'accident du tsarévitch, le siège d'une des balançoires était « orné » d'un dessin aussi talentueux qu'obscène à l'intention des grandes-duchesses. Olga, la plus indépendante et la plus solitaire des quatre filles, prenait souvent l'air à l'écart, se promenant dans la cour ou se balançant doucement en lisant un livre. Elle ne se privait pas de regarder les gardes à la dérobée, des hommes jeunes et beaux qui – avant l'irruption du dernier régiment – étaient sinon aimables, du moins respectueux. Quand elle sortit pour profiter des rayons du soleil printanier, elle salua ses geôliers postés près de la porte.

– Belle matinée, leur dit-elle.

Ils ne lui répondirent pas et se contentèrent de recracher vers elle la fumée de leurs cigarettes. Habituée à ces petites provocations, elle ne s'en formalisa pas et se dirigea vers la balançoire. Elle venait d'ouvrir son livre quand un des soldats s'approcha, son fusil à la main.

– Tu ne vois pas que tu ne peux pas ?

– Que je ne peux pas quoi ? demanda-t-elle.

Comme le lui avait enseigné son père – « Il leur faut apprendre à nous connaître, Olga. Au début, ils sont un peu sauvages, mais ce sont des Russes et ils ont bon cœur », lui disait-il –, elle avait le sourire aux lèvres.

– Tu ne peux pas t'asseoir sur cette balançoire, lui expliqua le soldat, un grand jeune homme aux pommettes saillantes dont les yeux gris brillaient sous des sourcils très noirs.

– Pourquoi ? s'étonna-t-elle, résolue à rendre ces yeux gris plus rieurs. J'aimerais que tu me donnes une raison. Tu as peur que je me balance trop haut et qu'on me voie de l'autre côté de la palissade, ce qui rendra votre surveillance plus difficile ? Je te promets de ne pas le faire.

– Non, ce n'est pas ça.

– Allez, dis-lui pourquoi, Vassili ! s'exclama un autre soldat, amusé par la situation.

– Oui, Vassili, dis-moi pourquoi, l'encouragea Olga, prête à gagner sa confiance.

– Tu veux vraiment le savoir ?

– Oui.

– Donne-moi la main.

La grande-duchesse hésita, peu habituée à ce qu'un étranger la touche, mais ces yeux gris... Et puis, comme le disait son père, ces soldats étaient de bons Russes. Elle lui tendit la main droite.

– Ça ne va pas te plaire, je te préviens, dit Vassili en l'obligeant à regarder le dessin gravé sur le bois.

Olga essaya de se dégager, mais l'homme retint sa main en s'esclaffant et l'introduisit entre les boutons ouverts de sa braguette.

– Tu vois ? Ce qui est dessiné sur la balançoire, c'est la copie, et ça, l'original. Lequel tu préfères ?

– Tu peux comparer avec la mienne ! s'exclama son compagnon en s'associant au jeu. Qu'est-ce que tu en dis ? Touche, allez touche ! Ensuite, tu pourras le raconter à tes sœurs. Qu'elles viennent, elles aussi, il y en a pour tout le monde !

Pétrifiée de terreur, Olga ne vit pas d'où vint le coup qui fit hurler Vassili de douleur. Il se courba, puis roula au sol.

– Sale nain de merde ! cria le soldat. Ça va te coûter cher, je te préviens !

Youri ne dit pas un mot. Il se contenta d'abattre sur les côtes du milicien son arme improvisée, une des bûches qu'avaient sciées le tsar et ses enfants et qui, parfaitement alignées, constituaient leur seule activité physique.

Le deuxième coup fit craquer la colonne de Vassili comme du bois sec. Après avoir été décontenancé pendant quelques secondes, l'autre soldat fondit sur Youri et essaya de l'immobiliser. En vain, car le petit homme lui fila entre les jambes avec la vivacité d'un lézard.

– Tu crois que je suis facile à attraper, *tovaritch* ? Essaie un peu, pour voir ! Allez ! Il vaudrait mieux que tu y arrives, sans quoi tes camarades diront que tu t'es fait battre par un nain !

– Dans ton dos, Youri ! cria Olga.

Vassili s'était relevé et pointait son arme sur la tête de mon ami. Il tira et jura, car Olga s'était jetée comme une perdue sur son bras, faisant dévier le tir au dernier moment.

Les faits devinrent dès lors aussi confus que précipités. Youri éclata de rire.

– Tu tires plus mal qu'un fusil de fête foraine, camarade !

– Va-t'en, Youri, lui ordonna Olga. Je t'en supplie, va te mettre à l'abri. Mon Dieu, s'il vous plaît ! Que quelqu'un nous vienne en aide !

Des voix s'élevèrent de l'autre côté de la palissade. Les soldats qui surveillaient l'extérieur se précipitèrent, alertés par le coup de feu. Tatiana appela d'une des fenêtres de l'étage :

– Olga ! Youri ! Qu'est-ce qui se passe, là en bas ?

– Rien, ne t'inquiète pas, répondit Youri en regardant en l'air. Viens, Olga, donne-moi la main.

Les dés étaient jetés. Il n'ajouta rien de plus. Le compagnon de Vassili – nous apprîmes par la suite que, en vertu d'un destin facétieux, il s'appelait Sviatoslav[1] – tira à deux reprises. La première balle toucha Youri à l'œil, la seconde lui abîma la bouche. Il tomba et roula jusqu'aux pieds d'Olga. Petit, inerte comme un chiot endormi, Youri la fixait de son unique œil valide.

Lorsque le docteur Botkine et moi accourûmes, il bougeait encore. Il mit les bras en croix, puis sa main gauche se crispa pour désigner son torse.

– Il vit ! m'exclamai-je, désespéré, en m'adressant au médecin qui, comme moi, s'était agenouillé à ses côtés. Vous voyez, docteur ? Il bouge ! Il faut le sauver ! Vous le pouvez, n'est-ce pas ? Vous le pouvez…

Botkine passa un bras sur mes épaules.

– Ce sont des convulsions, m'expliqua-t-il.

J'étais pourtant certain que Youri voulait me montrer quelque chose avec sa main gauche et son œil qui, contrairement au reste de son visage baigné de sang, était étrangement calme. Il me regardait.

En larmes, Olga étreignit le petit corps qui tressaillit une dernière fois à son contact.

– Levez-vous ! Je vous ordonne de vous lever !

Un soldat la prit par le bras, un autre me souleva en passant ses mains sous mes épaules. On obligea également le docteur à se mettre debout. Mon souvenir le plus net de cet instant sont nos corps tachés de sang. Botkine en avait sur les mains, moi sur le visage, Olga sur

1. Ce nom vient de « sainteté » et de « gloire ». On baptisait ainsi les enfants destinés à porter chance aux autres (*NdA*).

sa robe. Ravaudée de partout, cette tenue qui avait jadis été celle d'une jeune fille fortunée ressemblait à présent à un suaire. Il y eut de l'agitation, les gardes s'interpellèrent, tout le monde criait. J'en profitai pour m'éclipser et retourner auprès de mon ami. Ce n'est qu'alors que je découvris sous ses vêtements la pochette en cuir toujours glissée dans la poche intérieure de sa tunique. Je parvins à la subtiliser avant que Sviatoslav ne me repousse d'un coup de pied.

– Eh, toi ! Retourne travailler. Chacun à son poste. Ici, il ne s'est rien passé ! hurla le nouvel officier qui les commandait, un grand type mielleux très différent des autres.

De la pointe de sa botte, il poussa le corps de Youri pour voir s'il bougeait encore, puis déclara :

– Bah, qu'importe ! La révolution n'a pas besoin de nains.

Le début de la fin

– Entrez, entrez, *Monsieur** Gilliard, je vous en prie. Oui, j'ai demandé à Tatiana de vous dire de monter parce que j'ai à vous parler. Qu'allons-nous faire, *Monsieur** ? Quelle nouvelle calamité va encore nous frapper ? Non, je ne veux pas vous entretenir du pauvre Youri, les filles le pleurent encore et je fais de même, mais… Fermez la porte. Tatiana va remonter tout de suite et j'ai vraiment besoin de vous consulter seul à seule sur un ou deux points.

Seuls, ils ne l'étaient pas tout à fait, car, non loin d'eux, je débarrassais la table du dîner. Mais si la révolution avait changé les relations entre maîtres et serviteurs, elle ne nous avait pas privés de notre invisibilité ancestrale. La tsarine ne m'avait même pas vu alors que je me tenais devant elle.

– Ils veulent l'emmener, *Monsieur** Gilliard, c'est Yakovlev, le nouveau commissaire arrivé de Petrograd, qui me l'a dit. Au moins, il a l'air respectueux, pas comme cet officier qui est avec lui. Il m'a interrogée sur l'état de santé du tsarévitch et semblait réellement s'inquiéter qu'il ne manque de rien. Mais moi, que voulez-vous que je vous dise, je ne fais plus confiance à personne, et il est fort possible que dès demain ce Yakovlev se fasse rappeler à l'ordre par un soviet ou que ses soldats se réunissent en comité pour le démettre de ses fonctions. Alors, une fois de plus, nous serons livrés à nous-mêmes.

– Vous dites qu'ils comptent emmener le tsar ? Où donc, Votre Majesté ?

Les doigts de la tsarine glissèrent le long de son cou. Depuis quelque temps, elle avait attrapé un tic. Habituée à arborer des sautoirs avec lesquels elle jouait constamment, elle portait sans cesse sa main à sa gorge pour y chercher les perles auxquelles elle avait renoncé, s'habillant désormais plus simplement. C'était devenu chez elle un geste fréquent qui exprimait son désarroi, en quelque sorte la métaphore de ce qu'elle avait été, puis cessé d'être.

– Yakovlev m'a dit qu'il ne le savait pas lui-même. Probablement à Moscou. Il m'a garanti que personne ne ferait de mal au tsar et ne voit aucune objection à ce que je l'accompagne. Je dois partir avec lui ! Je ne peux pas le laisser seul. Ils veulent le séparer de sa famille, lui forcer la main, se servir encore de lui.

– De qui parlez-vous, Votre Majesté ?

– De Lénine, de Trotski. Ils savent ce que le tsar représente. Et puis, il y a aussi le Kaiser. Willy a honte d'avoir pactisé avec ces individus et il a maintenant l'intention de se justifier face au monde en implorant leur clémence. Qu'a dit le tsar en apprenant cela ? « C'est une manœuvre pour me discréditer ou une nouvelle insulte de mon cher cousin. » On l'emmène à Moscou, *Monsieur**, et je ne peux pas le leur permettre…

– S'ils l'ont décidé, maman, il n'y a rien que nous puissions faire, lui fit simplement observer Tatiana, qui venait d'entrer dans la pièce et avait entendu la dernière réflexion de sa mère.

Elle avait perdu du poids en captivité, mais ses yeux brillaient toujours de cet éclat qui la faisait paraître plus lointaine, plus impériale que ses sœurs. Même les soldats les plus insolents baissaient d'un ton et se montraient moins arrogants quand elle était près d'eux.

– Je dois partir avec lui, lui expliqua Alexandra. Papa dit qu'ils veulent qu'il ratifie le traité de Brest-Litovsk. Sa signature arrangera tout autant Willy que ceux qui dirigent à présent notre pauvre Russie. Je dois être à ses côtés, *Monsieur**, ajouta-t-elle en se tournant vers Gilliard. Si je ne suis pas avec lui, je suis sûre qu'ils l'obligeront à agir contre son gré, comme lorsqu'il a…

Elle se référait à son abdication, mais n'avait pas besoin de prononcer ce mot pour que tout le monde comprenne. Dans notre prison, on ne parlait jamais d'« abdication », un de ces termes proscrits auxquels tante Nina avait un jour fait allusion, comme « hémophilie » et tant d'autres mots gênants, laids ou indécents que les gens bien élevés effacent de leur vie, espérant qu'ainsi ce qu'ils évoquent cessera d'exister.

– Après la défaite que nous ont infligée les Allemands, poursuivit-elle en soupirant, je préfère mourir en Russie plutôt que d'être sauvée par le cousin Willy. À deux, nous résisterons mieux. Mon devoir est de partir avec lui, mais le petit est si malade… Imaginez qu'il y ait une complication… Je ne me le pardonnerais jamais. Quelle affreuse torture ! Pour la première fois de ma vie, je ne sais pas quoi faire, *Monsieur**. J'ai toujours été inspirée lorsqu'il fallait que je prenne une décision, mais à présent…

Gilliard baissa les yeux sans piper mot. Il pensait sans doute la même chose que moi, que les nombreuses « inspirations » de la tsarine nous avaient conduits dans l'impasse.

– Vois avec papa, lui conseilla Tatiana. Nous nous occuperons d'Aliocha – n'est-ce pas, *Monsieur** Gilliard ? Il va mieux, il n'a même plus de fièvre. Tu sais, c'est très simple, enchaîna-t-elle en employant un ton que je connaissais bien pour l'avoir souvent entendu dans notre hôpital de campagne : résolu, pratique, celui d'une fille qui ne faisait pas ses vingt et un ans mais paraissait plus âgée, plus expérimentée. Olga et moi restons avec *Monsieur** Gilliard pour veiller sur Baby et toi tu pars avec papa sans te soucier de rien. Pour que tu ne te sentes pas trop seule, Maria ou Nastia pourrait vous accompagner, qu'en penses-tu ?

La tsarine hésitait, mais Tatiana avait décidé pour elle.

– Nastia est trop petite, trancha-t-elle. Mieux vaut que ce soit Macha. Je vais en discuter avec elle et lui demander de préparer ses affaires. Dis-moi, Léo, dit-elle en se tournant vers moi avec un sourire pour lequel j'aurais volontiers vendu mon âme au diable, je peux compter sur toi, pas vrai ? Dis à Macha de venir. Nous devons encore régler tout un tas de détails. Ah ! Léo, s'il te plaît, n'oublie pas de me rappeler que j'ai quelque chose d'important à te dire.

J'acquiesçai, me demandant ce qu'elle allait bien pouvoir me révéler, quand, tout à coup…

*

– Comment ? Déjà ? Mais on devait m'opérer à quatre heures et il n'est que deux heures et demie !… Me préparer ?… Ouh ! Vous voulez dire faire ma toilette, me raser et me plier à des réjouissances de ce genre ? À moins que vous ne parliez d'autres préparatifs, comme de recommander mon âme à Dieu, c'est ça ? Si c'est le cas, ne vous embêtez pas, ma chère, je vous remercie d'être venue, c'est toujours un plaisir de vous voir, mais il n'est pas nécessaire de me recommander à qui que ce soit. Je pense m'en sortir, soyez-en sûre. Ne me regardez pas ainsi, María. Vous voulez parier ? La Dame de pique et moi sommes de vieux amis, elle sait que je vais encore remporter cette manche. Quant à la toilette et à tout ce bazar, je vous propose un accord: vous faites en sorte que l'infirmière autoritaire, celle qui a des cheveux qui ressemblent à de la friture, m'accorde une demi-heure pour continuer mon enregistrement et ensuite vous aurez le plus docile des patients. Une petite demi-heure de rien du tout, c'est ce qu'il me faut pour arriver jusqu'à Ekaterinbourg…

Adieu Tobolsk

Test, test... Ça marche ? Encore heureux ! Si les piles étaient à plat, ce serait une catastrophe. Où en étais-je ? Je n'ai pas le temps de rembobiner, alors je vais reprendre mon récit au moment du départ de Nicolas II, Alexandra et Macha. Après mon opération – croisons les doigts pour que tout se passe bien –, je pourrai toujours revenir en arrière et combler les vides. Voyons... Comment commencer ?

*

Le départ du tsar, de la tsarine et de Macha avait été fixé à quatre heures du matin. À cinq heures et demie – la ponctualité n'a jamais été une vertu révolutionnaire –, Yakovlev et d'autres soldats arrivèrent dans la cour avec des chevaux et des *tarantass*, ces voitures de paysans constituées d'une grande corbeille en osier posée sur deux bâtons faisant office de ressorts. Les passagers ne pouvaient y voyager que couchés sur des planches, sans le moindre confort.

– Allons, mon gars, ne reste pas comme ça, à te tourner les pouces ! Aide un peu ! me cria Yakovlev.

Je le regardai, ignorant ce qu'il attendait de moi.

– Tu crois que je vais laisser l'ancien tsar et sa femme voyager comme du bétail ? Je ne veux pas qu'on dise que les révolutionnaires n'ont pas de cœur. Débrouille-toi pour rendre leur trajet plus agréable.

Seuls trois serviteurs avaient été désignés pour les accompagner. Il y avait Troupp, le valet de pied du tsar, Demidova, la femme de chambre de la tsarine, et moi, le garçon à tout faire. Tout le monde allait et venait en portant des sacs. Demidova serrait contre elle une valise en peau de crocodile gravée du « A » en or d'Alexandra, qui semblait peser son poids et dont elle ne voulait visiblement pas se séparer.

– Oui, c'est à toi que je parle. Comment as-tu dit que tu t'appelais ?... Léonid ?... Mon garçon, va donc chercher une brassée de paille dans l'étable et éparpille-la au fond des corbeilles pour les rendre plus confortables... Tu as entendu ce que je t'ai dit ? Dépêche-toi ! Je veux arriver au prochain relais avant l'aube !

Entre le moment où la tsarine avait pris la décision d'accompagner son mari et celui où je garnis les *tarantass* de paille, huit heures s'écoulèrent, un temps plus que suffisant pour que tout le monde fasse ses adieux. Pour qu'Alix, par exemple, dise à son fils en ravalant ses larmes : « Parce que tu vas mieux, Baby, et que papa a plus besoin de ma présence que toi. Tu dois être fort, tu me le promets ? » Pour qu'Olga, Tatiana et Anastasia s'agenouillent tour à tour devant leurs parents, qui firent en tremblant le signe de croix sur leur front et les embrassèrent en silence. De mon côté, je rassemblai mes effets et eus enfin le courage d'examiner les objets appartenant à Youri. Depuis qu'il était mort, je fondais souvent en larmes et n'avais pas osé toucher à ses affaires, qui étaient toujours là, telles qu'il les avait laissées, dans un coin du grenier que nous partagions avec les autres domestiques.

Il ne possédait pas grand-chose : de quoi faire sa toilette, une vieille pelisse, un minuscule bonnet qu'aurait pu porter un enfant, deux livres. Il y avait aussi la pochette en cuir que j'avais prise sur son corps pour la poser sans l'ouvrir à côté des livres. Je la fis tourner entre mes mains, me demandant ce qu'elle pouvait bien contenir. Sans doute un souvenir de sa mère, une vieille lettre ou peut-être un portrait de son père, ce grand-duc dont tout le monde parlait, excepté Youri… Malgré les liens qui nous unissaient, je ne savais rien de lui. Il ne se livrait guère et, quand il se confiait, c'était toujours d'un ton moqueur. « Qu'est-ce qu'un nain comme moi a d'intéressant ? D'où viens-tu ? Qui es-tu ? Les gens se passionnent pour ces détails. Je suis un *water-baby*, je suis né et j'ai grandi, mais pas trop – cette réflexion déclenchait en général le rire de ses interlocuteurs – dans ces conduits. Tu n'as pas besoin d'en savoir davantage, demi-portion », me disait-il.

« Il n'y a vraiment personne que tu aimes ou qui t'aime ? » lui demandai-je un jour. Il haussa les épaules. « Ma mère est morte quand j'avais quatre ans et je n'ai jamais eu de père. Quant à l'amour d'une femme, je te l'ai répété mille fois, demi-portion : qui n'aime pas ne pleure pas. Je préfère être seul. En fin de compte, c'est quoi, la solitude ? Juste une façon un peu moins belle de dire “liberté”. »

Serrée par une cordelette, la pochette était marquée de mes empreintes tachées de sang. J'aurais voulu l'ouvrir tout de suite, mais j'avais une foule de choses à faire, entre autres prendre congé de Tatiana. Elle devait me parler. Pourquoi ? Je me rappelai alors notre rencontre dans le salon de Marie-Antoinette, avant de quitter le palais Alexandre, sa tête posée sur mon épaule tandis que nous contemplions pour la dernière fois notre danseuse unijambiste… Et ce départ prochain ? Comment serait-il ? Je me surpris à espérer qu'il ressemblerait au précédent.

« Quand arrêteras-tu de rêver éveillé, demi-portion ? Il ne faut rêver que de ce qui est possible, je ne te l'ai pas déjà dit et redit ? » se serait certainement écrié Youri s'il avait encore été de ce monde. Mais il était mort. De lui, il ne restait que sa vieille pelisse, deux livres et cette pochette maculée de sang. Quand je la portai à ma bouche pour la baiser, elle craqua sous la pression de mes doigts. J'aurais dû la ranger dans mes affaires et l'ouvrir plus tard, mais, gagné par la curiosité, je déliai le cordon. Je trouvai quelques papiers, sans doute des documents. Une enveloppe jaune marquée d'une initiale attira plus particulièrement mon attention. Le sang de mon ami s'était frayé un chemin jusque-là, rendant le déchiffrage difficile. J'avais l'impression qu'il s'agissait d'un « O » ou d'un « Ю », l'initiale cyrillique de Youri, et pensai enfin découvrir son secret le mieux gardé. Oui, l'enveloppe devait contenir la clé du mystère de la naissance de mon ami. Je fis des paris en la déchirant. Tout le monde le disait fils d'un grand-duc, ce qui limitait les possibilités : Michel, le frère du tsar, un de ses oncles ou un cousin. Même si mon ami avait pris soin de le dissimuler, nous savions que le sang des Romanov coulait dans ses veines. Cinq ou six photographies attachées par un ruban bleu se présentèrent sous mes yeux. Le grand-duc Michel apparaissait sur le premier cliché ; la même personne posait sur tous les autres. Il s'agissait d'Olga Nikolaïevna, radieuse, en uniforme des Sœurs de la Miséricorde ou de son régiment, prenant le thé à bord du *Standart*, souriant sous une grande chapka grise. « *My cousin O* », avait griffonné Youri au verso de chacune de son écriture élégante et inimitable. Il avait également glissé parmi les photos deux pensées séchées et une mèche de cheveux blonds dont je n'avais nul besoin de vérifier l'origine.

Je me rappelai la dernière image que j'avais de Youri en vie, la tête tournée vers sa cousine, la bouche et l'œil droit en charpie, mais la cherchant de son œil gauche encore rieur et plein de vie. Je songeai à Olga Nikolaïevna, la plus solitaire des grandes-duchesses, qui, à vingt-trois ans, n'avait connu que la triste amertume des amours contrariées. Elle serrait contre elle ce corps de grand enfant comme elle ne l'avait probablement jamais fait avec quiconque. Youri le cynique, qui refusait de suivre la famille impériale en exil, se moquait de moi et estimait que l'amour était une perte de temps inutile, était mort pour cette jeune fille qui ignorerait à jamais toutes les choses qu'ils avaient en commun.

Les larmes aux yeux, je descendis retrouver ma Tatiana, mais tombai sur Maria, qui me sourit avec tendresse.

– Allons, Léo, garde la lèvre supérieure rigide – c'est ce que maman dit toujours. Qu'on n'aille pas ensuite raconter que les Romanov perdent leurs moyens dans les situations difficiles.

Son respect de la vieille tradition russe, qui voulait qu'on nomme les serviteurs par le nom de leurs maîtres, m'emplit d'orgueil et d'émotion.

– « La lèvre supérieure rigide » ? répétai-je.

– Oui. Tu sais, c'est une expression anglaise. *Keep a stiff upper lip*. C'est ce qui dérange le plus tes adversaires ou ceux qui veulent t'embêter. Quoi qu'ils disent ou qu'ils fassent, tu ne cilles pas. Moi, j'y ai souvent recours. Où vas-tu ?

Comme Tatiana et Olga, Maria avait maigri, ce qui lui allait à ravir. Ses cheveux avaient repoussé et elle avait perdu les deux ou trois kilos qui faisaient d'elle une adolescente rondelette. Désormais, ses sœurs pouvaient difficilement l'appeler Bow-wow ou railler ses maladresses. Elle était magnifique, presque aussi belle que Tatiana.

– Je vais lui dire au revoir, répondis-je sans préciser de qui je parlais tant cela me semblait évident.

– Dire au revoir à qui ? me demanda Macha, amusée.

– À Tatiana.

– Je crois qu'elle est avec maman. Elles priaient toutes les deux au salon, tout à l'heure. Tu viens avec nous, n'est-ce pas ? J'étais ravie d'apprendre que Yakovlev t'a choisi pour aller à Moscou. Quand tu auras fini, viens me chercher, on ira dans la cour.

*

Je trouvai en effet Tatiana au salon, que la tsarine avait transformé en une sorte de sanctuaire aux murs couverts d'icônes de saint Nicolas, de la Vierge de Kazan et de saint Isaac, que les Romanov préféraient entre tous et priaient avec ferveur, mais sans grand résultat. J'ignore si Tatiana s'était installée en leur tournant le dos pour faire acte de rébellion face à cette évidence. Elle était entourée de paperasse. Je m'approchai d'elle, visiblement très occupée.

– Je m'en vais, Tatiana Nikolaïevna, lui annonçai-je.

Elle ne leva même pas les yeux vers moi et poursuivit sa tâche. Sa silhouette se projetait sur le mur, dans la lueur des bougies, car elle n'avait pas pris la peine d'allumer la lumière électrique. Vêtue d'une simple chemise de nuit, elle avait jeté un châle sur ses épaules et me parut plus belle que jamais.

Quelques secondes s'écoulèrent. Des voix s'élevaient dans la cour, m'annonçant l'imminence du départ.

– Je viens te dire au revoir. Je croyais que tu voulais me parler, balbutiai-je en pesant chacun de mes mots.

– Te parler ? répéta-t-elle, comme revenant d'un lieu lointain. Ah oui ! Je me souviens. J'ai un service important à te demander, Léo. Tu pars avec mes parents, n'est-ce pas ? C'est moi qui ai demandé à Yakovlev de t'inclure dans le groupe.

– Il t'a dit où on va ? demandai-je, songeant que si sa beauté avait sur le commissaire la moitié de l'impact qu'elle exerçait sur le commun des mortels, elle lui avait sans doute soutiré quelques informations.

– À Moscou, naturellement, comme l'exigent les Allemands. Le Kaiser fait semblant de s'intéresser au sort de son cousin et eux sont obligés de satisfaire sa volonté, ajouta-t-elle d'un ton las, se référant aux bolcheviques. Après tout, ils ont perdu la guerre. Yakovlev dit que le tsar doit être à Moscou le plus vite possible. Apparemment, le soviet d'Ekaterinbourg, dont dépend Tobolsk, veut juger papa. S'il tombe entre leurs mains, nous sommes perdus.

Elle avait prononcé ces mots d'un ton neutre, comme pour me fournir un renseignement. Tatiana était ainsi : jamais je ne l'ai vue pleurer ou se lamenter sur son sort. Elle ne se départait jamais de son sang-froid, pas même lorsqu'elle amputait un bras ou évidait un œil, à l'hôpital du palais Catherine, et restait en toute occasion d'une beauté imperturbable. Je l'admirais et l'aimais pour ces qualités.

– Le tsar et la tsarine sont au courant ?

– Bien sûr, mais mon frère et mes sœurs ne savent rien. Évidemment, je ne compte pas les informer. À quoi bon ? Alexis a assez de soucis avec sa maladie, Anastasia est trop jeune et Maria doit être forte pour aider maman. Quant à Olga, elle n'arrête pas de pleurer depuis que ton pauvre ami a rendu l'âme dans ses bras. Elle a toujours été trop impressionnable...

« Pas comme toi », pensai-je, parce que tout ce qui avait trait à Youri était sacré et que ses paroles me blessaient. J'acquiesçai cependant sans rien dire – elle était si belle.

– Qu'attends-tu de moi, Tatiana Nikolaïevna ?

Elle ne me répondit pas et continua d'écrire à toute vitesse. Malgré l'éclairage diffus, sa main volait sur le papier. Quand elle eut fini, elle esquissa un étrange sourire, prit une enveloppe qu'elle avait préparée et y glissa quelques feuilles et deux photos.

– Nous sommes amis, toi et moi, n'est-ce pas, Léo ? Ici, à Tobolsk, nous avons joué aux cartes et fait des glissades sur la montagne de glace, nous nous sommes également occupés de Baby. Avant de quitter Tsarskoïe Selo, nous avons aussi vécu de bons moments. Tu te souviens de notre dernière journée ?

– Comment l'oublier ?... commençai-je.

Mais elle m'interrompit en posant un doigt sur mes lèvres.

– Je n'avais jamais partagé ce petit secret avec personne, Léo. Le silence des horloges à l'arrêt, la danse de notre ballerine unijambiste... Ce sont des moments qui restent à jamais gravés dans ma mémoire et font en quelque sorte de toi mon complice.

Les cris de Yakovlev et les voix des autres soldats retentirent dans la cour. On me cherchait. Après avoir disposé de la paille au fond des corbeilles, j'avais disparu. Quand je descendrais, je n'échapperais pas aux coups de fouet révolutionnaires ou à un sort encore plus cruel. Mais j'aurais subi n'importe quelle punition pour passer quelques minutes avec Tatiana.

– Léo, tu veux bien faire quelque chose pour moi ? me demanda-t-elle.

– Je veux bien mourir pour toi, Tatiana Nikolaïevna.

Elle éclata de rire.

– Ce ne sera pas nécessaire. Il suffira que tu joues les Michel Strogoff.

– Le courrier du tsar ? balbutiai-je, me rappelant le célèbre roman de Jules Verne.

– Là, tu ne seras pas au service d'un tsar, mais d'une grande-duchesse oubliée au fin fond de la Sibérie. Je peux me fier à toi ? J'ai besoin que cette lettre arrive à destination, mais sans passer entre *leurs* mains. D'après les renseignements que j'ai pu soutirer à Yakovlev, vous traverserez la rivière Irtych et, si tout va bien, vous changerez de chevaux à Pokrovskoïe, le village de Raspoutine, ajouta-t-elle en se signant machinalement. Quatorze verstes et demie plus à l'est, vous arriverez à Tioumen, où vous attendra un convoi spécial à destination de Moscou. C'est là que tout se décidera. Si le soviet d'Ekaterinbourg ne vous arrête pas avant que vous montiez en voiture, vous continuerez jusqu'à la capitale. Sinon…

Elle marqua une pause, comme pour chasser un fantôme, puis reprit d'une voix dénuée d'émotion :

– De toute façon, toi, à Tioumen, tu t'arrangeras pour aller au bureau de poste. Je suis sûre qu'il y en a un à la gare. Tu as de l'argent ? Tiens, voici quelques kopecks. Avec ça, tu as largement de quoi acheter des timbres, mais fais attention à ce que personne ne te voie glisser la lettre dans la boîte. C'est très important, tu comprends, courrier du tsar ?

J'étais fier de la mission qu'elle venait de me confier. Je m'imaginais transporter un document susceptible de déclencher l'exécution de je ne sais quel projet d'évasion des Romanov. Cette lettre était peut-être un signal, pourquoi pas ? Un code qui permettrait à nos sauveurs de venir nous porter secours dans la gare de Tioumen. Dans ce cas, au lieu de gagner Moscou pour tomber aux mains des Allemands ou d'être victimes de la soif de vengeance des membres du soviet d'Ekaterinbourg, nous prendrions la route de l'exil. Une fois à l'abri, hors des frontières russes, le tsar obtiendrait en quelques jours la libération de ses enfants. Ensuite, nous nous retrouverions tous en Angleterre. J'allais être Michel Strogoff, le héros qui a traversé les lignes ennemies avec une lettre déterminante pour la suite des événements, et Tatiana…

C'est alors que, dans la fable de la laitière et du pot au lait que je me racontais à moi-même, le pot se fracassa. Il suffit de deux syllabes prononcées par Tatiana pour briser mon rêve.

– Mitia, murmura-t-elle. Tu te souviens de lui, n'est-ce pas, Léo ? L'homme le plus merveilleux du monde. Jusqu'à présent, je n'ai pas réussi à lui envoyer une lettre sans qu'elle soit ouverte par cinq ou six miliciens. J'ai tellement de choses à lui dire, je l'aime tant. Si tu savais, Léo… Je prie jour et nuit pour que Dieu nous vienne en aide, mais Il semble nous avoir oubliés. Maman croit encore que les « bons soldats » russes vont nous sauver, que, du paradis, Raspoutine lui donne des forces et que traverser son village est un heureux présage. Moi, je ne me fais pas d'illusions et je pense au contraire que c'est le début de la fin. Je te rassure, il n'y a aucune raison pour que toi, marmiton, tu subisses le même sort. Un jour, tu seras libre, Léo, et tu pourras aller où bon te semble. Promets-moi, jure-moi que, quand ça arrivera, tu chercheras Mitia et tu lui transmettras ce que je vais te donner maintenant.

– Quoi ?

– Je n'ai embrassé qu'un seul homme dans ma vie, enchaîna-t-elle sans répondre à ma question. Je ne l'ai fait qu'une ou deux fois, pas plus. Regarde-moi : j'ai vingt et un ans, ajouta-t-elle en laissant tomber son châle.

Sa chemise de nuit dissimulait à peine les contours de son corps et, à la lueur des chandelles, je voyais les courbes de ses seins et la blancheur de cette peau que, selon elle, personne n'avait jamais touchée.

– Je suis belle, tu ne trouves pas ? Nous le sommes toutes. À quoi bon ? Ce n'est pas une vie, et, rien que d'y penser, j'ai l'impression d'être vieille. Viens, approche-toi, dit-elle en m'attirant vers elle. Écoute bien. Le baiser que je vais te donner n'est pas pour toi, mais pour Mitia. Cherche-le et décris-le-lui, parle-lui du goût de mes lèvres et de tout l'amour que j'y ai mis.

Tatiana Nikolaïevna m'embrassa avec passion et désespoir, s'abandonnant entièrement, comme un noyé qui essaie de remonter à la surface, de respirer pour continuer à vivre. Sa bouche était brûlante. Moi, en revanche, j'avais les lèvres glacées.

Changement de destination

Le trajet se déroula comme l'avait prévu Tatiana. Une demi-heure après ce baiser qui ne m'était pas destiné, les deux *tarantass* où se trouvaient l'ancien couple impérial de Russie et sa suite de quelques personnes quittèrent Tobolsk. J'avais pris place dans la voiture d'Alexandra, avec Anna Demidova et Maria Nikolaïevna. Dans l'autre voyageaient Troupp et plusieurs soldats. Nicolas s'apprêtait à monter dans la corbeille où était installée sa femme et me demanda une brassée de paille pour s'allonger à nos côtés, mais Yakovlev eut la gentillesse de lui proposer de nous escorter à cheval en sa compagnie. Nous eûmes toutes les peines du monde à passer la Toura à gué et les voitures menaçaient à tout instant de s'enfoncer dans l'eau glacée et la boue. En fin de matinée, nous atteignîmes le village de Raspoutine. Après le changement de chevaux, la *tarantass* branlante d'Alexandra et Nicolas passa sous les fenêtres de l'homme qui avait fait basculer leur destin. Inconsciente de l'ironie du sort, la tsarine regardait l'isba du starets, persuadée que traverser Pokrovskoïe était signe que tout allait bien se passer. Elle souriait aux miliciens, espérant encore qu'un de ces « bons soldats russes » la sauverait. Ignorant le rôle chevaleresque qu'elle leur avait assigné, ils lui rendaient son sourire, surpris et condescendants, puis se reconcentraient sur la route de

Tioumen, où la famille prendrait le train. À la gare, je parvins à m'échapper pour tenir la promesse que j'avais faite à Tatiana de poster sa lettre, ce qui me permit de remarquer quelques petites choses. Je vis en effet Yakovlev, qui avait reçu l'ordre de nous conduire à Moscou le plus vite possible, indiquer au mécanicien un autre itinéraire afin de contourner la ville problématique d'Ekaterinbourg. Mais lorsque le train quitta la gare pour se diriger vers le nord et non vers le sud, quelqu'un avait sans doute alerté le soviet local, car on nous ordonna d'arrêter le convoi. Compte tenu de l'anarchie qui régnait en Russie, nous pensions être victimes d'un bras de fer entre Moscou et Ekaterinbourg. Aujourd'hui, je sais que le problème était autrement plus complexe. À Moscou, certains voulaient que le tsar regagne la capitale pour satisfaire aux exigences allemandes, mais d'autres préféraient qu'il reste à l'écart, redoutant l'usage que le Kaiser pourrait faire d'un pion aussi précieux. Les Allemands avaient conscience que la révolution bolchevique n'était qu'un premier pas, que la lutte ouvrière s'étendrait ensuite au continent européen tout entier, comme Lénine l'avait annoncé dans ses discours. Parmi les bolcheviques, d'aucuns craignaient que le Kaiser, fort de sa victoire, n'use de ses privilèges pour favoriser la restauration de la monarchie et éviter ainsi d'importantes manifestations révolutionnaires dans son pays. Les services secrets soviétiques étaient informés que le cousin Willy avait essayé de convaincre plusieurs membres de la famille Romanov de ratifier le traité de Brest-Litovsk en échange de la couronne impériale. Aucun n'avait voulu se prêter au jeu, mais qu'arriverait-il s'il persuadait le tsar de remonter sur le trône ? Willy réussirait un coup de maître : non seulement il échapperait à l'épidémie communiste, mais il sauverait son malheureux cousin Nicky. Dans la partie d'échecs complexe qui les opposait aux Allemands, les bolcheviques ne pouvaient se dérober à leur promesse d'emmener l'ancien tsar à Moscou. En revanche, ils se sentaient libres de les tromper en leur racontant que, « contre leur volonté », les patriotes d'Ekaterinbourg avaient réclamé la présence de Nicolas dans leur juridiction afin de le juger. C'est ainsi que plusieurs roues, celles du train et celle de la fortune, se mirent ce jour-là à tourner vers leur dernière destination et leur fatale destinée.

– Où crois-tu qu'on aille ? me demanda Maria en constatant qu'une autre locomotive venait d'être accrochée à la queue du convoi, qui reprit sa route en sens inverse. Nous retournons auprès d'Olga, Tatiana, Nastia et Alexis, penses-tu ?

– Il me semble, oui, répondis-je dans un sourire en voyant la steppe sibérienne s'étendre devant nous.

– Promets-moi que tu ne m'abandonneras pas.

– Moi ? Bien sûr que non, murmuré-je, étonné.

– J'ai déjà perdu tellement de proches… Je n'y résisterais pas.

– La lèvre supérieure rigide, tu te souviens ? C'est toi qui m'as donné la recette, et c'est le meilleur moyen d'affronter ce qui va suivre.

– Oh ! Moi j'en connais un autre bien plus efficace.

– Ah bon ?

Elle regarda autour d'elle. Le tsar était plongé dans sa lecture, Demidova raccommodait un vêtement et, un peu plus loin, la tsarine semblait perdue dans ses pensées ou ses prières.

– Donne-moi la main, Léo.

J'obéis. Elle la posa sur sa poitrine.

– Voilà comment supporter la situation, décréta-t-elle en me faisant sentir à travers le tissu de son corsage les battements accélérés de son…

*

– Ma chère Macha, ne me dites pas que c'est déjà l'heure… Vraiment ? Trente minutes se sont écoulées ?… Vous voulez bien me laisser encore un petit instant ? Vous savez, quand je vous ai vue, il y a quelques secondes, dans l'encadrement de la porte, j'ai eu l'impression de remonter le temps… D'accord, d'accord, ne vous inquiétez pas, je termine, que vos collègues n'aillent pas penser qu'il faut toujours lutter avec le vieil homme difficile et gâteux que je suis… Vous voyez ? J'ai éteint le magnétophone et je le range. Combien de temps cela prendra-t-il ? Je ne parle pas de l'opération, mais de mon rétablissement… Vraiment ? Personne ne vous pose jamais la question ?… Oui, évidemment, les vieilles branches dans mon genre se demandent plutôt si elles vont s'en tirer ou aller jouer de la lyre avec les angelots. Mais dans mon cas c'est différent, je vous l'ai déjà dit. La mort et moi, nous nous connaissons depuis des lustres et je sais qu'elle ne me trahira pas. Enfin, je n'en demande pas tant, et si je peux finir mon récit je serai content. Elle est très « sport », vous savez ? Je suis sûre qu'elle exaucera mon vœu. Encore que… Elle peut parfois être retorse, comme son sosie, la *Pikovaya Dama*, la Dame de pique de la nouvelle de Pouchkine dont je vous ai parlé l'autre jour. Faites-moi penser à vous la raconter après l'opération, c'est une histoire passionnante… Non, ne me dites pas que le compte à rebours a commencé !… Cette seringue contient ce que vous appelez un sédatif ? Eh bien, ma chère, je m'en remets à vous, entièrement…

Montevideo, 15 juillet 1994

Un deux trois, un deux trois, vous m'entendez ? Pas trop, je le crains. Je ne sais pas ce que font les médecins d'aujourd'hui avec leurs sondes qui vous laissent à moitié muet, j'ai la gorge en feu. Enfin, je suis là, c'est l'essentiel. J'ai survécu. Plus vieux que Mathusalem, j'ai subi une anesthésie générale, et quelques jours plus tard j'enregistre comme s'il ne s'était rien passé du tout. Je savais que la Dame de pique ne relèverait pas mon défi. Quand on est bon joueur, on n'aime pas profiter d'un adversaire diminué. On préfère abattre ses cartes, asséner le coup de grâce, lorsqu'il ne s'y attend pas. Voilà pourquoi je ferais bien de me dépêcher de finir mon histoire. Je m'étais arrêté au milieu d'une scène avec Maria Nikolaïevna, mais je crois que je l'ai décrite dans les grandes lignes. Je vais donc sauter le reste du voyage en train et me consacrer à l'arrivée dans notre dernière maison. Voici :

*

Quelques jours avant l'arrivée du couple impérial à Ekaterinbourg, Ipatiev, un commerçant prospère de la ville, eut vingt-quatre heures pour quitter sa maison, une solide construction d'un étage dans une rue calme, avec une pièce en demi-sous-sol et un bout de terrain tout autour. Après le départ de M. Ipatiev, une vingtaine d'ouvriers se hâtèrent d'élever une palissade, puis ils aménagèrent sommairement le rez-de-chaussée et transformèrent les cinq chambres du premier étage en cellules et la cave en bureau pour les gardes. Une fois les travaux terminés, ils badigeonnèrent de blanc les fenêtres des chambres afin d'empêcher les prisonniers de regarder à l'extérieur et fixèrent des barreaux partout.

À compter de ce moment, la villa Ipatiev fut appelée « Maison à destination spéciale ».

Nous y arrivâmes un matin de mai aussi glacial qu'en janvier. Le tsar avait même ressorti sa vieille capote de campagne, dont les manches et les épaules portaient encore la trace des insignes et des étoiles qu'on lui avait arrachés. Les voitures dans lesquelles nous prîmes place en portant chacun nos affaires – y compris le couple impérial – firent un long détour pour échapper aux regards des curieux et finirent par nous laisser devant les portes de cette construction lugubre. Un membre du præsidium du soviet de l'Oural salua le tsar.

– Toi et les tiens, vous pouvez entrer, citoyen Romanov, lui dit-il.

On nous fouilla de la tête aux pieds sans trouver aucun bijou ni objet de valeur. Nous avions quitté Tobolsk de manière précipitée, sans presque rien emporter. Alexandra se plaignit, attisant la colère des gardes, qui ne la ménagèrent pas.

– Jusqu'à présent, nous avons été traités aimablement par des hommes bien élevés, lâcha le tsar avec amertume.

– Tu n'es plus dans ton palais, Nicolas Alexandrovitch. Si tu continues à nous provoquer, nous te séparerons de ta famille, et si tu t'obstines encore, nous t'obligerons à faire des travaux forcés.

La tsarine fit le signe de croix et, sans piper mot, se dirigea vers la chambre qu'on lui avait attribuée.

– La serrure est à l'extérieur, fit-elle remarquer.

– La nuit, quand tu voudras sortir ou aller aux cabinets, tu devras appeler le garde, lui expliqua l'homme qui l'avait fouillée. Il y a deux lieux d'aisances de chaque côté du couloir, mieux vaut t'y habituer.

À cet instant, j'étais en train de poser une valise sur le lit de mes souverains et je me retournai pour observer Alix, dont le visage ne trahissait aucune émotion, pas même une moue contrariée. Quand l'homme quitta la chambre pour donner des ordres aux autres prisonniers, elle s'approcha de la fenêtre et, sur les vitres peintes en blanc, dessina quelque chose du bout de l'index.

– Vous avez besoin d'aide pour défaire vos bagages, Votre Majesté ?

– Non merci, Léonid, Demidova s'en occupera.

Curieux de voir ce qu'elle avait esquissé sur la fenêtre, j'y jetai un coup d'œil furtif avant de sortir. Un svastika. Princesse allemande de la Hesse, elle pouvait difficilement se douter que, quelques années plus tard, ce symbole qui était, à ses yeux, synonyme de foi représenterait la mort et l'horreur.

Après avoir passé leur nouvelle prison en revue, Nicolas et sa femme n'avaient qu'une envie, télégraphier au plus vite à Tobolsk pour rassurer les enfants, leur dire qu'on les avait transférés à Ekaterinbourg et non à Moscou et qu'ils espéraient le prompt rétablissement d'Alexis, qui pourrait alors venir les rejoindre avec ses sœurs. Le texte du câble était très neutre ; les messages plus secrets figuraient plutôt dans les lettres, comme celle qu'Anna Demidova écrivit à Tatiana en milieu d'après-midi. Après quelques formules de politesse de rigueur et une ou deux phrases pour prendre des nouvelles, la femme de chambre de la tsarine donnait des instructions à propos de « médicaments qu'il ne fallait pas oublier de prendre, comme prévu ». Dans le langage secret que les Romanov avaient établi avant de quitter Tobolsk, ces « médicaments » désignaient les bijoux, qui devaient être cachés en prévision du voyage d'Olga, Tatiana, Anastasia et Alexis à Ekaterinbourg.

Dès réception de ce courrier, les trois sœurs, avec l'aide des quelques serviteurs à leur service, commencèrent à coudre des objets de valeur sur leurs vêtements. Elles garnirent de tissu de gros diamants qu'elles transformèrent ainsi en boutons, glissèrent des émeraudes, des rubis et des saphirs à la place des baleines de leurs corsets et dans leurs ceintures, lestèrent l'ourlet de leurs jupes de longs colliers en or et en platine et camouflèrent de nombreux sautoirs de perles dans des oreillers et des coussins en plumes d'oie. Après s'être livrées à ces travaux d'aiguille, il ne leur restait plus qu'à attendre que le tsarévitch se porte mieux.

À la fin du mois de mai, le docteur Botkine estima qu'Alexis était en condition de supporter le voyage. L'approche de l'été permit aux grandes-duchesses et au tsarévitch de faire le trajet non pas en *tarantass* mais à bord du bateau qui les avait conduits à Tobolsk près d'un an auparavant. Les prisonniers arrivèrent à la gare de Tioumen quelques jours plus tard pour prendre le train à destination d'Ekaterinbourg. Bien évidemment, je n'y étais pas, mais le témoignage qu'en fait Pierre Gilliard est éloquent :

> *Le matin, vers neuf heures, plusieurs fiacres vinrent se ranger le long de notre train, et je vis quatre individus se diriger vers le wagon des enfants. Quelques minutes s'écoulèrent, puis Nagorny, le matelot attaché à Nicolas*

Nikolaïevitch, passa devant ma fenêtre avec le petit malade dans ses bras; derrière lui venaient les grandes-duchesses chargées de valises et de menus objets. Je voulus sortir, mais je fus brutalement repoussé dans le wagon par la sentinelle.

Je revins vers la fenêtre: Tatiana Nikolaïevna s'avançait la dernière, portant son petit chien et traînant péniblement une lourde valise brune. Il pleuvait, et je la voyais s'enfoncer à chaque pas dans la boue. Nagorny voulut se porter à son aide; il fut violemment rejeté par l'un des commissaires... Quelques instants plus tard, les fiacres s'éloignaient, emportant les enfants dans la direction de la ville. Combien peu je me doutais que je ne devais plus jamais revoir ceux auprès de qui j'avais passé tant d'années!

Du pain noir

Je les vis arriver. Anastasia marchait en tête. Elle tenait Joy en laisse et appelait désespérément Jimmy, l'autre cocker spaniel, qui, selon sa bonne habitude, avait décidé d'explorer les lieux en solitaire. Nagorny portait Alexis dans ses bras et, derrière eux, Olga et Tatiana traînaient leurs valises. Mon premier réflexe fut de me précipiter vers Tatiana pour l'aider, mais le souvenir de mon improvisation du personnage de Michel Strogoff m'en dissuada. J'avais accompli mon devoir avec loyauté et posté la lettre pour Mitia Malama, et le baiser qu'elle m'avait donné me brûlait encore les lèvres. Elle était toujours aussi belle et mon cœur stupide battait la chamade, mais elle me sembla si lointaine, si « impériale », aurait dit Youri, que je préférai aller au-devant de ses sœurs, plus chaleureuses.

– Lionechka, *tovaritch* ! me lança Anastasia sur le ton de la plaisanterie. Où est passé Jimmy ? Quel coquin ! Il a sûrement vu un écureuil, même si je doute qu'il y en ait beaucoup par ici, ajouta-t-elle en observant la construction lugubre.

Je lui dis de ne pas s'inquiéter, que Jimmy s'était engouffré dans la cuisine et se faisait sans doute câliner par Maria ou l'empereur. Ce n'est qu'après avoir salué Alexis et Nagorny que je proposai à Olga et Tatiana de les aider.

– Ces bagages sont trop lourds pour vous, je vais m'en occuper.

Toutes deux sourirent et Olga m'embrassa sur la joue.

– Merci, Léo, mais je ne pense pas qu'on te laissera faire, répondit-elle en regardant les gardes à la dérobée.

Nos nouveaux geôliers étaient des ouvriers endurcis par des années de privations et d'amertume.

– Nous ne sommes pas en randonnée, déclara l'un d'eux. À l'ère de la révolution, chacun porte son balluchon, alors dépêchez-vous, vous autres, mon travail ne consiste pas à être aux petits soins pour des princesses.

J'étais sur le point de protester, mais Olga m'en empêcha :

– Souviens-toi, Léo, qu'il ne faut pas qu'on dise que nous ne savons pas nous tenir.

Elle posa sur moi ses yeux qui me rappelaient tant ceux de Youri et prit appui sur mon bras.

– Viens, j'aimerais que tu nous fasses visiter notre nouvelle maison.

Son désir n'avait rien de très compliqué, la visite ne prenant pas plus d'une dizaine de minutes. Quand Olga, Tatiana et Alexis eurent embrassé leurs parents, Maria et moi leur montrâmes la villa Ipatiev.

– Vous voyez ? expliqua Maria. Ça, c'est le sous-sol. Je ne sais pas trop à quoi sert cette pièce humide et délabrée ; sans doute à ranger du fourbi. Les autres sont occupées par les soldats, et le bureau de notre commandant se trouve ici. Il s'appelle Avdeïev et est aussi peu sympathique que les autres. Voici le salon et sa petite bibliothèque et, en face, la cuisine, royaume de Léonid et de Kharitonov. Plus loin, la salle à manger, où Troupp vient dresser la table pour les repas, et c'est tout. Il n'y a rien d'autre au rez-de-chaussée. On monte ?

Olga et Tatiana lui emboîtèrent le pas en silence. Seule Anastasia posait des questions.

– Combien sommes-nous en tout ? Il y a beaucoup de chambres ? Où va dormir Baby ?

– Nous sommes treize, sans compter Jimmy et Joy, dit Macha. Les rescapés du naufrage. Et nous n'avons que cinq chambres.

– Alors, voici le nouveau royaume d'OTMA ! s'exclama Anastasia en poussant une porte derrière laquelle elle découvrit cinq paillasses. Eh bien ! Nos désirs finissent par être exaucés ! Moi qui ai toujours rêvé de faire du camping alors que maman trouvait que ce n'était pas convenable pour une demoiselle !

La plaisanterie ne semblait pas du goût de Tatiana.

– J'espère qu'il n'y a pas de punaises, souffla-t-elle en tremblant.

Le domaine d'OTMA était une pièce carrée, haute de plafond, avec une seule fenêtre. Le papier peint, seul vestige d'une époque plus luxueuse, était à rayures blanches et vertes. La chambre ne comportait aucun tableau, aucun bibelot et comptait très peu de meubles. Les lits de fortune occupaient tout l'espace.

– Peu importe, déclara Olga en posant un de ses sacs sur la paillasse la plus proche de la porte. À Tsarskoïe Selo, nos lits, conçus selon les règles de vie édictées par *babouchka* Catherine, n'étaient pas beaucoup plus larges. Avons-nous au moins la chance d'avoir un cabinet de toilette à proximité ?

– Oui, mais il est commun, répondis-je.

– Quand on veut y aller le soir ou dans la nuit, il faut demander au garde de nous accompagner. Il n'y a pas de serrure à l'intérieur, dit Maria, mais la baignoire est grande et on m'a déjà laissée prendre deux bains...

Ses sœurs se regardèrent d'un air désolé. Elles ne partageaient guère l'indéfectible enthousiasme de Macha.

– Il est resté avec toi pendant que tu prenais ton bain ? demanda Tatiana, interloquée.

– Bien sûr que non ! s'esclaffa Maria. En tout cas, pas jusqu'à maintenant. Le soir, ils nous enferment dans nos chambres. Si tu veux sortir, tu dois frapper. Pour l'instant, je n'ai eu aucun souci avec les soldats, qui sont plus âgés que ceux qui nous surveillaient à Tobolsk, et pas toujours aimables. Ils aiment blaguer et rire entre eux, mais aucun n'a encore fait irruption dans le cabinet de toilette quand il était occupé.

– Pas encore ! s'exclama Tatiana. Je vais en parler à papa. Il faut faire quelque chose. C'est invraisemblable…

Ses sœurs la regardèrent.

– Oublie ça, Tania, lui conseilla Olga. Ne lui dis rien. Tu crois qu'il ne le sait pas déjà ?

Malgré ces conditions difficiles, quelques jours plus tard, la routine salvatrice que le tsar avait toujours respectée et dans laquelle il prenait désormais plaisir à se réfugier s'imposa également à nous.

Nos journées commençaient par un petit déjeuner frugal composé d'une tasse de thé et d'une tranche de pain noir.

– On ne peut pas dire que ce soit plus mauvais que les « succulents » goûters de *babouchka* Catalina, ironisa le tsarévitch en mordant dans son toast du matin. Tu te souviens, maman, quand tu te disputais avec grand-mère Minnie pour qu'elle te laisse servir des tartelettes à la framboise ou au moins des *muffins* ? Ah, c'était le bon temps !

Après le petit déjeuner, nous n'avions pas le droit de sortir plus d'une heure et occupions nos matinées comme nous le pouvions. Moi, j'avais évidemment beaucoup de travail : non seulement j'œuvrais en cuisine, mais j'aidais aussi Demidova et Troupp dans les tâches ménagères. Je trouvais quand même le temps de m'échapper pour jouer aux échecs avec Alexis ou assembler les pièces d'un puzzle en sa compagnie. Le tsar avait dressé une liste d'activités. L'exercice physique ne lui étant pas permis, il s'était installé un gymnase rudimentaire dans sa chambre. Sur sa paillasse, il faisait des flexions et des abdominaux dès qu'il se levait. Le reste de la journée, il se promenait, lisait ou écrivait dans son journal, une habitude qu'il conserva jusqu'à la veille de sa mort. La tsarine n'avait, elle, jamais apprécié le sport. Dans son nouveau lieu de captivité, plus austère que Tobolsk, elle continua de se livrer aux mêmes occupations : elle passait des heures à prier devant ses icônes préférées, faisait des solitaires ou se consacrait aux travaux d'aiguille. Le tricot et le raccommodage des vêtements de ses enfants lui prenaient d'autant plus de temps que sa vue avait baissé et qu'elle devait parfois s'aider d'une loupe. Les filles cousaient elles aussi, mais préféraient nous assister en cuisine. Nous passions des heures à pétrir de la pâte à pain et réalisions des prouesses, parvenant à préparer des biscuits avec peu de farine et des gâteaux sans œufs. À deux heures, on servait le déjeuner, que la famille impériale partageait avec ses geôliers. Avdeïev traitait le tsar de « buveur de sang » et ne ratait pas une occasion de lui crier sa haine. Il se plaisait à inventer chaque jour de nouvelles brimades dont il se vantait ensuite auprès de ses hommes. « Nicolas m'a demandé la permission d'ouvrir la fenêtre parce qu'il faisait chaud. Je lui ai dit de se carrer sa sueur au cul ! » s'exclamait-il en éclatant de rire. Il adorait infliger des vexations au tsar quand tout le monde était attablé. Il s'asseyait à côté de notre souverain et lorsque Troupp posait le plat devant Nicolas il tendait le bras pour s'en emparer : « Tu as assez mangé tout au long de ta vie, espèce de fainéant. Maintenant, c'est à mon tour de m'empiffrer. » Patient comme Job, Nicolas regardait ailleurs sans ciller et demandait à ses filles si elles avaient envie d'aller se promener avec lui dans l'après-midi.

Le 18 mai, Nicolas eut cinquante ans et, six jours plus tard, la tsarine fêta son quarante-sixième anniversaire. C'est plus ou moins à cette époque que survint le drame de Nagorny. J'étais absent, Kharitonov m'ayant envoyé chercher des légumes. Faire les courses pour la Maison à destination spéciale n'avait rien d'une sinécure. Tartare toujours mal luné, Kharitonov avait cependant de l'or dans les mains quand il s'agissait de cuisiner. Au palais Alexandre, il dirigeait un bataillon de marmitons avec autant de poigne et de hardiesse qu'on peut en attendre d'un disciple de Gengis Khan. Il créait de véritables œuvres d'art culinaires : soufflés flottant sur des sauces délicieuses, gâteaux faits de différentes couches de pâte et encerclés d'immenses nids de caramel surplombés d'un petit oiseau en porcelaine. « Transpirer pour plaire », telle était sa devise et, par la force des choses, la nôtre. À présent, dans notre prison d'Ekaterinbourg, il devait se contenter des quelques produits qu'on mettait à notre disposition : « La ration d'un soldat de la révolution », avait dit le commandant. J'ignore comment il s'y était pris, mais Avdeïev le laissait choisir ses légumes. « Un bon chou-fleur peut sauver un plat », affirmait-il, si bien que tous les lundis, chargé d'un gros sac en toile de jute, j'allais chercher notre « ration » hebdomadaire au dépôt militaire. « Tu sais ce que j'aime et ce que je déteste, alors tâche d'avoir l'œil, mon garçon. »

Quand je dis que cette tâche n'était pas une sinécure, c'est que je ne pouvais me rendre au dépôt qu'escorté de deux soldats. Sur le chemin du retour vers la villa Ipatiev, ils tenaient leurs fusils à la main et je portais mon lourd sac rempli de pommes de terre, de navets et de choux-fleurs. Évidemment, ils ne m'aidaient pas. Au contraire, ils donnaient parfois des coups de pied dans le sac en disant : « Comme ça, la nourriture de Nicolas le Sanguinaire sera plus tendre. »

Un jour, donc, l'heure du déjeuner approchait et je venais de rentrer d'une de ces excursions lorsque Kharitonov me raconta ce qui était arrivé dans la matinée.

J'avais croisé Alexis Troupp dans le couloir. Taciturne et peu bavard, il disait entretenir avec les autres domestiques une « camaraderie sans amitié ». Voilà pourquoi je m'étonnai lorsqu'il me prit le bras.

– Que Dieu ait pitié de nous, Lionechka, murmura-t-il.

Il semblait sur le point d'ajouter quelque chose, mais à cet instant précis Avdeïev sortit de la pièce voisine et il s'éloigna, non sans m'avoir lancé auparavant un regard alarmé.

– Je peux savoir où tu étais ? s'écria Kharitonov quand je pénétrai dans la cuisine. Il est midi et j'attends que le camarade Sednev veuille bien rentrer avec son sac de légumes !

J'étais sûr qu'il me passerait un savon, mais je m'aperçus que ses récriminations avaient un côté théâtral. Elles semblaient destinées à un autre auditeur que moi. Quelques secondes plus tard, je compris que j'assistais à un numéro dans lequel Kharitonov interprétait son propre rôle de manière outrancière, pour satisfaire trois ou quatre soldats qui fumaient, appuyés contre le chambranle de la porte de la cuisine. Quand ils se furent éloignés et postés derrière la fenêtre, las d'entendre les plaintes domestiques du cuisinier, celui-ci me raconta ce que tous savaient déjà dans la Maison à destination spéciale.

– Ils viennent de l'emmener, lâcha-t-il, et avant même que je lui demande de qui il parlait il baissa le ton. Nagorny, que Dieu le protège. Il n'a rien trouvé de mieux que de s'opposer à un des soldats... Imagine un peu !

Je songeai à Youri et mon sang se glaça dans mes veines.

– Prends un balai et passe-le, comme si tu faisais le ménage, pour qu'en te voyant à travers la fenêtre ils ne trouvent rien d'anormal à ton comportement.

J'obéis et Kharitonov poursuivit son histoire, s'interrompant par instants pour m'ordonner d'une voix délibérément tonitruante : « Balaie bien sous la table, mon garçon » ou « Ramasse donc ces miettes, Lionechka, il faut que le sol brille comme un sou neuf ».

– Tout a commencé à l'heure du petit déjeuner. Comme chaque matin, Nagorny est venu préparer un plateau avec du thé noir et deux toasts pour le monter au tsarévitch.

– Aujourd'hui non plus il ne s'est pas levé ?

– Et je ne pense pas qu'il le fasse avant longtemps. Hier, il avait de la fièvre et sa jambe était de nouveau enflée.

– Que s'est-il passé ?

– Apparemment, quand Nagorny est entré dans la chambre que le tsarévitch partage avec ses parents, il a trouvé un de ces types, un sergent débraillé avec qui il avait déjà eu une altercation, hier, à propos des bottes d'Alexis qu'il comptait cirer mais que cet homme voulait faire astiquer par « le fils de Nicolas le Sanguinaire », a murmuré Kharitonov en pointant le menton du côté des soldats.

– Où étaient le tsar et la tsarine à ce moment-là ?

– Dans la salle à manger, où ils prenaient le petit déjeuner avec les grandes-duchesses. Ils sont montés dès qu'ils ont entendu les cris.

– De qui ?

– Du garde, surtout. À croire qu'on était en train de l'assassiner. Nagorny l'avait trouvé assis sur le lit du tsarévitch, et il venait d'arracher du chevet une chaîne en or à laquelle Alexis avait accroché une petite collection d'images saintes. « Tu vois à quoi servent tes prières, Aliocha ? lui disait-il. Cette chaîne sera beaucoup mieux autour de mon cou. Qu'est-ce que tu en penses ? » Nagorny s'est jeté sur lui pour lui reprendre le bijou et il s'est mis à crier comme un cochon qu'on égorge. Les autres gardes sont montés et ont contenu Nagorny. Et ensuite ils l'ont emmené.

– Où ça ?

– D'après eux, devant un tribunal, pour qu'il réponde de ses actes. Tu aurais vu dans quel état il était… Ils l'avaient roué de coups, le malheureux. C'est le début de la fin, Léonid. Depuis qu'on est arrivés dans cette maison, on ne nous donne plus de journaux et notre courrier est tellement caviardé qu'on ne peut même pas le lire. Ici, on ne sait rien de ce qui se passe à l'extérieur, mais aujourd'hui je les ai entendus discuter, enchaîna-t-il en désignant les gardes. Il y a du nouveau à Moscou et aussi à Ekaterinbourg. On raconte que les jours d'Avdeïev sont comptés, qu'il n'a pas assez de poigne et qu'on va le remplacer. Ils veulent faire venir des soldats de très loin. Des Lettons. Tu sais pourquoi ? Parce que les choses bougent à Moscou.

– Je ne vois pas le rapport entre Moscou et ici.

– Moi non plus, parce que je ne fais que répéter des bribes de conversations que j'ai entendues dans la cour.

– Nous avons tous deux les oreilles bien affûtées, n'est-ce pas, chef ?

– Oui, fit Kharitonov, qui ne sembla pas apprécier ma remarque. En tout cas, j'ai mis des semaines à assembler ce casse-tête et je suis au moins arrivé à tirer une chose au clair : les bolcheviques ont plus de mal que prévu à consolider leur révolution dans un pays aussi grand que le nôtre. À l'étranger, ils se sont enfin rendu compte du danger que représentent les rouges au pouvoir, et il paraît que des troupes américaines et anglaises viennent de débarquer à Mourmansk. Mais ce n'est pas tout. Après l'échec de sa proposition de coup d'État et l'arrivée au pouvoir des bolcheviques, le général Kornilov a constitué une armée Blanche, par opposition à l'armée Rouge. Ici, en Sibérie, des troupes indépendantes de quarante-cinq mille Tchèques marchent vers l'est. Ces soldats sont d'anciens prisonniers de guerre pris à l'armée austro-hongroise. Kerenski les a équipés et entraînés pour qu'ils luttent sur le front russe et nous rendent notre patrie. Ils détestent les bolcheviques.

– Ce que tu me dis là est très étrange. Que font quarante-cinq mille Tchèques sur notre territoire ?

– Il y a une telle anarchie que tout est possible. Les Tchèques sont très proches d'Ekaterinbourg.

– Ils vont venir jusqu'ici ? demandai-je, tâchant de ne pas parler trop fort tout en redoublant d'ardeur dans mes coups de balai. Ils seront peut-être notre planche de salut.

– Ou notre tombe, Lionechka. S'ils arrivent bientôt, ils pourront peut-être nous libérer, mais si, à Moscou, les bolcheviques cessent de se quereller et réagissent à temps, il se peut que…

Tout en m'éclairant sur la situation, Kharitonov fourrageait de-ci, de-là et s'activait devant les fourneaux. Il tenait dans une main un couteau pour découper en petits morceaux les légumes qui égaieraient son ragoût. Pour mieux me faire comprendre le sort que les autorités moscovites nous avaient sans doute réservé, il trancha un chou rouge d'un geste résolu. Les deux moitiés dégringolèrent par terre.

– Oui, Léonid. On va jouer notre vie à pile ou face. Ouvre grands les yeux et les oreilles.

– C'est ce que je fais déjà, protestai-je, mais il y a deux choses qui m'échappent. Avant, tu as dit que les jours d'Avdeïev étaient comptés et qu'on allait relever nos gardes et les remplacer par des Lettons. Qu'est-ce que ça signifie ?

Avant de reprendre la parole, Kharitonov regarda dans la cour pour s'assurer que nos geôliers ne nous entendaient pas.

– Que ce sont des bourreaux. Pour moi, c'est ça. Je suis tartare et je sais ce que je dis. Ils veulent que tout soit prêt pour pouvoir presser la détente quand il le faudra. Même endoctriné par les bolcheviques, un Russe aura forcément la main qui tremble s'il doit pointer son arme sur son *tsar batiouchka* : plus qu'un crime, c'est un sacrilège. Or ils auront besoin d'au moins dix soldats pour constituer un peloton d'exécution.

– Tu dis n'importe quoi ! m'écriai-je, indigné. C'est impossible ! Dans ce pays, personne n'osera jamais tuer l'empereur.

– Oui, c'est impensable, en effet, malgré le sang qui a coulé et même si on le surnomme Nicolas le Sanguinaire et si on le rend responsable de toutes les misères... C'est pourquoi ils vont faire venir des étrangers. C'est la seule explication qui me vient pour justifier le changement de gardes qu'on nous a annoncé.

– Je n'en crois pas un mot ! Il ne va rien se passer de tel. Ils ne relèveront pas les gardes et Avdeïev restera à son poste, parce qu'on ne peut pas vraiment lui reprocher de ne pas avoir de poigne. Moi, ce que je pense, c'est que quelque chose est en train de se passer loin d'Ekaterinbourg et qu'on va bientôt nous libérer. Maintenant, tais-toi ! m'exclamai-je en plaquant mes mains sur mes oreilles. Je ne veux plus rien entendre !

Je dus me faire violence pour ne pas crier ni alerter les gardes, qui se seraient alors interrogés sur le comportement du marmiton qui venait de flanquer par terre la jatte en céramique contenant les légumes détaillés avec maestria par son chef. Le chou, les navets et les oignons jonchaient le sol.

Je partis en courant.

– Où comptes-tu aller, Léonid Sednev ? hurla Kharitonov.

Mais j'avais déjà disparu et je ne m'arrêtai qu'une fois parvenu au dernier étage, dans la minuscule chambre que je partageais avec les autres domestiques.

Youri me manquait. J'étais sûr que lui aurait su comment réagir...

Montevideo, 17 juillet 1994

Oh non ! Pas maintenant, alors que j'étais presque au bout ! Ça m'élance... Je dois continuer, terminer mon enregistrement. L'invraisemblable docteur Sánchez m'a dit que, si j'avais mal, je devais prendre un petit cachet miraculeux qu'il m'a prescrit. Je n'ai qu'à le demander à l'infirmière, j'ai un interphone pour ça... Mademoiselle, vous voulez bien venir un instant ? Ou plutôt... dites à María qu'il faut que je lui parle... Comment ? Elle n'est pas là ? Euh, une seconde, je vous prie, je vais éteindre ce magnétophone pour qu'on puisse s'entendre. À quelle heure arrive-t-elle ?... Mon Dieu ! Je ne sais pas si je pourrai attendre aussi longtemps.

*

Un deux trois, j'enregistre, j'enregistre de nouveau... La lumière verte est-elle allumée ? Bien, je crois que ça marche. Je reprends.

Ma chère María, comme je vous l'ai déjà dit toutes les fois que je me suis adressé à cet engin, quand vous écouterez cette partie, effacez les mots du début pour ne laisser que les propos qui nous intéressent et les relier à la partie précédente. Vous n'êtes pas là, alors j'ai demandé à l'infirmier de garde de me donner le cachet du docteur

Sánchez, et j'ai maintenant l'impression d'être groggy ou d'avoir une demi-bouteille de vodka dans le ventre. Enfin, ça vaut mieux, ce n'est pas désagréable, bien au contraire. Retournons d'un coup d'ailes à Ekaterinbourg. J'en étais au moment où Kharitonov me confiait ses craintes quant à l'éventuel remplacement des gardes et à ce que cela signifiait. Je reprends donc là… Vous êtes prête, María ? Vous allez assister aux derniers jours de vie des citoyens Romanov.

Il fait si chaud !

Le 4 juillet, douze jours avant le massacre, nos nouveaux bourreaux arrivèrent. Yakov Yourovski, le commissaire qui les commandait, était grand et une épaisse moustache cachait sa lèvre supérieure. La meilleure façon de le décrire serait de dire qu'il était l'antithèse de son prédécesseur. Avdeïev avait souvent des accès de colère, Yourovski semblait imperturbable ; Avdeïev aimait humilier ses prisonniers et s'en vanter, Yourovski les traitait avec une exquise politesse et exigeait que ses hommes fassent de même. Le tsar décela sans doute quelque chose dans ses yeux inexpressifs, car il écrivit dans son journal : « De tous nos commissaires, cet individu est celui qui me plaît le moins. Cette fois, j'ignore entre quelles mains nous sommes. » Comme l'avait prédit Kharitonov, Yourovski amena avec lui dix « Lettons », ainsi que nous appelions tous ceux qui parlaient une langue différente de la nôtre. Il s'agissait pour la plupart de paysans magyars qui ne baragouinaient que quelques mots de russe. Fidèles à leur amabilité à toute épreuve, les grandes-duchesses les saluaient chaque matin en leur adressant de grands sourires et essayaient de se faire comprendre par signes. Il faisait chaud, nous allions bientôt entrer dans l'époque dite des « nuits blanches » et notre instinct nous incitait presque tous à nous comporter comme dans certains songes d'une nuit d'été.

– Bonjour ! me lança Tatiana Nikolaïevna alors que je me dirigeais vers la salle à manger.

J'allais mettre le couvert quand j'eus tout à coup l'impression qu'elle m'adressait un sourire capable de faire fondre la glace. Depuis que j'avais joué les Michel Strogoff, mon amour pour elle s'était réduit à une douce blessure, pourtant mon cœur s'emballa. Elle était radieuse dans sa robe claire, amère caricature de celles qu'elle portait autrefois.

– Bonjour, répondis-je.

J'allais ajouter quelque chose, puis je m'aperçus que, comme son baiser, son sourire était destiné à un autre. Derrière moi se tenait un de nos nouveaux gardes, un jeune homme à la mâchoire carrée avec une fine moustache blonde qui ressemblait tant à Dimitri Malama que j'eus un instant l'impression de voir un fantôme.

– C'est une belle matinée, tu ne trouves pas, Léo ? s'écria Tatiana. Il fait si chaud que… Tu sais ce que nous nous sommes dit, Macha et moi ? Nous aimerions demander au camarade Yourovski la permission de prendre un bain.

– Un bain, répétai-je comme un idiot. Où ça ?

– Dans la baignoire. Où veux-tu que ce soit ?

Elle me parlait, mais souriait à la copie paysanne de Mitia.

– Dans cet hôtel *de luxe**, nous n'avons guère le choix, enchaîna-t-elle. C'est soit dans la baignoire, soit dans le bac à laver de la cour, avec des gardes tout autour. Or, n'étant pas encore une adepte du naturisme, je ne penche guère pour la deuxième solution. En principe, on nous autorise un petit bain tous les deux jours. Mais il fait tellement chaud aujourd'hui… Tu crois que si j'insiste il cédera ?

Je m'apprêtais à lui répondre que même un type glacial comme Yourovski ne pouvait que fléchir devant un de ses regards, mais je me ravisai après avoir observé mon rival. Il devait mieux parler le russe que je ne le pensais, car, distant et hostile un moment plus tôt, il semblait s'être radouci en compagnie de Tatiana et à l'écoute de notre conversation.

– De toute façon, ça ne coûte rien de demander, et puis c'est exceptionnel. Papa dit toujours que, quand on y met les formes, on obtient beaucoup, et que même les personnes les plus dures ont un cœur. Macha pourrait prendre le sien cet après-midi et moi demain matin. Je vais lui parler.

Yourovski accéda à sa requête et, peu après quatre heures, je vis María Nikolaïevna sortir de sa chambre, une serviette à la main. C'était l'heure de la promenade et le tsar prenait l'air dans la cour avec les autres grandes-duchesses, sous l'œil vigilant des soldats. La porte de la chambre de Nicolas et Alexandra était fermée, mais des voix me parvenaient de l'intérieur. Je pensai qu'Alexis et sa mère jouaient aux cartes ou bavardaient pour tuer le temps. Depuis quelques jours, l'état de santé du tsarévitch avait empiré. Il n'avait eu aucune hémorragie, mais ne quittait plus le lit. La chanson qu'il prenait plaisir à fredonner quand il cherchait autrefois à échapper à son marin-nounou était devenue une triste réalité :

Alexis ne peut pas courir,
Alexis ne peut pas sauter,
Alexis ne peut pas jouer,
Alexis ne peut pas vivre,
il ne peut pas, il ne peut pas…

Je souris avec tristesse en songeant à la famille Romanov – *ma* famille, car c'était désormais la seule que j'avais. Depuis notre arrivée à Ekaterinbourg je n'avais reçu aucune lettre, pas même de tante Nina, qui s'était jusqu'alors toujours débrouillée pour me donner de ses nouvelles. Qu'était-elle devenue ? Et tante Lara ? On disait qu'à Petrograd c'était l'anarchie, et que les pillages et les fusillades se multipliaient. La vie ne valait pas grand-chose, et moins encore celle des serviteurs des riches et des aristocrates. On estimait qu'ils avaient trahi leur classe : le pire des crimes dans notre glorieux État révolutionnaire.

– Bonjour, Léo ! s'exclama Macha. N'est-ce pas épatant ? Tatiana a convaincu Yourovski et nous avons le droit de prendre un bain. Avec la chaleur qu'il fait, c'est fantastique ! Je ne comprends pas pourquoi ça ne dit rien à Olga et à Anastasia. Tatiana, elle, préfère prendre le sien demain parce que c'est samedi. Elle vient de me dire que je peux occuper la salle de bains tout de suite si je ne vais pas me promener. J'y renonce avec plaisir, je suis trop contente. Tu aurais dû la voir discuter avec Yourovski… Elle était grandiose ! Pour qu'il ne lui répète pas une fois de plus qu'on consomme trop d'eau, elle lui a promis que ce serait exceptionnel. « Ça, mademoiselle, ça ne fait aucun doute, a poursuivi Macha en imitant le timbre caverneux et froid du commissaire. Vous pouvez être sûre que ce sera votre dernier bain. » Quel type étrange ! Olga dit que sa voix lui glace le sang. Moi, je trouve plutôt sympathique de sa part de nous passer ce caprice, non ?

Je n'eus aucun mauvais pressentiment en entendant ces mots. Comment aurais-je pu savoir que, deux heures avant de s'entretenir avec Tatiana, Yourovski était allé inspecter la mine abandonnée où le soviet d'Ekaterinbourg pensait faire disparaître les corps après le massacre ? J'étais également loin d'imaginer qu'à la suite de cette expédition il avait commandé sept cents litres d'essence et cent litres d'acide sulfurique pour en asperger les cadavres après les avoir dévêtus et découpés en morceaux. Un type minutieux que ce Yourovski. Il aimait le travail bien fait.

Je comprends aujourd'hui qu'un professionnel aussi froid ait pu se sentir magnanime en accordant à l'une de ses victimes un dernier désir bien innocent.

– Tu veux bien me rendre un service, Léo ?

– Tout ce que tu voudras, Macha.

J'admirais de plus en plus chez elle sa capacité à savourer les instants les plus infimes, son aptitude au bonheur.

– Enfin… je veux dire que je ferai tout ce que tu me demandes, corrigeai-je.

– Écoute, c'est très simple. Les soldats sont dans la cour avec papa et mes sœurs. À l'intérieur, il n'y en a qu'un qui monte la garde, celui qui ressemble à Mitia Malama – tu vois de qui je parle ?

Je hochai la tête.

– Je ne pense pas qu'il vienne m'embêter, tout d'abord parce qu'il n'a d'yeux que pour Tatiana, ensuite parce que Yourovski leur a interdit de nous approcher. Il s'imagine peut-être qu'en battant des cils devant eux on va les convaincre de nous aider à nous évader ! s'exclama-t-elle en partant d'un petit rire teinté d'amertume. Maman est la seule qui continue de prier pour que Raspoutine nous envoie de « bons soldats russes ». Moi, je ne crois plus en rien, Léo, et je profite de l'instant présent.

– Dis-moi ce que tu attends de moi, balbutiai-je, la gorge nouée.

– J'aimerais juste que tu restes ici, dans le couloir, près de la porte du cabinet de toilette. Ils ne veulent pas qu'on s'enferme à clé et toutes les serrures sont à l'extérieur. Je voudrais savourer le petit cadeau de Yourovski sans avoir l'œil rivé sur la porte ni craindre constamment que quelqu'un entre. C'est merveilleux de te savoir ici, Léo, ajouta-t-elle sans attendre ma réponse. Promets-moi que tu ne nous abandonneras jamais.

– Jamais, répétai-je.

Voilà précisément pourquoi, après tant d'années, j'enregistre ce récit sans me soucier de ma douleur ni des sueurs froides et poisseuses qui ruissellent le long de ma nuque. Serais-tu assez cruelle, *Pikovaya Dama*, pour ne pas me laisser achever mon histoire ? Allons, fais preuve de générosité envers un homme dont la vie est finie. Tu as vu quel jour on est, aujourd'hui ? Le 17 juillet. Toi qui aimes tant les coïncidences et la symétrie, je suis sûr que tu l'as remarqué. Tu sais ce que ça signifie. Je ne te demande que deux petites heures, il ne m'en faut pas plus.

L'heure de Macha

Elle ferma la porte derrière elle et, pendant quelques secondes, sa silhouette se dessina, lointaine et imprécise, derrière la vitre dépolie de la porte du cabinet de toilette. J'ignore si avant notre arrivée la villa Ipatiev possédait des portes aussi indiscrètes. Je ne crois pas. Je suppose que le soviet d'Ekaterinbourg avait donné l'ordre de changer le battant en bois contre ces grands carreaux opaques au travers desquels on distinguait ce qui se passait à l'intérieur. Une mesure de sécurité en même temps qu'une humiliation. Heureusement, la baignoire et les W-C étaient suffisamment loin pour nous procurer un peu d'intimité. Toutefois, si la personne qui se trouvait dans la salle de bains commettait l'erreur de trop s'approcher de la porte, le soldat posté de l'autre côté la voyait, certes voilée et fantomatique, mais de manière assez précise pour en apprécier les contours. Afin d'éviter ce désagrément, les Romanov y suspendaient un peignoir ou une serviette, et je m'attendais à ce que Macha fasse de même. Il n'en fut rien, si bien qu'au fond du cabinet, près de la baignoire, j'entrevis sa silhouette qui ouvrait les robinets et préparait les affaires dont elle avait besoin. Je regardai à droite, du côté de l'escalier, puis à gauche. Comme elle me l'avait dit, le sosie de Mitia Malama s'intéressait sans doute davantage à ce qui se passait dans la cour et à la promenade de Tatiana Nikolaïevna qu'au bain de sa cadette. En tout cas, je n'avais pas l'impression qu'il rôdait dans les parages.

L'eau cessa de couler, le bain était prêt. N'ayant rien d'autre à faire, j'observais les jeux d'ombre, les formes suggérées plus que réellement discernées. La scène devint cependant plus nette lorsque Macha, au lieu de se dévêtir à côté de la baignoire, se dénuda près de la porte. Elle défit un à un les boutons de sa robe en coton et poursuivit le lent rituel qu'accomplit toute femme qui se déshabille, un spectacle qui m'avait toujours fasciné et que Daria m'avait donné à voir à l'époque où nous travaillions dans l'hôpital de campagne de la tsarine. Comme d'autres domestiques, elle avait hérité de vêtements raffinés de ses maîtresses et c'était un plaisir que de dénouer sans hâte les corsets de satin, les chemises de batiste et les culottes de soie qu'elle portait fièrement sous son austère uniforme d'aide-soignante. Une cérémonie similaire se déroulait à présent sous mes yeux. En cette journée torride de juillet, Maria Nikolaïevna, ancienne grande-duchesse de Russie et magnifique jeune fille de dix-neuf ans, commença en me tournant le dos à se déshabiller. Nous étions si près l'un de l'autre que, si la vitre ne nous avait pas séparés, j'aurais pu promener mes doigts sur sa nuque… Elle savait forcément que j'étais là, mais cela ne semblait guère lui importer. Seule comptait l'étrange parade qu'elle offrait à ma vue. La robe par terre, elle s'étira comme une chatte avant de retirer sa combinaison en la faisant passer par-dessus sa tête. « Pourquoi, Macha ? pensai-je. À quoi joues-tu ? Aurais-tu oublié que je ne suis plus un *water-baby* et que tu n'as à présent plus rien d'une grande-duchesse ? Des naufrages comme celui dont nous sommes victimes nous mettent sur un pied d'égalité. »

Sans se retourner, Maria Nikolaïevna dénoua les lacets de son corset, qui tomba par terre, suivi d'une chemise légère, puis de ses bas. La totalité de ses vêtements resta là, sur sa gauche. Elle ne portait plus qu'une culotte festonnée de dentelle. Elle hésita quelques secondes, enfin, d'un geste brusque, comme lorsqu'on prend une décision qu'on craint de regretter, elle s'en défit en la laissant glisser le long de ses hanches et de ses cuisses. Ce n'est qu'alors qu'elle se retourna pour se montrer de face. Elle était magnifique, fière, semblable à une Ève désobéissante qui se moque d'être expulsée du paradis. Moi, à la fois proche et lointain, je n'osai pas franchir le pas et actionner la poignée d'une porte que nous savions elle et moi ouverte pour étreindre ce corps qui s'offrait sans autre protection que des carreaux de verre. C'était pourtant simple et à ma portée... Mais je m'en gardai, hanté par le spectre de Michel Strogoff.

« Pardonne-moi, Maria Nikolaïevna, pensai-je. Il n'y a pas longtemps, on m'a donné un baiser plein d'amour destiné à un autre, et ça ne m'a pas plu. J'ignore qui est ton amoureux perdu, ton Mitia Malama. J'ignore de qui tu rêves chaque nuit et à qui sont réservées les caresses que je recevrais de ta part si j'ouvrais cette porte. La vie n'a pas été généreuse avec toi, Macha, ni avec aucune de tes sœurs. Il y a eu la guerre et la révolution, et on vous a privées de la possibilité de quitter la cloche de verre où, selon votre grand-mère Minnie, vous aviez été couvées depuis l'enfance... Comme le dit Tania, vous êtes toutes les quatre belles, intelligentes et talentueuses. À quoi cela vous sert-il ? À rêver éveillées, comme le fait Olga, ou à essayer de retrouver chez d'autres, comme Tatiana, le goût de l'unique baiser que vous a donné un homme il y a bien longtemps ? »

Je m'éloignai de la porte pour ne plus la voir. Elle se rendrait vite compte que nul ne l'espionnait. Je gagnai le palier de l'escalier afin de poursuivre ma garde, comme je le lui avais promis, et restai là un long moment, le temps qu'elle se décide à sortir du cabinet de toilette.

– Il ne s'est rien passé, n'est-ce pas, Léo ?

– Personne n'est monté, Votre Altesse, lui dis-je, utilisant malgré moi un titre qui n'avait plus lieu d'être.

– Pour toi, je serai toujours Macha. J'espère pouvoir te le prouver un jour.

16 juillet 1918

On dit qu'un présage précède toujours les pires malheurs. La veille du massacre des Romanov, Jimmy et Joy hurlèrent toute la nuit, mais j'interprétai ce signe comme une bénédiction et non comme une prémonition. Je rêvais que nous étions à Tobolsk, l'après-midi de la mort de Youri. Olga Nikolaïevna venait de subir les brimades des gardes et mon ami volait à son secours. « Ils vont le tuer, me dis-je, je vais revivre cette scène. » Et, en effet, j'entendis de nouveau les coups de feu, vis sa bouche et son œil arrachés par la balle, la pointe de la botte de l'assassin soulever son corps avant d'éclater de rire et de déclarer que la révolution n'avait pas besoin de nains. Joy aboya, Jimmy l'imita, puis gémit longuement. Cette nuit-là, contrairement à leurs habitudes, ils ne dormaient pas dans la chambre des grandes-duchesses. On venait de leur administrer un traitement contre les puces et les tiques et la tsarine avait préféré qu'ils restent dans la cour. « Ils ont dû voir un rat, la cave en est pleine », pensai-je. Je me rendormis quelques instants et, peu après, je fis un autre rêve. Je me trouvais dans le royaume d'OTMA, les mains et le visage noirs de suie, comme la première fois que j'avais ramoné une cheminée. « Tu as fais tomber quelque chose », disait Youri en me montrant le journal de Maria, par terre. « Ce n'est pas à moi », lui répondais-je.

« Tu ne vois pas l'initiale, sur la couverture ? C'est le "L" de Léonid ! » insistait mon ami. « Non, c'est un "M" », rétorquais-je. « Pas du tout ! Tu es aveugle ou quoi ? Il est à toi, demi-portion, ouvre-le. » « *Ouvre-le,* insistait Macha dans mon rêve. Tu n'as pas entendu ce que Youri vient de te dire ? Va-t-il devoir t'apparaître à nouveau sans son œil, à moitié mort, pour que tu l'écoutes ? » J'étais debout devant la cheminée et Macha se poussait pour me laisser voir dans l'âtre le corps ensanglanté de Youri au milieu des cendres. « Non, s'il te plaît ! » la suppliais-je. « Ce n'est qu'un rêve, espèce d'idiot ! Il ne s'est rien passé de tel. Ouvre le journal et tu comprendras », me rassurait-elle.

Sur le coup de cinq heures et demie, quelqu'un vint me tirer du sommeil. Alexis Troupp, mon compagnon de paillasse, me secoua avec la violence d'un troisième cauchemar.

– Allons, fainéant ! Tu crois peut-être que je vais allumer le feu à ta place ? Quand il descendra, Kharitonov sera ravi de trouver son fourneau plus froid qu'un cadavre !

Pour faire fonctionner notre cuisinière à bois, il fallait se livrer chaque matin à un rituel immuable et l'allumer très tôt pour qu'elle atteigne la bonne température à l'heure voulue. J'étais chargé de ce cérémonial ennuyeux. Cependant, après m'être acquitté de cette tâche, j'avais avant que les autres serviteurs n'arrivent une bonne heure de tranquillité, pendant laquelle la Maison à destination spéciale n'appartenait qu'à moi. Les sentinelles qui montaient la garde dans la cour s'étaient assoupies en attendant la relève, si bien que je pouvais disposer des lieux en toute liberté. J'adorais me promener dans les pièces désertes, à la recherche d'un trésor, tantôt un mouchoir imprégné de jasmin, tantôt une lettre interrompue qui avait fini à la poubelle. Ces excursions étaient de pâles imitations de celles que je faisais autrefois au royaume d'OTMA, et mes trouvailles se révélaient bien moins intéressantes. Après avoir été expulsé du paradis, il faut faire attention à ce qu'on dit et plus encore à ce qu'on écrit. « Les murs ont des oreilles et, pire, ils ont à présent quatorze yeux, avait coutume de dire la tsarine. Prenez garde, mes filles, et soyez prudentes. »

Ce matin-là, je considérai donc comme un cadeau inattendu ce que je venais de découvrir dans la bibliothèque. Posé sur le bureau, j'avais vu un morceau de buvard. Tout le monde savait à l'époque combien ces feuilles de papier absorbant peuvent être révélatrices. Nous savions aussi qu'il suffisait de les placer devant un miroir pour qu'elles livrent tous leurs secrets. À qui était cette écriture ? Il ne me serait pas difficile d'y mettre rapidement un nom. À l'université des témoins invisibles, mes années d'apprentissage dans des conduits de poêle m'avaient valu d'être reçu docteur en analyse graphologique avec les félicitations du jury. Était-ce l'écriture de Tatiana ? Je m'étonnai de constater que les battements de mon cœur ne s'accéléraient plus à l'évocation de son nom. J'en éprouvai de la peine. L'amour est ainsi fait, plein de bizarreries. On souffre quand on aime, on souffre aussi quand on cesse d'aimer, comme si, en les perdant, on regrettait cette souffrance, ce pincement, ce trouble délicieux. Je tournai le buvard entre mes doigts et songeai un instant à le remettre à sa place – quand on tombe sur un indice peu digne d'intérêt, l'espionnage n'est guère passionnant. C'est alors qu'il me sembla entrevoir mon nom, écrit à l'envers :

LÉONID

Je regardai autour de moi. La bibliothèque ne possédait aucun miroir, mais il y en avait un grand dans le couloir et…

*

Encore cet élancement ! Mon Dieu, que c'est douloureux... Je ne peux pourtant pas baisser les bras maintenant. S'il te plaît, Dame de pique, je ne te demande même pas une petite heure, quarante-cinq minutes suffiront. Allons, vieille rouée, un peu de fair-play, je t'en prie.

*

C'est donc dans le couloir que je dirigeai mes pas. J'en approchai le buvard et lus : « ... LÉONID, j'écris ton nom en m'arrêtant sur chacune de ses lettres. Qu'ai-je fait de mal, Léo ? Cet après-midi, dans le cabinet de toilette, je voulais juste que tu me voies... »

Le reste était illisible, perdu au milieu de tout un tas de mots, lettres, chiffres, bouts de phrases calligraphiés par des mains différentes et exprimant la supplique, l'espoir, des prières, des lamentations ou des souvenirs. La famille impériale partageait le peu qui lui restait, y compris les buvards. Je l'ai conservé et j'ai tâché à maintes reprises et malheureusement sans succès de percer le mystère de ce testament secret, ce voile de Véronique couvert de nombreux désirs non exaucés.

– Je peux savoir ce que tu fais ici ? Comment t'appelles-tu, mon garçon ? J'ai oublié ton nom.

Je venais juste de glisser ma trouvaille dans la poche arrière de mon pantalon lorsque le commissaire Yourovski fit irruption dans la pièce. Il ne semblait pas de bonne humeur, aussi m'empressai-je de lui répondre le plus rapidement et le plus aimablement du monde.

– Léonid Sednev, monsieur, pour vous servir.

– On ne t'a pas dit qu'il n'y a plus de serviteurs, en Russie, mais des camarades ? Quel âge as-tu et quelle est ta fonction ? Tu travailles pour eux depuis longtemps ? D'où viens-tu ?

Que de questions il me posait ! Jusqu'à présent, notre nouveau commandant m'avait ignoré et semblait me regarder sans me voir, d'une manière qui m'évoquait le prince Youssoupov et d'autres personnes de grande noblesse.

– J'ai quinze ans, camarade, et une de mes obligations consiste à allumer le fourneau, raison pour laquelle je descends plus tôt que les autres. Ensuite, j'ai pris l'habitude d'inspecter les pièces et de m'assurer que tout est en ordre, ajoutai-je pour justifier ma présence dans la bibliothèque.

Mais Yourovski ne parut pas se satisfaire de cette explication, il voulait en savoir davantage.

– Et à part allumer le fourneau et fouiner dans les salons, que fais-tu d'autre, mon gars ? J'ai besoin de tout savoir, de connaître tes relations avec la famille, ce que tu fais, si tu joues parfois avec le tsarévitch ou si tu vas te promener avec les filles. Il paraît qu'il leur arrive d'aider en cuisine. Que font-elles, au juste ? Et l'ancien tsar et sa femme ? Ils te demandent de faire des commissions pour eux ? Quel genre de courses te confient-ils ?

J'imagine qu'il m'interrogeait pour voir si je servais de lien entre la famille et d'autres personnes de l'extérieur, susceptibles de les aider à fuir. J'aurais aimé lui mentir, feindre de lui cacher quelque chose, mais ce ne fut malheureusement pas nécessaire tant il était évident que, si un projet d'évasion était lancé, il n'y avait aucune raison pour qu'un garçon comme moi y soit mêlé.

– Réponds à mes questions. Quelles sont tes relations avec les membres de la famille ? Tu es arrivé avec eux de Petrograd, n'est-ce pas ? Je veux savoir exactement ce que tu fais dans cette maison.

Je lui racontai ce qu'il avait envie d'entendre, lui dis que j'avais le même âge que le tsarévitch et que nous jouions parfois ensemble.

– Je m'amuse aussi avec les chiens, poursuivis-je. Ce sont les membres de la famille que je préfère, mentis-je pour ne pas avoir à lui décrire mes rapports avec les grandes-duchesses. J'adore me rouler par terre avec Joy et Jimmy, dans la cour. Tout le monde rit en nous voyant.

Il dut me prendre pour un parfait nigaud et je m'en réjouis. J'avais l'impression que le buvard que j'avais subtilisé trouait ma poche et souhaitais vite mettre un terme à cette discussion pour relire les mots de Macha et penser à la conduite à adopter. Où avait-elle écrit la suite de sa phrase ? Assurément pas dans une lettre, même si les Romanov et Anna Vyroubova s'adressaient quotidiennement des billets, car tout était relu par nos geôliers, si bien que ces notes n'étaient que de pauvres résumés de situations banales et ennuyeuses. Maria Nikolaïevna avait dû coucher ces lignes sur une page de son journal intime. Ces mots s'adressaient-ils donc vraiment à moi ?

Si tel était le cas, certaines scènes vécues dans le passé prenaient à présent un sens nouveau. Comme le triste matin où nous avions pris le train pour Ekaterinbourg, lorsque Macha avait posé ma main sur son cœur pour que je le sente battre, ou quand ses sœurs s'étaient moquées d'elle, à bord du *Rouss*, parce qu'elle posait sur moi un regard de « chien battu ». Je n'avais jusqu'à présent accordé aucune importance à ces nombreuses marques d'affection, qui me semblaient normales en ces temps difficiles, comme deux amis peuvent s'embrasser pour se donner du courage alors que la tempête se déchaîne. Je pensais encore à son innocente exhibition de la veille, que je croyais destinée à un autre, comme le baiser de Tatiana. Et voilà que mon nom écrit de sa main venait de me faire comprendre qu'il n'en était rien. « Maria, Macha », dis-je à voix haute en songeant que ce nom m'était doux à l'oreille.

Je me signai trois fois. Même Youri, en rêve, semblait m'autoriser à aller chercher le journal à la couverture nacrée. Il m'aurait conseillé le contraire que je l'aurais fait quand même. Je ne crois ni aux fantômes ni aux messages de l'au-delà. Mais n'avais-je pas après tout été toute ma vie le témoin invisible de ce qui se déroulait autour de moi ? Qui sait ? Pour une fois, j'allais peut-être sortir de l'ombre pour occuper enfin le premier plan.

Pour vérifier si Macha était éprise de moi, je n'avais qu'à retourner dans le royaume d'OTMA ou, plutôt, dans la chambre qui n'en était qu'une piètre caricature, la pièce sans charme qu'elle partageait avec ses sœurs, à l'étage. Je pouvais le faire à l'heure du déjeuner, quand tout le monde se trouverait dans la salle à manger, mais Kharitonov ne me laissait pas une minute de répit et m'obligeait parfois à mettre le couvert. Tenter le coup pendant la promenade des quatre sœurs et de leur père était une autre possibilité, mais je n'avais pas envie d'attendre aussi longtemps. Pourquoi n'y allais-je pas maintenant ou dans une demi-heure, juste après le petit déjeuner ? Cela ne me prendrait que quelques minutes, car la pâle copie de leur ancien royaume se différenciait notamment de ce dernier par son exiguïté. Je n'aurais pas à fouiller dans des commodes en ébène aux tiroirs bourrés de trésors, ni sur des étagères garnies de livres ou des bureaux en bois de rose couverts de dossiers et de documents. « Je te parie dix kopecks que je sais où elle le cache », me dis-je à moi-même en ouvrant la porte avec précaution.

Le sens de l'odorat est traître. Il peut faire douter quelqu'un, lui donner l'illusion de voir ce qui n'est pas. J'eus un instant l'impression de me retrouver dans un

Éden, lorsque, entrant dans la chambre, des effluves de violette, de rose, de jasmin et de lilas me montèrent aux narines. Les parfums préférés des quatre sœurs flottaient dans la pièce, m'emportant loin des fenêtres aux vitres badigeonnées de blanc, du parquet brut et éraflé, du papier peint défraîchi et des deux cuvettes émaillées posées sur des supports en fer. Le mobilier se constituait de deux chaises et des paillasses, seul point commun entre l'ancien et le nouveau royaume d'OTMA, car elles étaient aussi étroites et inconfortables que celles du palais Alexandre. «*Babouchka* Catherine serait fière de tant d'austérité», me dis-je en avançant sur la pointe des pieds vers les paillasses, seul endroit où dissimuler un objet.

Je soulevai un coussin et vis un journal intime. J'avais fait mouche du premier coup. Celui-ci portait un «O». Olga Nikolaïevna mentionnait-elle dans son journal l'homme qu'elle avait le plus aimé? La connaissant, j'étais persuadé qu'elle devait parler de Youri à maintes reprises. Je le reposai et regardai sous un autre oreiller. Le journal de Tatiana ressemblait à sa propriétaire: en ivoire, sans fioritures, d'une beauté sobre. Seule l'initiale gravée sur la couverture s'autorisait une arabesque frivole dans sa partie supérieure. J'avais si souvent dessiné ce «T» comme une formule magique (dans les tunnels noirs du palais, dans le wagon de marchandises qui nous avait conduits en Sibérie et sur un tronc d'arbre, dans notre prison de Tobolsk). J'en parcourus les contours dorés et froids. Des pas pressés retentirent dans le couloir. Je devais me dépêcher si je ne voulais pas être pris la main dans le sac. Je reposai le journal de Tatiana et poursuivis mes recherches sous l'oreiller suivant, où je découvris un journal à la couverture en bois marqué du «A» d'Anastasia. Sous l'oreiller de la quatrième paillasse, il n'y avait rien de rien. Déconcerté, je regardai autour de moi sans voir d'autres cachettes. Les pas se rapprochaient. « Léonid, trouve-toi vite une bonne excuse. Allez ! » songeai-je. C'était sans doute mon jour de chance, car les pas étaient ceux de Demidova, qui se rendait dans la chambre de ses maîtres. Enfin, je me dis qu'elle avait peut-être profité du moment où ses proches lisaient ou écrivaient des lettres dans la bibliothèque pour ajouter quelques lignes dans son carnet nacré et l'avait oublié là – le jour où je l'avais vu sur une cheminée du palais Alexandre, j'avais pensé que l'ordre n'était pas une des qualités premières de Maria Nikolaïevna. Oui, pourquoi pas ? Avec un peu de chance, elle l'aurait laissé sur un canapé ou près du bureau. Autant aller vérifier tout de suite, car la pièce était déserte à cette heure.

La vie nous réserve parfois de magnifiques moments que nous croyons avoir déjà vécus. Dans la bibliothèque, sur le manteau de la cheminée, entre un roman d'Alexandre Dumas et un de Walter Scott, je distinguai une couverture nacrée que je connaissais bien. Heureusement, cette fois, personne ne me surprit et je pus quitter la pièce, le journal de Macha dissimulé dans les plis de mon ample chemise de marmiton. Je comptais juste y jeter un coup d'œil et le remettre à sa place au plus vite, nul ne s'apercevrait de rien. La salle à manger se trouvait de l'autre côté du vestibule et je m'en approchai pour voir s'ils avaient terminé leur petit déjeuner. Ils étaient là, tous les sept, avec Yourovski, et attendaient patiemment que le commissaire, qui lisait la *Gazeta Ekaterinburga* sans se soucier de leur présence, ait fini de manger le toast qu'il tenait dans sa main.

– Il fait si lourd... soupira le tsar. J'aimerais vous demander une faveur, Yourovski. Pourrions-nous faire notre promenade maintenant et non cet après-midi ? Le baromètre annonce de la pluie.

Yourovski sourit sans lever les yeux de son journal.

– Bien sûr, Nicolaï Alexandrovitch. C'est une exception, n'est-ce pas ?

– Vraiment ? C'est possible ? s'écria le tsarévitch. C'est magnifique ! Moi aussi, je veux y aller. C'est tellement ennuyeux de rester tout le temps enfermé. Je pourrais prendre le fauteuil roulant de maman, elle ne sort jamais.

Yourovski venait de signifier la fin du petit déjeuner en pliant le journal avec soin. Il se leva et, après avoir jeté sa serviette sur la table, fit deux pas vers la fenêtre.

– Tu as raison, Nicolas Alexandrovitch, l'orage couve, dit-il en regardant le ciel. Mieux vaut profiter du soleil maintenant.

Mes adieux à la Maison à destination spéciale

Dans la matinée, je fus renvoyé. Sur le coup de onze heures, Yourovski ordonna à Troupp d'aller me chercher sur-le-champ. Il me trouva sous les combles – après avoir selon lui ratissé toute la maison –, dans notre chambre commune, où je m'étais réfugié avec la ferme intention de forcer le fermoir métallique du journal intime de Maria Nikolaïevna. J'eus tout juste le temps de le fourrer sous les draps, vierge et martyre, peu avant qu'il n'entre dans la pièce.

– Désolé d'interrompre ton petit roupillon matinal, camarade ! plaisanta-t-il en me voyant affalé sur ma paillasse, le visage empreint d'une expression qui dut lui paraître coupable. Le chef veut te voir. Tu n'aurais pas quelque chose à te reprocher, par hasard ?

Personne ne pouvait savoir que j'avais volé, pourtant les propos de Troupp me pétrifièrent.

– Tu n'as pas chapardé dans la remise, n'est-ce pas ? me demanda-t-il, pensant probablement que tout le monde était aussi glouton que lui. Je serais toi, je redoublerais de prudence. Le camarade Yourovski n'a vraiment pas l'air de bon poil, ce matin. Il a pris son petit déjeuner et, depuis, il est pendu au téléphone, enfermé dans son bureau. Impossible de comprendre un mot de ce qu'il raconte, ajouta-t-il, laissant entendre par là que lui aussi pratiquait l'art de coller son oreille aux portes. Moi, je crois qu'il va y avoir d'autres changements. Ils ont peut-être décidé de remplacer ces gardes par d'autres… Qu'est-ce qu'ils font ici, ces Lettons qui parlent à peine le russe ? Tout ça est très bizarre.

Je ne m'intéressais guère à ses commentaires sur les nouveaux gardes, mais, pour la forme et pour l'inciter à poursuivre son bavardage, je lâchai deux ou trois phrases. J'avais besoin d'un sursis de quelques secondes afin de mieux dissimuler le journal de Macha. Quand ce fut chose faite, je peignai mes cheveux et lissai mes vêtements, prêt à suivre Troupp, qui semblait décidé à m'accompagner jusque devant la porte du bureau de Yourovski, espérant sans doute pouvoir écouter notre conversation.

S'il pensait qu'on allait me traiter de voleur, il fut certainement déçu. Personne n'avait subtilisé quoi que ce soit, ni dans la remise ni ailleurs. Yourovski m'annonça que je devais tout de suite quitter la maison, mais ses raisons n'avaient rien à voir avec un quelconque larcin.

– Léonid Sednev, ton oncle a fait le voyage depuis Petrograd pour venir te chercher.

– Oncle Gricha ? m'écriai-je, surpris.

Le connaissant, je trouvai étrange qu'il ait pu abandonner son travail en des temps si houleux. Dans l'un des derniers journaux que nous avions lus à Tobolsk, on disait que la ville était livrée aux pilleurs, notamment les propriétés des aristocrates, que les serviteurs essayaient de défendre au prix de leur vie. On les qualifiait de « rats », de « traîtres à leur classe » qui méritaient d'être châtiés encore plus durement que les riches.

– Il doit y avoir une erreur, osai-je balbutier. Comment s'appelle cette personne dont tu parles, camarade ?

– Comment veux-tu que je sache le nom de ton oncle ? s'énerva Yourovski.

C'était une colère contenue. Il s'était gardé de crier ou de lâcher des gros mots, mais il y avait dans sa voix des accents métalliques qui me glacèrent le sang dans les veines.

– Je n'ai pas l'intention de perdre une seconde de plus avec toi, mon garçon. Va chercher tes affaires et déguerpis.

– Est-ce que je peux au moins dire au revoir à la famille ?

Sans daigner me répondre, il gagna la porte et actionna la poignée, mais heureusement pour Troupp, qui se trouvait juste derrière, il dut la forcer légèrement pour la faire tourner.

– Rien ne fonctionne donc correctement dans cette maison ? Eh, toi ! s'exclama Yourovski en s'adressant à Troupp, qui avait repris contenance et feignait de passer par hasard dans le couloir. Troupp ou Kroupp, j'ai oublié ton nom, va chercher ses affaires avec ce jeune homme et ne le quitte pas des yeux jusqu'à son départ. Ne t'avise pas d'aller dire à la famille qu'il n'est plus ici. Nous n'avons vraiment pas besoin d'une scène d'adieux déchirants en ce moment, tu as compris, mon garçon ? Allons, dépêchez-vous !

Le bureau de Yourovski était au rez-de-chaussée, près du vestibule. Contrairement aux fenêtres de l'étage, les siennes n'avaient pas été peintes et étincelaient de propreté. Je le savais car je les avais moi-même lavées.

C'est justement à travers ces fenêtres que j'assistai sans le savoir à la dernière promenade de la famille impériale, qui, comme tous les jours, arpentait la cour de long en large. Le tsar poussait Alexis dans le fauteuil roulant de la tsarine, Olga et Tatiana se révélaient quelque secret à voix basse, Anastasia marchait derrière elles. Mais où était passée Maria ?

– Tu m'as entendu, n'est-ce pas ? insista Yourovski.

Je bravai sa mauvaise humeur en m'attardant un peu afin de la voir une fois encore. Elle était là, près de la palissade, et avait pris du retard parce qu'elle nouait les lacets d'une de ses vieilles bottines en maroquin gris. « Adieu, Macha, lui dis-je sans ouvrir la bouche. Ne t'inquiète pas, avant de partir je vais remettre ton journal là où il était, je trouverai bien un moyen. »

Je n'en eus pas le loisir. Troupp exécuta les ordres du commissaire à la lettre et me suivit comme mon ombre. Il ne me lâcha pas d'une semelle, pas même quand j'allai saluer les chiens, les seuls habitants de la maison qu'on me laissa approcher. Une demi-heure plus tard, Léonid Sednev, ancien *water-baby* impérial, marmiton et témoin invisible de l'existence des Romanov pendant des années, observait la Maison à destination spéciale de l'autre côté de la palissade. Douze heures plus tard, ils étaient tous morts.

Le compte à rebours

Aujourd'hui encore j'ignore pourquoi Yourovski m'a laissé partir. Un bourreau dans son genre a-t-il pu avoir pitié d'un garçon de quinze ans ? Personne, ni mon oncle Gricha ni qui que ce soit d'autre, n'était venu me chercher de Petrograd. Je pourrais dire que le mensonge du commissaire avait éveillé mes soupçons et que c'est pour cette raison que je revins rôder autour de la maison dans la soirée, mais ce serait trahir la vérité. Je ne me suis jamais douté de ce qui allait arriver. Quand il avait recruté les Lettons et les Magyars destinés à devenir les bourreaux de la famille impériale, Yourovski savait que, malgré tout le sang versé par la faute de Nicolas, un Russe n'aurait jamais pu tuer son empereur, et encore moins ses cinq enfants. Je ne voulais pas que Macha me considère comme un voleur. Si je parvenais sans trop tarder à remettre son journal là où je l'avais trouvé, elle ne se rendrait peut-être pas compte de sa disparition. Comme tous les gens désordonnés, elle penserait l'avoir égaré quelque part.

Mais une autre raison me poussait à revenir. J'avais besoin de la voir, de lui parler. Hors de la maison, il ne m'avait guère été difficile d'ouvrir le naïf fermoir en argent de son journal. Je n'avais même pas eu à le forcer. J'avais alors constaté que mon nom figurait non pas une, mais d'innombrables fois. Il apparaissait bien souvent dans des situations banales: « Aujourd'hui, j'ai joué aux échecs avec Léo », « Léo m'a aidée à pétrir du pain », « Hier, nous avons débarrassé la table ensemble ». Mais la page du 16 juillet, dont le buvard portait encore les traces – « j'écris ton nom », « je voulais juste que tu me voies, Léo » –, me donna à entendre que j'étais à ses yeux plus qu'un simple compagnon. Malheureusement, Macha avait interrompu ses confidences après avoir écrit cette phrase, peut-être dans l'intention de la reprendre plus tard.

Je consultai l'heure. Sept heures et demie. Au mois de juillet, le soleil se couche très tard en Sibérie, et je devais attendre avant de me faufiler dans la maison. J'ignorais comment j'allais y parvenir. Deux miliciens armés montaient la garde dans la cour, attentifs au moindre bruit extérieur. « Il va falloir que je trouve une astuce – personne n'a dit que ce serait facile », songeai-je.

Je m'approchai de la palissade de la Maison à destination spéciale. Elle avait été édifiée dans une cuvette, si bien que, si l'on avait de bons yeux et qu'on se plaçait dans la partie la plus élevée de la rue, on avait un beau panorama de la cour. Je savais qu'on allait bientôt relever les sentinelles et comptais profiter de ce moment pour escalader la palissade. Il me serait aisé ensuite de pénétrer dans la maison et de gagner la bibliothèque pour y laisser le journal. J'avais même choisi l'endroit: non sur la cheminée, mais posé comme par négligence sur un fauteuil. J'espérais qu'une des sœurs le trouverait dans la matinée. Je riais d'avance en imaginant le commentaire d'Olga, ou plutôt celui de Tatiana, en le découvrant: « Ah, Macha, quelle tête de linotte! Tous tes secrets exposés aux yeux de tous! Tu as toujours été une catastrophe... » Et Macha lui répondrait peut-être en riant que le fermoir était toujours intact et que le secret de ses « désirs inavouables et ses péchés » était préservé.

Je vis les deux soldats venus remplacer les premières sentinelles. L'un d'eux était le jeune Magyar qui présentait un air de ressemblance avec Mitia Malama. Tatiana lui avait-elle également donné un baiser destiné à l'autre ? Pauvre et triste princesse qui poursuivait un rêve.

L'heure tournait et je ne savais toujours pas comment pénétrer dans la cour quand j'aperçus Yourovski. Il alluma une cigarette et s'approcha des gardes.

– Je tiens à vous prévenir tout de suite, pour qu'il n'y ait pas de malentendus, l'entendis-je dire d'une voix qui me parvenait très distinctement dans le silence de la nuit ; le bout incandescent de sa cigarette me permit même de voir étinceler ses yeux sombres. À vingt-trois heures, nous attendons un camion. Son chauffeur prononcera un mot de passe qui est « ramoneur ». Vous lui ouvrirez la porte de la palissade et à partir de ce moment, c'est très important, vous devrez rester à vos postes, quoi qu'il arrive, quoi que vous entendiez à l'intérieur de la maison. C'est compris ?

Un des gardes lui dit une chose que je ne saisis pas.

– J'ai dit « quoi qu'il arrive », reprit Yourovski de sa voix nette et indifférente. Même si vous entendez tirer dans la maison. Toi, Gabor, ajouta-t-il à l'intention du sosie de Mitia Malama, suis-moi, j'ai besoin de toi ; j'enverrai un camarade pour te remplacer. Quant aux hommes incapables d'accomplir leur devoir révolutionnaire, je m'occuperai d'eux demain.

J'essayai de trouver un sens à ses paroles : un véhicule devait entrer dans la cour et dire le mot de passe (« ramoneur » : quelle curieuse coïncidence), les sentinelles avaient reçu l'ordre de ne pas abandonner leurs postes même si elles entendaient des coups de feu dans la maison... Soudain, tout s'éclaira dans ma tête. C'était une tentative d'évasion, voilà. Quoi d'autre, sinon ? Les pièces du puzzle s'imbriquaient parfaitement les unes dans les autres. Yourovski avait joué les geôliers implacables, mais il était en réalité un grand acteur qui s'apprêtait à orchestrer de main de maître la libération de la famille impériale. Le camion qu'ils attendaient les conduirait en lieu sûr et l'ordre avait été donné aux soldats de ne pas bouger, même s'ils entendaient des coups de feu, pour éviter de compliquer les choses.

Tout semblait parfaitement organisé, et le mot de passe de l'opération était un bon présage. *Ramoneur*...

Je n'avais plus qu'à attendre l'arrivée du camion. En bonne logique, il devrait s'arrêter le temps que les gardes ouvrent le portail d'entrée ; il me suffirait alors de monter à l'arrière. Une fois dans la cour, j'aviserais quant à la conduite à adopter. Je pouvais par exemple attendre à l'intérieur du camion que tout le monde soit sorti et faire croire à Maria que j'étais un de ses sauveurs, ou descendre et assister à leur libération. Ce brave Yourovski ! Quel grand homme ! Comment avais-je pu penser du mal de lui ?

Dans un premier temps, tout se déroula selon mes prévisions. Sur le coup d'une heure et demie du matin, un camion s'arrêta devant le portail, j'en profitai pour m'installer à l'arrière et nous pénétrâmes dans la cour. Le chauffeur et son copilote étaient des étrangers, Lettons ou Magyars, je l'ignore, mais ils se comportaient exactement comme des Russes. Dès qu'ils eurent stoppé leur véhicule, ils se mirent à fumer et à bavarder avec les sentinelles. L'un d'eux sortit de sa besace une bouteille de vodka qui circula de main en main.

De là où j'étais, je n'avais qu'à soulever légèrement la bâche du plateau pour voir les fenêtres de l'étage. Un quart d'heure plus tard, celle de l'ancienne chambre que je partageais avec Botkine, Troupp et Kharitonov s'éclaira, puis ce fut au tour de celle du couple impérial et d'Alexis et, enfin, de celle du royaume d'OTMA. Les fenêtres étant pourvues de grilles, Yourovski avait gentiment autorisé les membres de la famille à les ouvrir la nuit pour rafraîchir les pièces, ce qui me permit d'entendre quelques bribes de conversations.

– On peut savoir où ils nous emmènent ? demanda Troupp.

– Il faut s'habiller à toute vitesse, lui répondit Botkine. Yourovski dit que l'armée Blanche s'approche d'Ekaterinbourg et qu'on va nous transférer dans un endroit plus sûr.

– Et Joy ? Où s'est-il encore fourré ? s'écria Anastasia. Et Jimmy ? Ils étaient là il y a cinq minutes. Ils s'échappent toujours au mauvais moment !

J'entendis ensuite la voix de Tatiana, qui s'exprimait en français :

– Allons ! Qu'aucune de vous n'oublie de mettre son corset et de prendre son manteau… Oui, oui, le plus chaud. Tu ne comprends pas ? Où est le tien, Macha ?

Je savais à quoi elle faisait allusion. Je n'avais pas participé à ce que les quatre sœurs avaient surnommé « Opération Aiguille » ou, pour être plus clair, le camouflage des bijoux et pierres précieuses de la famille, mais je savais en quoi elle avait consisté. Je me demandai si Yourovski n'allait pas trouver étrange que les anciennes grandes-duchesses portent des manteaux en plein mois de juillet, puis je conclus que j'étais le roi des idiots, car il était des nôtres et les laisserait prendre tout ce qu'elles voudraient, les affaires auxquelles elles tenaient le plus.

Je me rappelai tout à coup le journal de Macha et la raison pour laquelle j'étais là. Si je me dépêchais, je pourrais le déposer à temps dans la bibliothèque. Pourquoi pas ? C'était simple comme bonjour, car tous se trouvaient à l'étage, occupés à se préparer. En descendant, ils récupéreraient sans doute les objets qui leur appartenaient dans les autres pièces, et ne manqueraient donc pas de passer par la bibliothèque.

Je levai la tête. Yourovski était lui aussi à l'étage, sa voix me parvenait.

– Un quart d'heure, Nicolas Alexandrovitch, pas une seconde de plus. Je te rendrai responsable du moindre retard. Ensuite, vous descendrez au sous-sol, nous devons vous photographier avant de partir. Le camion n'est pas encore arrivé.

Ce qu'il avait dit au tsar et, surtout, la façon dont il l'avait dit auraient dû éveiller mes soupçons. S'il s'agissait d'une évasion, il semblait illogique qu'il lui mente. Mais je continuais de prendre mes rêves pour des réalités, j'étais sur mon petit nuage, uniquement soucieux de pénétrer incognito dans la maison. J'avais l'intention de me faufiler dans la cuisine et, de là, de gagner la bibliothèque. Les soldats postés dans la cour ne me virent même pas descendre du camion, trop occupés qu'ils étaient à discuter et à écluser leur vodka. Je les dépassai et, longeant les murs, contournai la maison. Les rideaux d'une des fenêtres qui donnaient sur le vestibule étaient ouverts, j'en profitai pour regarder ce qui se passait à l'intérieur. L'escalier s'élevait devant moi, les Romanov commençaient à descendre avant l'heure prévue.

Je n'oublierai jamais cet instant. Le tsar portait Alexis dans ses bras, suivi d'Alexandra, appuyée sur Tatiana. Derrière elle se tenaient Olga, Maria et Anastasia, qui tâchait de maîtriser Joy et Jimmy, en laisse. Botkine, Troupp et Kharitonov arrivèrent après elles. Demidova fermait la marche, une charge bien embarrassante dans les bras puisqu'il s'agissait ni plus ni moins de deux gros oreillers.

– Parfait, dit Yourovski, au pied de l'escalier. J'apprécie votre ponctualité. Descendons à la cave pour la photo.

*

Mon Dieu ! Où est la sonnette ? Que j'ai mal ! Ça me brûle de l'intérieur. Il faut que j'appelle, que quelqu'un, un médecin, vienne m'aider... En même temps, je suis si près du but... Ce serait extraordinaire que je meure avec eux. Tu te rends compte, Macha ? À soixante-seize ans d'écart, toi et moi unis dans la mort, comme cette fameuse nuit...

*

Il était à peu près deux heures et quart, tu te souviens, quand ils vous ont ordonné de descendre à la cave. Vous étiez tellement habitués à obéir qu'aucun de vous n'a bronché. Seule ta mère, en constatant qu'on avait débarrassé la pièce de tous les meubles qui l'encombraient, a fait remarquer : « Il n'y a même pas de chaises, ici. »

– Vous pourriez nous apporter deux chaises, s'il vous plaît ? Une pour la tsarine et une pour mon fils, a demandé le tsar, qui avait toujours Alexis dans les bras.

Yourovski s'est tourné et, par-dessus son épaule, il a signifié à l'un de ses hommes d'aller chercher deux chaises dans la pièce contiguë, puis il est parti après avoir verrouillé la porte. Et à ce moment-là encore je n'ai eu aucun soupçon. En le voyant fermer à clé, je ne me suis pas douté une seule seconde de ce qui allait survenir, Macha. Témoin invisible idiot et aveugle, j'ai quitté la fenêtre qui donnait sur le vestibule pour me placer devant le soupirail, me rengorgeant parce que personne ne m'avait vu, ni les gardes en faction dans la cour, qui continuaient de boire, ni vous autres, qui plaisantiez en attendant les photographes.

– Regarde, Alexis ! Cette tache d'humidité au plafond ne te rappelle rien ? a demandé Anastasia. Tu ne trouves pas qu'elle ressemble à Mme Vyroubova coiffée de son petit chapeau en forme de casserole ?

– Et celle-ci ? a fait Olga. On dirait grand-mère Minnie quand elle joue au croquet…

Tatiana gardait le silence, si belle que je n'ai pas pu m'empêcher de la regarder avant de me tourner vers toi, Macha.

– Tu crois qu'après on aura le droit d'aller prendre les affaires qu'on a laissées dans la bibliothèque ? a toutefois voulu savoir Tania.

– Bien sûr que oui. Tu n'as qu'à demander à Yourovski. Ou au nouveau Mitia Malama, as-tu répliqué en riant, aussitôt imitée par ta sœur.

À l'étage supérieur, on entendait des voix lancer des ordres. J'ai levé la tête en espérant saisir quelques mots. C'est alors que tu as remarqué ma présence.

En vérité, je dois plutôt attribuer ce mérite à Joy, qui aboyait et t'a obligée à te tourner vers moi. Tu es la seule de la famille à l'avoir fait, les autres avaient les yeux rivés sur la porte, car Yourovski venait de réapparaître.

J'ai posé un doigt sur mes lèvres pour que tu ne dises rien, Macha. J'étais persuadé qu'après cette séance de photo vous seriez libérés, mais je préférais ne pas compliquer les choses ni avoir à me justifier devant Yourovski, à qui j'avais désobéi. Sans que le moindre son sorte de mes lèvres, j'ai formé les lettres du mot « Attends », et tu as hoché la tête.

– Placez-vous devant le mur, vous a intimé Yourovski d'un ton on ne peut plus aimable. Vous deux, vous pouvez rester assis si vous le désirez, a-t-il ajouté à l'intention de ta mère et d'Alexis. Les autres, mettez-vous contre le mur, je vais dire au photographe de descendre.

Départagés en deux rangs, vous étiez dociles comme des moutons, n'est-ce pas, Macha ? Ton père était entre Alexis et la tsarine, vous autres derrière. Je me souviens qu'Olga a chassé une boucle qui la gênait et que Tatiana a sorti de sa poche un petit miroir et s'est pincé les joues pour les faire rosir.

– Ça va, je suis bien ?

– Oh, Tania, tu es toujours bien ! s'est esclaffée Anastasia. Passe-le-moi, que je m'arrange un peu.

Toi, Macha, toujours tournée vers moi, tu as alors déclaré :

– Je préfère me mettre ici, près de la fenêtre. Joy, mon trésor, viens. Toi aussi, Jimmy. Tu crois qu'ils nous laisseront les chiens pour la photo ?

– J'en suis sûr, Votre Altesse. Je vais porter Jimmy, a proposé Botkine.

Kharitonov s'est placé sur sa gauche.

– Je suis mieux de profil, comme ça, on verra mieux mon menton tartare, a-t-il plaisanté.

– Mets-les par terre. Tu ne comptes tout de même pas poser avec cet attirail ! a dit Troupp à Demitova en désignant les deux oreillers qu'elle serrait toujours dans ses bras.

J'ignore ce que lui a répondu la femme de chambre de la tsarine, car mon attention et la vôtre ont été attirées du côté de la porte, qui s'est ouverte pour la deuxième fois devant Yourovski, accompagné de deux gardes, dont Gabor, le double de Mitia Malama. Tatiana lui a adressé un sourire, il a détourné le regard.

*

Mon Dieu ! Du sang ! Il y en a partout, mes jambes et les draps en sont couverts. Que faire ? S'il vous plaît, aide-moi, Macha, je vais poser le micro sur la table, mais je vous en supplie, n'éteignez surtout pas le magnétophone, je dois enregistrer, je n'en ai que pour une minute…

*

– Nicolas Alexandrovitch, dit Yourovski, vos parents et vos proches, dans le pays et à l'étranger, ont tenté de vous libérer. Le soviet des ouvriers, des paysans et des soldats de l'Oural a pris la décision de vous fusiller.

Je crois avoir mal entendu, tout comme ton père, qui demande :

– Comment ?

Yourovski répète sa phrase et le tsar avance d'un pas, protégeant Alexis.

– Je…

Il n'a pas le temps d'en dire davantage. Au premier coup de feu, il s'effondre comme un pantin sur les genoux d'Aliocha, les yeux ouverts, comme pour formuler une dernière question.

À compter de cet instant, les balles se mettent à pleuvoir. Les gardes qui étaient à l'extérieur tirent depuis la porte. La petite pièce est envahie de poudre et de sang, tout le monde crie. Les balles ricochent dangereusement contre les murs, allant jusqu'à blesser un des soldats qui recule en jurant. Je reste là, de l'autre côté, hypnotisé par l'horreur.

– Cessez le feu ! ordonne Yourovski.

Mais le sifflement des balles couvre sa voix. Quand il parvient enfin à se faire entendre, beaucoup d'entre vous sont encore en vie. « Espèce de vieux schnock », peste-t-il en constatant que le docteur Botkine est allongé, en appui sur un coude, comme sur une plage. Il l'achève d'une balle dans la bouche, puis s'occupe de Troupp et de Kharitonov. Regarde, Macha ! Ton frère Alexis a survécu à toutes ces balles ; pétrifié de peur, il est toujours assis sur sa chaise. Yourovski se dirige vers lui. Mon Dieu ! Son visage est en charpie ! Oh, Macha, pourquoi suis-je incapable de détourner les yeux ? Yourovski s'intéresse à présent au sort de tes sœurs. Olga agonise, un trou béant dans le front, mais Tatiana et Anastasia, debout, se serrent dans les bras l'une de l'autre. La robe d'Anastasia est ensanglantée, maculée d'éclats de ce que je suppose être le cerveau de Troupp. Un garde que je n'ai jamais vu auparavant tire sur elle à trois reprises sans qu'elle tombe.

– Maman ! Maman ! hurle-t-elle en protégeant son visage de ses mains.

Tatiana se tient devant le sosie de Mitia Malama, et que crois-tu qu'elle fasse, Macha ? Elle lui sourit, je le jure, elle lui sourit, je la vois très nettement esquisser une grimace pleine d'espoir, atrocement belle, mais il ferme les yeux et presse la détente, deux, trois, quatre fois...

Et toi, pendant ce temps, Macha, mon amour, tu es sous la fenêtre, sortie de mon champ de vision. Où es-tu ? Maintenant, je te vois, tu as profité de la fumée et de la confusion pour te cacher sous le cadavre de Kharitonov. Ta mère, par terre, rampe vers Aliocha.

– L'Allemande est vivante ! crie un soldat.

– Bon sang ! Il n'y a donc pas moyen d'en finir avec ces femmes ? Tirez-leur une balle dans la tête, faites-leur sauter la cervelle !

Le cas le plus extraordinaire est celui de Demidova. Elle est là, devant le mur opposé à la fenêtre, baignée de sang, s'abritant pathétiquement derrière les oreillers qu'elle n'a pas lâchés depuis que vous êtes descendus à la cave.

– Achève-la à la baïonnette ! crie Yourovski.

Dimitri Malama, qui vient de vérifier que Tatiana est bien morte en poussant son corps avec la culasse de son arme, lui obéit.

– Tais-toi, espèce de poule couveuse, dit-il en lui plantant la baïonnette dans le ventre.

Mais elle continue de hurler. Mon Dieu, comment est-ce possible ? Il n'y a pas moyen de la tuer, jusqu'à ce qu'un dernier hurlement soit étouffé par le jet de sang qui jaillit de sa bouche.

Dieu du ciel, Macha, tu es la seule à être en vie.

Pendant un instant divin, j'imagine que tout est possible, qu'ils te croient morte, que, dans le désordre du massacre et la fumée qui flotte dans la pièce, on te transporte jusqu'au camion qui est entré dans la cour parce que son chauffeur a prononcé un incroyable mot de passe, « ramoneur ». J'imagine que j'y monte et qu'après un trajet entre les cadavres de tes parents, de ton frère et de tes sœurs, couverts de sang et de mouches, je parviens à te sauver.

Mais non. Quelqu'un tire sur les jambes de Kharitonov et te découvre en dessous. Tu vas mourir et moi aussi, soixante-seize ans plus tard. Nous voici de nouveau réunis. Donne-moi la main, Macha. Laisse-moi profiter de mes derniers instants de vie en évoquant les tiens. Non, ne t'inquiète pas, mon amour. J'ai encore la force de dire le plus beau, ce que tu as fait pour moi cette nuit-là.

– Celle-ci, laissez-la-moi, dit Yourovski à ses hommes. C'est la dernière en vie.

Il arme son revolver, le braque sur ton visage, et c'est alors que tu prononces mon nom en silence. Tes lèvres dessinent les lettres que tu as écrites dans ton journal intime sans émettre aucun son et, surtout, sans me regarder.

Je sais pourquoi tu as agis ainsi. Tu voulais me déclarer ton amour, mais tu voulais aussi me sauver. Voilà pourquoi tes yeux se sont posés ailleurs pendant que tes lèvres bougeaient. Pour que nul ne sache, en suivant ton regard, qu'il y avait un témoin. Tu as attendu que Yourovski tire pour laisser tes merveilleux yeux gris me chercher à nouveau, comme l'avait fait Youri avec Olga. Ces deux regards m'ont accompagné toute ma vie durant, tout au long des presque quatre-vingts ans que tu m'as offerts cette triste nuit, Macha.

Épilogue

Montevideo, 30 juillet 1994

Monsieur Youri Brominski
Larrañaga, 4442
Montevideo

Cher Youri Brominski,

Je m'appelle María et je suis aide-soignante. Je vous écris sur les indications d'un de nos patients, M. Léonid Sednev, qui est mort le 18 juillet dernier. Il n'a pas d'héritiers et m'a demandé de m'occuper d'un récit qu'il a écrit. C'était une personne réservée qui ne s'entendait avec personne, mais qui aimait bavarder avec moi de temps en temps ; il disait que je lui rappelais quelqu'un. Dans ses derniers mois de vie, il voulait absolument terminer ce qu'il appelait sa « longue confession ». Il me semble que ce récit l'a vidé de ses dernières forces. Il était si obsédé à l'idée de ne pas pouvoir finir que lorsqu'il a eu sa dernière hémorragie, au lieu d'appeler une infirmière, il a continué son enregistrement sur un petit magnétophone qu'il m'avait demandé de lui acheter quelques semaines plus tôt. Pauvre M. Sednev ! Je l'ai retrouvé dans une mare de sang. Je suis nouvelle dans ce métier, il me reste encore trois ans d'études avant d'avoir mon diplôme. Mes collègues disent que je dois m'habituer peu à peu à ce genre de choses, mais ce n'est pas toujours facile.

En me voyant arriver, il a souri et a même prononcé mon prénom, puis il m'a appelée Macha et s'est mis à parler en russe. Un moment plus tard, il est mort dans mes bras.

En plus de ses notes et de ses cassettes, il m'a laissé une sorte de carnet à la couverture de nacre, un journal intime, qui m'a amenée à vous adresser cette lettre. Je ne comprends pas un mot de son contenu, monsieur Brominski, mais à l'intérieur j'ai trouvé une carte avec vos nom et adresse. Alors je me suis souvenue qu'il n'y a pas longtemps M. Sednev avait mentionné votre nom. Il m'a dit que vous parliez russe et que, après sa mort, vous sauriez quoi faire de ces écrits.

J'ignore s'il a pu terminer sa « confession ». J'aimerais croire que oui, qu'il y est parvenu avant que la Dame de pique, comme il qualifiait la mort, ait gagné la partie. Il s'est enregistré jusqu'au dernier soupir, mais il ne s'exprimait plus qu'en russe. Dans les semaines qui ont précédé sa dernière opération – dont il est sorti très affaibli –, il me racontait parfois des histoires de son époque, la mort de Raspoutine, par exemple, ou quand et comment il est arrivé en Uruguay, ou encore la vie que menaient les Russes blancs après avoir fui la révolution. En revanche, je n'ai jamais pu lui arracher un mot sur ce qui s'est passé avant qu'elle éclate.

J'ai commencé à lire son récit et je suppose que plus j'avancerai, plus je comprendrai de quoi il s'agit. Pour l'instant, tout ce que je peux dire, c'est que M. Sednev était fier d'être ce qu'il appelle un « témoin invisible ». « Aveugle, sourd et surtout muet » : c'est ainsi qu'il aimait se définir. Il a atteint un âge très avancé ; pourquoi n'a-t-il pas voulu révéler son histoire avant et avec qui me confondait-il quand il agonisait ? Je ne le sais pas encore. Je sais juste qu'au début de son récit il a écrit que les grands secrets sont comme les sortilèges, ils s'évanouissent dès lors qu'on les expose. Il voulait garder le sien pour lui. Maintenant qu'il est mort, en revanche, je suppose qu'il m'a laissé ces pages et ces cassettes pour que je les fasse connaître. Vous n'êtes pas de mon avis ? Je joins à cette lettre une photo du journal dont je vous ai parlé plus haut. Comme vous pourrez le constater, il porte une initiale et une date. « M » et « 1918 ».

Voudriez-vous que nous essayions de reconstruire cette histoire ensemble ?

Dans l'attente de votre prompte réponse, en espérant qu'elle sera positive, je vous adresse mes plus sincères salutations,

María Nicolini

Note de l'auteur

Le Témoin invisible s'inspire de faits réels. Seule une personne est sortie vivante de la Maison à destination spéciale où a été perpétré le massacre des Romanov : Léonid Sednev, marmiton de quinze ans, compagnon de jeux du tsarévitch et ami des grandes-duchesses. Comme le raconte le livre, le matin de la tuerie Yourovski a convoqué Léonid pour le renvoyer en lui disant que son oncle était venu le chercher de Petrograd. J'ai trouvé son histoire extraordinaire, car ce garçon partageait encore l'intimité de la famille impériale quelques heures avant sa mort. On pense que Sednev a écrit des mémoires, mais on ignore ce qu'ils sont devenus. On a perdu sa trace après 1918. Est-il mort pendant les grandes purges de Staline, comme l'affirment certains ? S'est-il enfui en Amérique du Sud, comme d'autres le prétendent ? J'ai pris la liberté d'adhérer à cette dernière version. Des milliers de Russes au passé fascinant – tantôt vrai, tantôt un peu moins – sont arrivés en Uruguay après la révolution bolchevique. Il y a même eu une colonie dans le département de Río Negro, peuplée des descendants de nombre d'entre eux. Des Youssoupov et des Korsakov ont aujourd'hui la nationalité uruguayenne. Dans le roman, c'est ce fil qui relie la Russie à l'Uruguay. Quant à la décision de Léonid Sednev de garder son secret pour lui pendant près de quatre-vingts ans, je la dois à quelqu'un qui présentait les mêmes caractéristiques que mon personnage. C'est lui qui m'a appris que les grands secrets sont comme les sortilèges et s'évanouissent dès lors qu'on les raconte. À une époque aussi exhibitionniste que la nôtre, où les gens se plaisent à révéler non seulement ce qui est vrai, mais bien souvent ce qui n'est jamais survenu, l'idée qu'on puisse vouloir préserver un grand secret jusqu'à son dernier souffle me séduit.

Remerciements

Je dois l'idée de ce roman à mon frère Gervasio, qui m'a détournée – j'avais une autre histoire en tête – de mon projet initial et m'a poussée sur la route de Saint-Pétersbourg, où je me suis rendue avec mes filles Sofía et Jimena, à la recherche d'OTMA. Je les remercie donc elles aussi de m'avoir accompagnée lors de ce premier séjour dans le passé. J'ai eu ensuite d'autres compagnons de voyage importants dans cette aventure qui, désormais, s'intitule *Le Témoin invisible*. La première est María Florez Estrada, une amie d'enfance et un génie capable de dénicher des livres introuvables. Merci également à Mercedes Casanovas, sans qui je ne peux faire un pas dans la vie. Il en va de même avec Ana Rosa Semprún. À mesure que le livre progressait, le soutien, l'enthousiasme et les conseils avisés d'Ángeles Aguilera et de Puri Plaza m'ont aidée à maîtriser une histoire qui, parfois, n'en faisait qu'à sa tête. Merci à Estrella Moreno, qui a su voir ce que je ne voyais pas. Merci à Françoise Viel, *ma prof*, que j'appelle à tout bout de champ pour qu'elle m'évite de tomber dans les terribles pièges de la langue de Molière. Et que dire de ma sœur Dolores ! Elle m'a non seulement sauvée des pièges encore plus terribles de la langue de Pouchkine et de Dostoïevski, mais m'a donné beaucoup d'idées excellentes. Évidemment, merci à ma *sister*, Marta

Robles, qui a supporté avec une patience d'ange je ne sais combien d'obsessions littéraires et autres. Merci aussi à Fernando Marías, qui m'a fourni la perspective idéale pour la dernière scène.

Enfin, merci, comme pour chaque livre, à mon ange correcteur, Mariángeles Fernández, sans qui je ne peux vivre non plus, et, comme toujours, à Visi Ortega, Amantina Tapia et Manuel Peñuelas, qui font tourner ma maison et mon existence pendant que je passe le plus clair de mon temps à taper sur un clavier...

Table

La règle de Gricha Ivanovitch
Montevideo, 13 avril 1994 13

Le récit du bourreau 18

Les enfants de l'eau 27

Tante Nina 32

Montevideo, 30 avril 1994 48

« Quand je serai mort, je n'aurai plus mal,
n'est-ce pas, maman ? » 51

Raspoutine entre en scène 59

Scarlatine. 71

Fièvre 80

Valets sans naissance et valets de sang 84

Des voix d'outre-tombe 91

Le début de la fin. 97

Montevideo, 15 mai 1994 106

Une promenade dans le royaume d'OTMA 113

« Cher Journal… » 130

Et soudain, la guerre. 136
L'amour au milieu des bandages et du coton 143
Amours de guerre 151
Aimer et se taire 161
Nouveau miracle de Raspoutine 168
Niemka ! 177
Montevideo, 1er juin 1994 184
Un triste retour à la maison 189
Une visite chez Raspoutine. 201
L'homme à la jambe de bois 215
Maintenant ou jamais. 225
La mort 227
Trois étrangers sur un pont 235
Sur le chemin du cimetière 240
Montevideo, 20 juin 1994 245
Une mort tout aussi cruelle, mais
moins théâtrale 257
Drapeaux rouges 272
Rentrer. 282
Le retour 287
Citoyen Romanov 299
Montevideo, 25 juin 1994 307
Plusieurs adieux 310

Cinq têtes chauves 324

Montevideo, 27 juin 1994 334

En route pour Tobolsk 349

Un passager clandestin à bord 353

Montevideo, 1er juillet 1994 361

Notre nouvelle vie 367

Dix jours qui ébranlèrent le monde 371

Projets d'évasion 379

La révolution n'a pas besoin de nains 384

Le début de la fin 392

Adieu Tobolsk 397

Changement de destination 408

Montevideo, 15 juillet 1994 412

Du pain noir 417

Montevideo, 17 juillet 1994 429

Il fait si chaud ! 431

L'heure de Macha 437

16 juillet 1918 441

Mes adieux à la Maison à destination spéciale 451

Le compte à rebours 455

Épilogue – *Montevideo, 30 juillet 1994* 468

Note de l'auteur 471

Remerciements 473

RÉALISATION : IGS-CP À L'ISLE-D'ESPAGNAC (16)
IMPRESSION : NORMANDIE ROTO IMPRESSION S.A.S. À LONRAI
DÉPÔT LÉGAL : MAI 2014. Nº 112084 (1401325)
IMPRIMÉ EN FRANCE